Pour Odile

Neil xx

Sept 2018

libretto

JACQUES YONNET

RUE
DES MALÉFICES

Chronique secrète d'une ville

Avec des dessins
de l'auteur

*l*ibretto

ISBN : 978-2-7529-0947-3

Né en juin 1915, Jacques Yonnet fut poète, parolier, dessinateur, peintre, sculpteur et auteur de *Rue des Maléfices, chronique secrète d'une ville,* initialement paru en 1954 aux Éditions Denoël sous le titre *Enchantements sur Paris.* Ces chroniques, considérées comme l'un des meilleurs livres écrits sur Paris et ses habitants sous l'Occupation, ont été saluées par Raymond Queneau, Jacques Audiberti, Jacques Prévert et Claude Seignolle. Très actif au sein de la Résistance parisienne, Jacques Yonnet fut également celui qui, par la publication en septembre 1944 d'un article intitulé « Petiot, soldat du Reich », provoqua l'arrestation du tristement célèbre docteur Petiot, auteur de plus de soixante meurtres et qui se cachait au sein même de la Résistance française sous le nom de « Valéry ». Jacques Yonnet, devenu par la suite chroniqueur gastronomique, est mort le 16 août 1974.

*Dédé de la «Montagne» :
un «Seigneur»*

*Le peintre
Gérard Laborie*

Alexandre Villemain

Bizinque

Pépé la Lope

Pierrot la Bricole

*Robert Giraud
du temps qu'il gambergeait
le «Vin des Rues»*

Léon la Lune

« Croquée » au Vieux Chêne (au moyen d'une pointe de compas et de zinc de toiture), la Chouette accepta de poser pour un casse-croûte. Quatre-vingt-seize ans : elle connut Huysmans et les bords de la Bièvre.

« *L'Amiral* » : l'un des « *grands* » de la Mouffe. Gardien de phare
aux Comores, il apprivoisa un énorme poulpe qui fut des années durant
son compagnon le plus fidèle. « *La pieuvre est l'amie de l'homme,
enseigne-t-il; elle sait sucer le mal.* »

CHAPITRE I

Une très ancienne ville est comme une mare, avec ses couleurs, ses reflets, ses fraîcheurs et sa bourbe, ses bouillonnements, ses maléfices, sa vie latente.

Une ville est femme, avec ses désirs et ses répulsions, ses élans et ses renoncements, ses pudeurs – ses pudeurs surtout.

Pour pénétrer le cœur d'une ville, pour en saisir les plus subtils secrets, il faut agir avec la plus infinie tendresse et aussi une patience parfois désespérante. Il faut la frôler sans être sournois, la caresser sans trop d'arrière-pensée, ceci pendant des siècles.

Le temps travaille pour ceux qui se placent hors du temps.

Il n'est pas *de Paris*, il ne sait pas sa ville, celui qui n'a pas fait l'expérience de ses fantômes. Se pétrir de grisaille, faire corps avec l'ombre indécise et fade des angles morts, s'intégrer à la foule moite qui jaillit ou qui suinte, aux mêmes heures, des métros, des gares, des cinémas ou des églises, être aussi bien le frère silencieux et distant du promeneur esseulé, du rêveur à la solitude ombrageuse, de l'illuminé, du mendiant, du pochard même : ceci nécessite un long et difficile apprentissage, une connaissance des gens et des lieux que seules peuvent conférer des années d'observation patiente.

C'est à la faveur des époques tourmentées que le véritable tempérament d'une cité – à plus forte raison du magma des quelque soixante villages qui constituent Paris – se manifeste. Depuis treize années, j'ai consigné des notes de tous ordres, historiographiques surtout, car tel est mon métier. J'en détache ce qui a trait à une suite d'événements dont je fus le témoin ou le très falot protagoniste. Une sorte de pudeur, de crainte indicible m'empêcha jusqu'à ce jour de venir à bout de cette œuvre.

Peut-être est-ce grâce à des conditions particulières que les événements irrationnels dont il va être question me sont apparus sous l'angle du fantastique – mais du fantastique à hauteur d'homme.

J'ai découvert, à travers les moindres conjonctures, faits bizarres et jeux de coïncidences, une logique à ce point rigoureuse qu'un constant souci de véracité m'a forcé à me mettre en scène beaucoup plus peut-être qu'il n'eût fallu. Mais il était essentiel de situer l'époque, et cette époque, je l'ai vécue plus intensément que beaucoup, j'y étais incorporé à pleine moelle. Au demeurant, il ne me serait jamais venu à l'esprit de conter une aventure personnelle si je n'avais constaté combien intimement elle est liée à celle, infiniment plus complexe et digne d'intérêt, de la Ville elle-même.

Il n'est point ici de personnages fictifs, ni d'histoires dues à la seule imagination du narrateur – lequel pourrait être n'importe qui d'autre.

Que l'on veuille donc voir dans ce livre, non pas le plus inquiétant, mais le plus inquiet des témoignages.

1941

Une fois l'île et les deux bras du fleuve franchis, la ville change de visage. Dans le square, à l'emplacement de l'ancienne morgue, on a cimenté les unes sur les autres des pierres d'âges différents qui ne peuvent pas se sentir. Elles se haïssent sourdement. J'en souffre autant qu'elles. Il est inconcevable que personne n'ait pensé à cela.

La Seine me boude. La même moue qu'autrefois, lorsque je revenais la saluer, après un voyage un peu trop prolongé selon mon goût. Ce n'est pas une maîtresse facile.

L'hiver sera rude. Il y a déjà des mouettes à la Tournelle, et nous ne sommes qu'en septembre.

En juin 1940, à Boult-sur-Suippe, je fus blessé et fait prisonnier. J'ai su que les Allemands m'avaient repéré comme journaliste d'avant-garde. Je me suis évadé à la première occasion.

Je dispose de quelque argent. De quoi vivre deux semaines, peut-être trois. Mais je ne possède, en fait de papiers d'identité, que le livret militaire du sergent Ybarne, un prêtre sans famille, mort à mon camp – et un titre de démobilisation au même nom que je me suis fabriqué.

Je ne sais s'il me sera possible de recouvrer quelque jour mon propre patronyme. Il faut à tout moment me méfier des patrouilles et des rafles, surtout celles exercées par des policiers français.

Je ne sais encore où dormir. Les amis sûrs ne manquent pas : une bonne douzaine. J'ai rôdé sous leurs fenêtres et, chaque fois, l'idée de leur rendre visite m'abandonnait.

J'ai arpenté le ghetto, derrière l'Hôtel de Ville. J'y connais tous les pavés, et les maisons pierre par pierre. J'en suis parti déçu, presque en colère. Il y a un souffle de désespérance, d'acceptation, de renoncement. J'ai voulu respirer un air plus nerveux. C'est vers la Maubert au sourire secret qu'un impérieux instinct a dirigé mes pas. La rue des Grands-Degrés m'attire. Une certitude vient de naître en moi que j'y serrerai une main amie.

L'HORLOGER
DU TEMPS À REBOURS

Cette petite échoppe verte, en planches, c'est la « boutique » (pas tout à fait trois mètres carrés) de Cyril le maître horloger. Né à Kiev, Dieu sait quand.

La mère Georgette, la laveuse, une des doyennes de la Maube, qui connut le Château-Rouge et le père Lunette et le percement de la rue Lagrange, m'avait dit en 1938 : « Formidable qu'il est ce gniar-là. Je vais sur soixante-dix piges et je l'ai toujours conoblé. Réparouze de pendulettes et fourgueur d'oignons d'occase. Jamais de bruit. De temps en temps il change de blaze. Il dit qu'il a l' droit. C'est bien la quatorzième poupée qu'il se farcit. Il a enterré plus d' la moitié des autres. Toujours la même gueugueule. J'y entrave que pouic. »

C'était évidemment curieux. Des soucis plus immédiats m'avaient empêché de prêter attention au « cas » Cyril. Et puis, quelque temps après, je le rencontre dans un bistrot et lui raconte l'histoire – que je venais de restituer – de l'immeuble contre lequel est accotée sa baraque.

Un colonel de l'Empire – du temps que tous les colonels étaient braves – avait égaré une jambe du côté d'Austerlitz. Ceci justifia sa mise à la retraite. L'officier sollicita de l'Empereur l'autorisation de regagner Paris en compagnie de son cheval, avec qui il s'était lié d'amitié. L'Empereur était dans ses bons jours. Il accepta.

Colonel et cheval achetèrent la maison, la firent surhausser d'un étage. Il y a une grande cour pavée de grès. À grands frais, on y installa un abreuvoir gigantesque. Car M. le Cheval avait l'habitude de prendre des bains et ne pouvait se désaltérer que d'eau courante. La fortune du colonel, et sa retraite, ne suffirent pas à rétribuer l'activité des trois ou quatre bonshommes qui faisaient la navette, avec leurs seaux, entre la Seine et la rivière intermittente du dada sybarite. Colonel et monture expirèrent en même temps, dans les bras l'un de l'autre.

Cela mit Cyril en gaieté. Nous bûmes beaucoup et devînmes copains comme cochons.

Cyril m'a découvert un refuge. Il m'a emmené rue Maître-Albert. Une voie en coude qui descend vers le quai. Chez Pignol – un bouge – c'est minuscule et bourré de gens. On y casse la croûte à volets fermés.

D'heure en heure, la patrouille rageuse remonte la rue. Les bottes s'annoncent de très loin. On dirait qu'à chaque pas sonore l'asphalte leur répond merde. Dès qu'ils embouchent le coin, on éteint la calbombe et on ferme ses gueules. Ils ont le sens du sacrilège. Ils pénètrent la nuit hostile avec une énorme peur aux tripes, comme on baiserait de force une femme qui se refuse.

Panne de courant. Il paraît que c'est fréquent ces temps-ci. La patronne, Pignolette – la seule à qui Cyril m'ait présenté –, allume des bougies. J'observe alors le visage de l'horloger, qui paraît au plus quarante ans à la lumière normale.

D'innombrables rides parallèles, extraordinairement fines, interdisent à sa peau tout méplat rédhibitoire. Il semble momifié. Ma mémoire se réencombre des propos de la Georgette. Cyril m'a fait raconter mon odyssée. Maintenant, c'est lui qui parle.

Engagé dans la Légion étrangère sous un nom d'emprunt, dès le début des hostilités, il a eu la veine de s'efficacement bagarrer. Croix de guerre et médaille militaire. Ne fut point fait aux pattes. On lui a permis de conserver le nom qu'il s'était choisi : alors il est en train de « se » vendre sa propre patente. Mais comme Cyril, il m'en souvient bien, m'a narré naguère, avec moult détails, les combats auxquels il participa sur le front français en 1914-1918, et aussi les fameux « massacres de Kiev » avec les Jaunes ligotés sur les rails, et de qui les locomotives marchant au ralenti tranchaient les têtes, ça me travaille un peu, cette histoire. Cette histoire de temps. Et d'ubiquité.

Des gens réputés « honorables », à cause de leur complet trois-pièces, et d'authentiques clochards sont là réunis, qui gloutonnent la même tambouille. J'ai remarqué le binoclard du bout du banc, ses cheveux en brosse, ses yeux globuleux et très cernés. Cyril me souffle : il paraît que c'est un poète. Son nom est Robert Desnos.

J'ai demandé la clé de ma chambre.

La fatigue m'a rendu extraordinairement sensitif. Un camion catarrheux passe, très loin. Je l'entends, je le sens descendre la rue Monge. Il va contourner la place, prendre le boulevard sur la gauche. Je le « vois ». J'en suis sûr. Il fait frémir des kilomètres cubes de murailles. Le quartier a, ce soir, les nerfs à fleur de crasse.

Ici tous les plafonds ont eu – La scarlatine – Ça pèle à plâtre que veux-tu – Ô Lamartine...

Cette tache ronde, noire et ocellée qui surplombe la table de nuit, c'est la lampe à pétrole d'autrefois, malodorante et qui filait tant qu'elle pouvait. Une méchante ampoule maculée de chiures de mouches se balance au-dessus de ma tête, imperceptiblement. Cela fait bouger les ombres. Le camion se rapproche, et les ombres agacées ne retrouvent plus exactement leur place : alors la chambre elle-même participe à l'inquiétude de tout.

La mobilisation m'avait surpris au retour d'un périple en Europe de l'Est. J'avais entassé, dans mon deux-pièces de bohème, des documents et des livres traitant du Paris ancien. Le loisir m'avait manqué de les compulser.

Dans la journée, j'étais passé chez moi – furtivement. Les scellés allemands sont apposés sur ma porte : c'est-à-dire deux bandes de papier brun, genre emballage, timbrées de l'aigle gammé. Ils croient impressionner le monde par des moyens à ce point indigents. Entrer, faire un paquet de linge, de documents et de bouquins, remettre tout en ordre et partir sans être vu ne fut pour moi qu'un jeu.

Ainsi ai-je récupéré, entre autres, *Paris Anecdote*, de Privat d'Anglemont, édition de 1853 ; un énorme et très ancien recueil d'*Arrests mémorables du Parlement de Paris* ; et deux précieux grimoires qui me permettront de collationner des indications de faits, de lieux, de dates. Puis la Nationale, à nouveau, m'a ouvert ses portes. Aussi l'Arsenal, et Sainte-Geneviève, et les Archives. J'ai pu restituer une légende médiévale, qui s'attache à l'endroit précis où depuis tant d'années exerce Cyril.

Cette légende, la voici.

En 1465, la ruelle d'Amboise, qui menait du fleuve à la place Maubert, prenait naissance dans le grouillement laborieux du Port-aux-Bûches. La Bièvre languissante dessinait là une sorte de delta, avant de mêler aux eaux de Seine son flot limoneux et chargé de tanin. On y laissait des troncs non encore équarris s'amonceler dans la boue stagnante qui les rendait imputrescibles. L'inquiétude planait sur Paris. Du Nord déferlaient les forces de Charles le Téméraire. Au long de la Loire, les Bretons, gagnés à la cause bourguignonne, poussaient l'épée aux reins des gens du duc du Maine. François de Bretagne, le duc de Berry, s'étaient, eux aussi, ligués contre la couronne du roi Louis le Onzième. Dans la Cité même, les Bourguignons intriguaient. Les forces de police, débordées, étaient peu sûres. Aussi avait-on dû relâcher la surveillance à laquelle étaient soumis les serfs, semi-esclaves, nomades, colporteurs et mercelots agglutinés sous les murs de la Ville.

À l'emplacement exact de la baraque de Cyril, un horloger venu d'Orient, converti à la religion du Christ et qui faisait montre de « grant-piété », s'était installé. Il confectionnait, vendait et réparait des mécanismes, à l'époque fort précieux et rares, destinés à fractionner le fil des heures.

Sa clientèle ne pouvait être recrutée que parmi les nobles ou les riches négociants. Tristan l'Hermite, qui habitait un hôtel tout proche, appréciait l'habileté de l'horloger et l'avait pris sous sa direction.

Le commerce des horloges prospérait. L'Oriental avait répudié son nom barbare et se faisait appeler Oswald Biber. (Ce qui désigne un castor, de même que l'ancien mot français « Bièvre ».) L'astucieux homme vivait chichement, et cependant on le savait devenu fort riche. Entre-temps, des bohémiens que l'on avait refoulés de la Cité établirent leurs campements aux alentours du Port-aux-Bûches. Ils lisaient l'avenir dans le sable remué du bout d'un bâton, dans les mains des femmes et les yeux des enfants.

Des prélats s'émurent et crièrent à la magie. Mais il n'y avait point dans tout le port assez de bois pour brûler tous ceux qu'à tort ou à raison on eût taxés de sorcellerie. Les bohémiens – on disait alors : « Égyptiens » – entretenaient avec l'horloger des relations de bon voisinage. C'est peut-être à cause de cela qu'une rumeur prit corps et s'affirma, selon laquelle le pieux Biber était en réalité détenteur de secrets interdits. Avec le temps, il fallut bien en convenir.

Certains de ses clients – les plus vieux et les plus fortunés – semblaient ressentir de moins en moins le poids des années. Ils rajeunissaient, et des vieillards virent avec étonnement ceux qu'ils croyaient leurs contemporains redevenir des hommes dans la force de l'âge…

On sut que Biber, en grand mystère, avait construit pour eux des horloges qui se souciaient peu d'indiquer les heures : elles *tournaient à l'envers*. Celui dont le nom était gravé sur les arbres des rouages voyait son sort lié à celui de l'objet. Il revenait sur ses pas, parcourait à rebours la tranche d'existence déjà accomplie, il *rajeunissait*…

Une confrérie s'était formée entre les bénéficiaires du merveilleux secret. De nombreuses années s'écoulèrent…

Et puis un jour, Oswald Biber reçut la visite de ses clients rassemblés. Ils le supplièrent :

– Ne pouvez-vous faire en sorte que les mécanismes maîtres de nos vies marchent désormais à l'endroit ?

– Hélas ! Ceci m'est impossible... Estimez-vous heureux cependant : vous seriez tous trépassés depuis bien longtemps si je ne vous avais traités de la sorte...

– Mais nous ne voulons plus rajeunir ! Nous appréhendons l'adolescence, l'inconsciente jeunesse, la nuit de la prime enfance, et l'aboutissement inéluctable où nous rejoindrons les limbes... Nous ne pouvons supporter l'obsession de la date implacable, la date *écrite* de notre mort...

– Je ne puis plus rien, plus rien faire pour vous...

– Mais pourquoi, vous que nous connaissons depuis tant d'années, nous apparaissez-vous toujours sous le même aspect ? Il semble que vous n'ayez pas d'âge...

– Parce que le maître que j'eus à Venise, en des temps très lointains, et qui ne m'a point, ce que je déplore, infusé toute sa science, a construit pour moi l'horloge que voici.

Les aiguilles tournent alternativement vers la gauche et vers la droite... Je vieillis et rajeunis d'un jour sur deux...

Mal convaincus, les candidats à l'éternité de leur chair prirent le large et se concertèrent. Il fut décidé qu'ils se rendraient, de nuit, auprès de Biber le sorcier, afin de l'obliger, par tous les moyens, à agir selon leurs volontés.

Ils envahirent sa maison mais ne le trouvèrent point. Chacun d'entre eux était aussi venu avec l'idée secrète de dérober l'horloge du sorcier, l'horloge unique et tant rassurante...

Ils se battirent entre eux, sauvagement, et dans leur lutte furieuse brisèrent l'objet qui commandait tous les autres.

Leurs horloges s'arrêtèrent sur-le-champ, et sur-le-champ nos gens moururent. On découvrit leurs cadavres, sur lesquels fut jeté le grand anathème. Ils furent entassés dans un charnier, en un lieu où « *estoit la terre si pourrissante qu'un corps s'y consumoit en neuf jours...* »

Sur le moment, j'ai presque regretté d'avoir parlé de cela à Cyril. J'avais déjà remarqué le tour subtil de sa pensée, apprécié la justesse de certains de ses conseils. Dans le quartier, on pouvait résumer ainsi l'avis unanime des gens : Cyril *sait des choses que les autres ne savent pas.* Mais j'ignorais qu'il fût dépositaire d'un secret – le sien – et que lui rappeler ceci lui fût à ce point pénible. Je lui avais dit seulement :

– As-tu eu connaissance d'une légende... Temps à Rebours... Oswald Biber...

Il a blêmi, il s'est mis à trembler. Il a fait en dedans, la voix cassée, en me fixant avec une sorte de frayeur :

– Alors, toi *aussi*, tu sais cela ? *C'est beaucoup plus grave que je ne croyais...*

Un instant, il y eut dans son regard une détresse infinie, surgie du fond des âges.

Et puis il se ressaisit et nous parlâmes d'autre chose.

CHAPITRE II

Paris occupé reste sur le qui-vive. La ville inviolée en profondeur s'est tendue, hargneuse et méprisante, elle a renforcé ses frontières intérieures comme on ferme les cloisons étanches d'un navire qu'un danger menace. On n'observe plus, entre les villages de Paris, l'interpénétration confiante et bon enfant qui existait voici seulement quelques mois. Je sens sourdre et s'affirmer chaque jour davantage les différences séculaires qui opposent la *Maubert* à la *Montagne*, la *Mouffetard* aux *Gobelins*. Et ne parlons pas de passer les ponts : rive droite et rive gauche ne sont plus deux mondes différents, mais deux planètes. Souvent, j'éprouve le besoin de me calfeutrer, de me lover, seul et silencieux dans un coin de banquette, avec, par-delà la vitre, le sourire adressé à moi seul d'une borne, d'une pierre complice. Avec la joie de voir, sur ce pan de mur, l'affiche qui bat de l'aile dans le drame du petit matin m'adresser des appels. Elle sait que j'y réponds.

J'apprivoise le quartier. Mais impossible de déférer, comme autrefois, aux convenances. Je tourne carrément le dos à ce bonhomme, réputé sympathique et d'allure irréprochable, qui me tend sa rondouillarde paluche. Mais je vois sans déplaisir

m'entourer, m'enrober comme une gangue, un noyau vinas-
seux de doux zigomars. Il y a Gérard le peintre, amoureux de
son système pileux. Le premier de chaque mois, on lui
« refait » une tête de mousquetaire ; la deuxième semaine, il est
moujik. Il y a Séverin l'anarchiste, qui déserta pour une fille.
Il y a Théophile Trigou. Ce Breton utilise, pour se rendre
chaque matin, sans être vu, à la messe de Saint-Séverin, les
mêmes ruses d'Indien que nous autres à faire semblant d'ignorer son inoffensif manège. Théophile est un latiniste de première bourre, et cela nous vaut, de temps en temps, de
fameuses soirées. À nous quatre, nous formons la « Fine
Équipe ». Ainsi nous baptisa Pignolette. Elle nous aime bien et
nous couve en conséquence.

Hier, nous avons opéré une descente au « Vieux-Chêne »,
chez le commandant. Un très authentique ancien officier de la
marine marchande.

C'est au crépuscule que la Mouffetard, l'antique « Via Mons
Cetardus », vaut d'être parcourue. Les bâtisses n'y ont que
deux ou trois étages. Beaucoup sont coiffées de pignons poin-
tus. Nulle part dans Paris, ailleurs que dans cette rue, n'est
plus sensible à l'homme qui marche la connexion, la fraternité
sournoise qui lie les maisons jumelles.

Jumelles pour leur âge, non par leur emplacement. Que
l'une d'entre elles donne des signes de décrépitude, incline le
front, perde, comme un chicot, un coin de corniche : dans les
heures qui suivront, sa sœur éloignée de cent mètres, mais
conçue selon les mêmes plans et bâtie par les mêmes hommes,
se sentira, elle aussi, les jambes de laine.

Les maisons vibrent par sympathie, comme les cordes d'une
viole d'amour.

Comme des charges de cheddite qui se donnent le mot pour
exploser ensemble.

LE PÉNITENT
DU SECRET TRAHI

De sanglantes bagarres entre gouapes de haute volée se déroulèrent au « Vieux-Chêne ». Tour à tour lieu-refuge, lieu-conspiration, lieu-crime, la police en consigna maintes fois la porte.

Je comptais m'y livrer, pipe au bec et mémoire déployée, à de silencieuses évocations.

J'en fus empêché. Le silence, comme la folie, n'existe que par comparaison. Nous nous trouvâmes, mes compagnons et moi, décontenancés, intimidés presque par l'absence de l'habituelle cloison, garante de notre isolement : ce concert de rots, de glouglous, de gargouillis, d'incohérences déclamées, chantées, bêlées : – d'injures, de ronflements d'ivrognes –, tout cela manquait.

Les truands du coin, les clochards étaient là comme à l'habitude. Mais muets, anxieux, attentifs – craintivement, semblait-il –, qui contemplaient un homme maigre et sec et vêtu de noir et sale à vomir. Les coudes sur la table, penché en avant, il fixait, de ses larges yeux cernés jusqu'à la barbe, une bougie neuve allumée, dressée devant lui à quelque distance.

Le commandant nous fit signe – chut – et s'en alla, à pas de loup, ôter le bec-de-cane.

Les minutes fuyaient comme du vin d'une barrique.

Les regards des truands allaient de la bougie à l'homme – de l'homme à la bougie. Un long, un très long moment se passa ainsi. Quand la flamme eut rongé les deux tiers de son parcours, elle s'allongea, crépita, bleuit et vacilla, ivre comme l'aurore d'un mauvais jour qu'on aurait prise en faute. Alors je sus qui était l'homme. Je l'ai connu autrefois.

Dès la fin de l'autre guerre, je vécus une partie de mon enfance – les mois d'été, plusieurs années de suite – à E..., une bourgade d'Eure-et-Loir. J'y avais des petits camarades, lesquels s'extasiaient sur les faits et gestes et exploits des

« grands », c'est-à-dire de trois ou quatre ans plus âgés qu'eux.

Les « grands » affectaient de nous mépriser. Jamais ils ne se mêlaient à nos jeux : mais ils se plaisaient à capter l'attention admirative d'une marmaille bon public. Le plus vaniteux, crâneur et hâbleur, le plus méchant parfois d'entre les « grands » se prénommait Honoré. Nous le détestions autant que nous aimions son père : « Maître Thibaudat », comme on l'appelait. Ce brave homme – je vois encore sa haute casquette bleue, ses moustaches à la gauloise, et sur son visage le reflet de sa forge – réparait les machines agricoles. De plus il était capitaine des pompiers de la ville. Ce n'est pas là un mince honneur. Chaque dimanche matin, il réunissait pour l'exercice ses sous-ordres casqués et emplumeautés. Devant la mairie, il les disposait en rang d'oignons et commandait la manœuvre, de sa mâle voix beauceronne :

Pompe à cul! Déboïautéi!
Mettez-vous en rrangs su l' trottouèr comm' dimanche dargniéi!
Hé là-bas; gare les fumelles... on va fout' un coup d' pompe...

Ah ! on rigolait bien.

Le reste, je l'appris plus tard.

Il y avait autre chose. Maître Thibaudat était « marcou ». C'est-à-dire qu'il avait hérité de ses ancêtres, lesquels se le transmettaient de père en fils, le secret de la maîtrise du feu.

Thibaudat possédait la science d'éteindre l'embrasement d'une meule, d'isoler une grange incendiée, le génie stratégique de circonscrire un feu de forêt. Mais surtout il guérissait. Les brûlures bénignes disparaissaient aussitôt : les autres ne lui résistaient jamais plus de quelques heures. Pour les cas très graves, on le mandait à l'hôpital : là, il promenait les mains au-dessus du patient rongé, hurlant et menacé d'asphyxie. En même temps, à mi-voix, il récitait des formules connues de lui seul. La douleur s'effaçait instantanément. Et les chairs, et la peau se reconstituaient avec une rapidité qui stupéfia nombre de médecins. Beaucoup de gens se souviennent encore de Thibaudat, de Maintenon à Chartres et jusqu'au Mans.

Le jour vint où Maître Thibaudat se sentit faiblir. Il craignit de ne plus posséder assez d'énergie vitale pour être à même d'exercer son office. Son fils unique, Honoré, était devenu un homme : ses dix-huit ans lui avaient valu une bicyclette neuve et un pantalon long. Le troisième.

Honoré, sur sa promesse formelle de tenir sa langue, fut initié au secret de la famille et devint « marcou » à son tour.

De plus en plus Honoré crânait. Il avait conservé les mêmes copains parce que, mieux vêtu qu'eux, et pourvu d'argent de poche en abondance, il brillait plus facilement dans les bals de campagne, surtout à l'époque où les gars de batterie, mécontents des roulures qu'on leur z-envoie dans les boxons, « *c'est toujours bon pour des péquenots ! savent baiser qu'en bande, avec du pichtogorne plein les trous d' nez !* » s'envoient allègrement les bonniches, les engrossent ou les enchaudelancent, sans leur laisser le temps de dire ouf, merci, merde, ou d'appeler maman.

Lui, au moins, Honoré avait de la douceur et de la délicatesse. Et les moyens de dédommager ses partenaires d'une demi-journée de salaire perdu. Et ceux de trouver des draps discrets, sous une couette que l'on enverrait voltiger bien vite, en un coup de reins et deux coups de jambe, vers le seau à couvercle en émail bleu, bordé de faïence...

– Dis Honoré, quoué donc qu'y t'a dit ton père ? quoué donc qu'y faut qu' tu racontes, pour enl'ver l' chaud ? Une prière ou ben une « sorce » ? dis-le moué, dis, Honoré ?...

... À plusieurs reprises, oubliant son serment, Honoré parla. Il avait déjà exercé, sur des blessures peu graves, le pouvoir à lui transmis. Les patients s'étaient trouvés soulagés : moins rapidement pourtant que s'ils avaient eu recours au père. Mais il fallait être indulgent. Honoré s'y ferait à la longue...

La chapellerie de Rambouillet avait prospéré. Dans l'atelier de couture, vingt femmes, devant vingt machines, « tournaient » vingt « cloches » de paille tressée, d'affreuses cloches à emprisonner des chignons. Deux filles de la région d'E… se trouvaient côte à côte. L'une d'elle se vanta d'avoir connu – et apprécié – les charmes du bel Honoré. Sa voisine, piquée au vif, prétendit posséder à ce sujet autant d'informations. Nécessité d'éviter de se prendre aux cheveux. Mais les filles étaient têtues : à court d'injures, pour se mutuellement clouer le bec, elles se jetèrent à la face les phrases à ne pas dire, les phrases imprudemment livrées par Honoré ! Et les syllabes libérées voltigèrent par toute la ville…

…

L'enfant tombé dans l'âtre fut présenté à Honoré, qui imposa les mains et se mit à marmonner. Au bout d'un quart d'heure l'enfant était mort.

Alors des rumeurs prirent corps : alors les gens saisirent leurs fourches, leurs fléaux et certains leurs fusils. Le « marcou » était devenu « malahou », c'est-à-dire parjure, traître à son pacte, traître à tous !

Il fallut l'énergique protection des gendarmes pour qu'Honoré puisse enfourcher sa bicyclette et atteindre, très loin de là, la halte de Gazeran où stoppait le train de Paris.

Le père Thibaudat mourut bientôt – de chagrin, dit-on. Honoré, à jamais banni de toute la contrée, participa à un mauvais coup. Son service militaire s'accomplit dans les rangs des Bat' d'Af'.

La mèche éteinte fumait encore, par distraction – l'étonnement peut-être.

Les truands commençaient de se parler, se soupçonnaient l'un l'autre d'être le compère qui aurait soufflé la bougie sans que l'on s'en aperçût. L'homme en noir semblait à la fois prostré et soulagé.

Je ne sais pas pourquoi je fus si cruel.

– Honoré Thibaudat ?…

Son visage raviné se creusa encore. La même stupeur effrayée, la même vertigineuse détresse que j'avais remarquées chez Cyril. Mais cela dura beaucoup plus longtemps. À grand-peine, il articula :

– Vous voulez… vous voulez quoi ?

– Mais rien. C'est toi le fils du pompier marcou, à E…? Je t'ai connu autrefois.

– Et puis… et puis après ? Qu'est-ce que vous me voulez ?

– Rien, voyons, rien d'autre. Viens boire un coup.

– Il ne prend que des diabolos, dit le patron.

Honoré semblait étouffer. Il fit :

– Oui… oui… avec beaucoup de glace.

En trois grands verres – trois lampées, il eut englouti sa bouteille de limonade. Il me regarda. Cette fois, des yeux de chien battu.

– Alors… vous avez su l'histoire ?

Il nous restait vingt minutes avant le couvre-feu. Côte à côte, Honoré et moi nous remontions la Mouffe. Il désigna un soupirail : « Je couche là, dans la cave. Il y fait plus frais… Depuis ce temps-là, surtout depuis l'Afrique, je brûle. Je brûle ici – il promena sur son larynx une main frémissante. Rien à faire pour me calmer. Tout essayé, même des piqûres. Après ça me reprend, et c'est pire. Des fois j'éteins même de la braise. Mais ça m'épuise. Déjà je suis un vieillard… »

C'était vrai. À quarante ans il en paraît soixante-dix.

Il hurla, il beugla : « Qu'est-ce qu'il faut faire ?… Qu'est-ce qu'il faut faire ?… »

… Et j'abandonnai dans la nuit, sanglotant dans une encoignure, le pénitent du secret trahi.

Décembre

Il fait décidément très, très froid. Les gens ont faim. Les rations sont insuffisantes. Rien qui tienne au ventre. Affaiblis, les cloches, qui depuis des années faisaient partie du décor, claquent comme des mouches. Seuls les plus robustes survivent. Pour ceux qui daignent se livrer à quelque activité, le travail ne manque pas – et c'est heureux. Ils n'ont qu'à se trouver dans la rue dès cinq heures (avant, on n'a pas le droit) et se mettre à explorer les poubelles. Jamais le cours du papier, de l'étoffe et des métaux de « récupération » ne fut aussi élevé. Et ça continue de monter en flèche. Les maîtres biffins – chiffonniers en gros – commencent d'amasser de véritables fortunes. Les cloches s'en foutent. Ils gagneront juste assez de flouze pour bâfrer n'importe quoi, n'importe comment, n'importe où – et s'emplir le ventre de gros qui tache pour que la cuite les tienne jusqu'au prochain réveil. Telle est la limite de leurs exigences.

LA POUPÉE DE BOIS D'ÉPAVE

Hier on a trouvé le père Hubert mort, gelé, dans son comptoir. Les rats avaient commencé d'entamer ce qu'il avait de plus mou à découvert : le cou, les joues et le gras des paumes. Voici longtemps qu'on s'y attendait. Ça n'a surpris personne. Sur le fronton de sa boutique, on déchiffre encore :

CAFÉ – VINS – LIQUEURS – HÔTEL TOUT CONFORT

« Tout confort. » Tu parles !

Rue de Bièvre, au 1 *bis*, tout près du quai. Deux étages et demi, c'est-à-dire qu'il faut être nain ou amputé à hauteur des rotules pour se tenir debout dans les soupentes. L'aspect extérieur est au moins aussi honnête que celui des autres masures de la rue. Mais dès que l'on gravit un étage, on est fixé. Les plafonds se font la malle. Les parois sont concaves ou hydropiques. Aux paliers, on bute dans des trous – des fondrières. Ici, l'élément locataire se compose de (ou se décompose en) cinq ménages dont trois à la colle, ce qui rassemble vingt et un enfants de deux à dix ans, sans compter ceux au maillot. Les pères ont tous un air de famille : minuscules. Aucun d'entre eux n'atteint un mètre soixante, il s'en faut. Et un postulat commun : ne foutent strictement *rien*, depuis beaucoup d'années. Le malheur, que voulez-vous. Tous ouvriers ou manœuvres spécialisés, mais spécialisés à ce point, et si malencontreusement, que l'emploi qu'on pourrait leur offrir ne correspond jamais à leur spécialité. Il s'en faut chaque fois d'un poil. Alors chômage, secours, prime à la naissance, assistance par-ci, assurances par-là, sociales, pas sociales, dissociales…

Avec ça on ne vit pas mal et on n'a pas le gosier sec. Mais payer le « popiétaire », autre histoire. Faut attendre qu'il rouscaille pour lâcher un peu de lest. Rouscailler n'était pas dans le tempérament du père Hubert. Déjà mis en demeure de « réfectionner » d'urgence son… immeuble, et avec quels millions, bonsoir… Et les Fritz ici, et la misère générale, pas le moment d'espérer un fifrelin. Alors ? demander l'expulsion ? Impensable. Le père Hubert s'est mis à ignorer tout bonnement l'existence de l'hôtel. Il condamna sa propre chambre, au premier, et prit le parti de vivre dans le bistrot.

Depuis trois mois, il dormait dans son comptoir, sur un tas de chiffes. Le jour, il servait du gros rouge ; au petit matin, du « café » – infâme sauce noirâtre –, accompagné d'alcools plus ou moins frelatés.

Ça lui suffisait pour vivre, jusqu'à cette aube d'hiver où, trouvant porte close, les clochards découvrirent Hubert mort, par un froid de canard, au milieu des litres vides, des boîtes à conserve et de la vaisselle sale.

Vraiment pas beau à voir, le défunt père Hubert, torve et grimaçant avec sa bave figée, étendu qu'il était sur son tas de détritus. J'ai – hélas ! – l'habitude des macchabées, et aurais pu m'épargner ce spectacle.

Théophile Trigou est venu aussi. Pas plus que moi par curiosité malsaine. Il a arraché sa pipe des dents de Tutur, jeté à terre la casquette de La Voltige. Et, comme Ida la Borgnesse braillait et déconnait, déjà ou encore saoule, il l'a mélangée au brouillard à grands coups de pompes dans le parfaitement.

Après il a embauché – il sait faire montre d'autorité – les trois ou quatre gonzes qui se trouvaient là. Depuis belle lurette, ils n'avaient tant trimé. Bouteilles dans un coin, chiffons dans l'autre. Les ordures, hop ! dans le caniveau : bouche d'égout ensuite. Coup de balai, coup de torchon par là-dessus.

Il trouva moyen de faire étendre le cadavre sur une table pas trop branlante, recouverte de toiles à sac toutes neuves.

Ça vous avait un air de décence presque choquant.

Théophile se planta, immobile, auprès du mort. Moi je savais qu'il priait. La Voltige, le faux dur, mit du temps à comprendre. Il eut un petit ricanement. Un type lui dit : fais pas l' con. Il ravala sa salive et prit l'air de réfléchir.

Tout le monde s'envola à l'arrivée des flics.

Le père Hubert avait dû pressentir sa fin sordide. En octobre il m'avait dit : « Voilà quarante-deux ans que je tiens c'te baraque. Je voudrais bien retourner au pays, mais j'ai pus d' ressort depuis la mort de la vieille. Et je ne peux guère vendre dans l'état ouxé. Mais tout d' même, avant de dévisser mon billard, j' serais curieux d' savoir c'qu'y a dans ma troisième câve… »

La troisième cave est murée par ordonnance préfectorale depuis les inondations de 1910. Une double paroi de briques cimentées interdit aux eaux montantes d'envahir, en période de crue, les étages supérieurs. En cas d'orage ou d'engorgement des égouts, la cave joue le rôle d'un trop-plein régulateur.

Il faisait beau : pas de risque de noyade ou d'accident imprévu. Nous étions cinq : Hubert, Gérard le peintre, deux pioches et moi.

Papa Marteau, le maçon du coin, se tenait en haut avec son matériel, prêt à réparer les dégâts. Nous fîmes un trou.

Soixante mètres d'exploration dans un couloir voûté, soigneusement maçonné (ce devait être une ancienne carrière). On pataugeait dans une écœurante gadoue. Au fond, une grille infranchissable. Le couloir plongeait au-delà et continuait plus bas. En somme, ça faisait un peu siphon.

C'est tout. Rien d'autre. Déçus, nous revenions sur nos pas. Le père Hubert, de sa torche électrique, explorait les parois. Tiens ! Une ouverture. Non, une niche, il y avait une chose en bois qui ressemblait à une statuette nègre. Je soulève la chose : elle vient sans difficulté. Je l'ai mise sous mon bras. J'ai dit à Hubert : « C'est sans intérêt… » Et j'ai gardé par-devers moi ce trésor.

Je l'ai contemplée durant des heures, en tête à tête. Ainsi mes déductions, mes pressentiments ne m'avaient pas abusé : le confluent Bièvre-Seine était autrefois le lieu où logiquement devaient se réunir sorciers et satanistes. Et cette sorte d'envoûtement primaire, que pratiquent de nos jours les Noirs d'Afrique centrale, était connu ici voici quelques siècles… La statuette avait miraculeusement résisté aux assauts du temps : les vertus bien connues des eaux de Bièvre, si riches en tanin, avaient protégé le bois de la putréfaction, l'avaient au contraire durci, comme pétrifié. L'objet répondait à un souci tout autre qu'esthétique. Grossièrement taillé, probablement dans du cœur de chêne. Les jambes étaient légèrement écartées, les bras séparés du corps. Pas d'indication de sexe. Quatre clous forgés en triangle étaient plantés dans la poitrine. Deux d'entre eux, rongés de rouille, se détachèrent d'eux-mêmes, au ras du bois. Il y avait dans chaque œil une pointe enfoncée. Le crâne, telle une salière, présentait vingt-quatre trous dans lesquels on avait implanté, par petites touffes, des cheveux bruns fixés avec de la cire. Il en restait des vestiges. J'ai fait silence sur ma trouvaille. J'attends.

CHAPITRE III

« *TON CORPS EST TATOUÉ* »

L'autre jour, quelques-uns des plus marquants parmi les échantillons de l'humanité mouffetardière remontèrent jusqu'à la Maube et atterrirent chez Pignol. Ils portaient des bourriches. Je crois qu'ils ont vendu à Pignolette, au marché semi-noir, les lapins que nous mangeons depuis. Il y avait Fanfan-sans-charre, Fumelèche et – Papillon. Papillon ainsi nommé parce que la racine de son nez se confond avec l'abdomen d'un bombyx bleu, qui sur son front étale des ailes minutieusement innervées.

Fumelèche crut bon, pendant une période de sa vie où il n'en faisait guère usage, de se laisser orner la « cheville vivifiante » dont parlait Rabelais de délicats motifs en spirale. De caractère donjuanesque, il a coutume, dit-il, d'inviter ses partenaires à utiliser cet instrument d'une subtile manière, évocatrice de baudelairiennes fumeuses de chibouques. D'où son sobriquet.

Fanfan-sans-charre tire le sien du toupet imperturbable avec lequel il décrit la Guyane où il « faillit » aller. Condamné à cinq ans de bagne, sa peine fut commuée en réclusion qu'il purgea dans la métropole. Il en conserve une solide rancune à l'égard de ses trop zélés défenseurs. Fanfan est tatoué sur tout le bas du corps. Du nombril aux orteils, du coccyx à la plante des pieds, ce ne sont que fleurs, plantes bizarres, animaux fantastiques, folâtrant parmi des cartes à jouer, des cornets jetant les dés, des devises sibyllines.

Nous avons bouclé la porte pour admirer de plus près les beautés cachées de nos bonshommes, qui les exhibèrent avec complaisance.

Ensuite, pour nous conformer à l'esprit de Théophile, toujours enclin à se pencher sur les problèmes communs aux « gens en marge », nous avons épilogué. Interminablement.

Fanfan nous avait dit l'ennui lancinant des centrales, l'abrutissement des cellules glaciales ou étouffantes, les amitiés que l'on noue à travers d'écœurantes promiscuités. Et la joie que l'on éprouve à blouser le « maton », à se procurer, par d'invraisemblables moyens, encre et aiguilles. Et ce soulagement mauvais, puisque l'on se sait *marqué*, de se *marquer* soi-même, de façon visible et indélébile qui vous apparente à l'immense et farouche confrérie des éternels réprouvés.

Théophile Trigou semblait être féru de la question. Il évoqua les diverses images, figures et phrases en exergue qu'il lui arriva de relever sur l'épiderme de ses contemporains. Il se lança incontinent dans une dissertation savante et pleine d'intérêt sur la « symbolique du tatouage ».

Je me surpris à affirmer, avec une autorité que rien ne justifiait, le *danger* pour tout homme de soumettre son corps à une telle opération. Je crois même avoir dit : « à une telle expérience ». J'appris de ma propre bouche que le tatouage était non seulement, à mon sens, un signe de ralliement, le plus souvent crapuleux, mais la marque d'une certaine défaite acceptée. L'abandon de la lutte contre un destin mauvais désormais implacable.

Fanfan m'approuvait. Il dit :

– Ça c'est sûr. Un homme tatoué, ça remue des forces. Y'a qu'à voir ce qui se passe au « Salève… »

– ??? …

– Oh! Je ne peux pas expliquer comme ça… Faudrait y aller.

– Où est-ce ?

– Rue Zacharie. À Saint-Séverin.

– Viens me montrer.

J'étais énervé. Les autres objectèrent que ce n'était pas le moment – ici il faisait bon –, encore un verre à boire, pourquoi changer de crémerie…

Non, non, tout de suite. Théophile me regardait avec inquiétude. Il hochait la tête. Nous partîmes à la suite de Fan-fan.

Rue Zacharie. On a voulu lui donner le nom du chansonnier Xavier Privas. Mais c'est l'ancien vocable qui reste dans l'oreille. Rien à voir avec le prophète : au XIIIᵉ siècle, c'était la rue Sac-à-Lie. Les colporteurs vinaigriers, en attendant qu'au Petit-Châtelet on ait constaté l'aloi de leur marchandise, y entreposaient les outres de cuir contenant la « lie » – la « mère » du vinaigre. Sous Saint Louis on l'appela un moment rue des « Trois-Chandeliers ». Aussi, pendant seulement quelques années, rue de l' « Homme-qui-Chante ». Mais je sais un Anglais, le docteur Garret, qui possède un document extraordinaire : il me l'a montré à Sydenham, en 1935. C'est un plan du quartier de la Sorbonne dressé vers 1600 par les pensionnaires du collège des Irlandais. La rue Zacharie, entre Saint-Séverin et la Huchette – d'après le dessin, c'est indiscutable –, y est désignée sous le nom de *Wichtcraft Street*.

« Rue des Maléfices. » Pourquoi ?…

Ceci m'intrigue d'autant plus que, depuis bien avant la guerre, je n'ai jamais pu me défendre, alors que solitaire j'arpentais cette voie étroite et sombre, d'un douloureux malaise. Celui que l'on éprouve en présence d'un ami cher dont on sait l'esprit encombré d'inexplicables réticences.

J'allais obliger la rue, cette cachottière maussade, à soulever un coin du voile. Déjà je savourais ma revanche.

LES TATOUAGES ENNEMIS

Un double renfoncement, de part et d'autre de la rue Zacharie, y dessine une petite place où dorment des poussettes chargées de tout ce qu'on veut. À la porte du bougnat, la voiture à bras repliée sur elle-même, roue contre roue, brancards réunis, chambrière ballottante, ressemble au squelette d'un échassier d'Apocalypse monté sur essieux. D'un peu partout suintent les psalmodies arabes ou nègres ou grecques ou arméniennes. Ce balcon de bois fut jadis peint en blanc. Il y sèche du linge que l'on collera en guise d'emplâtres sur l'ophtalmie des fenêtres. Un groupe de sidis nous a repérés. Ils veulent savoir ce que nos nouvelles gueules ont dans le ventre. L'un d'eux se détache, un jeune. Sur l'ordre des Anciens, il nous demande « l'heure qu'il est ». Nous haussons les épaules, sans répondre. Comme s'il pouvait être une heure quelconque dans une rue pareille.

Au Salève, le poêle tire mal. Ça et le tabac de troisième resucée, la vinasse et cette acidité permanente – crésyl ou dégueulis, ou les deux – guère supportable. Mais il y a ce picotement qu'il suffit de repérer une fois : en deux secondes ça vous arrache l'arrière-gorge, et tout de suite après ça s'étale en tache d'huile. Soudaine et surprenante douceur. Aspirez par la bouche – soufflez par le nez. C'est fait. Vous êtes pris.

Quelqu'un ici fume du kif.

Le patron a une tête de rongeur évolué. Presque sociable. Autour de lui fermente la viande saoule. Saoule pas seulement d'aramon trafiqué. De faim, de fatigue. Et d'ennui. D'un coin de pénombre trois paires d'yeux bruns nous fusillent. Il y a là-bas des gens éveillés. L'odeur du kif vient de leur côté.

Le rongeur nous a dévisagés, Théophile et moi. Fanfan lui explique des salades. À mesure qu'on le baratine, la face de rat trop gras devient méfiante. Il fait signe à la plus éloignée des paires de châsses : un grand type s'approche. Un Français, très brun, très amer. Pas vieux, pas voûté. Mais pour jamais dans la mouscaille. On pige tout de suite. Présentations : Edgar Jullien.

Journaliste, explorateur. Théophile et moi déclinons nos
blazes. Ou d'autres. On ne prend jamais trop de précautions.
Une face de rat imberbe et taille au-dessous – douze ans – sert
de fils unique à la face de rat de derrière le comptoir. « Tâche
de me dégotter Dimitri », a dit le pater.

Le gamin a ouvert la porte, il a foncé vers je ne sais quelle
autre usine à désespoir.

Tout raconter ici serait trop long.

Et puis, je n'en ai pas le droit.

Edgar Jullien – nommons-le ainsi – était un journaliste très
connu voici encore peu d'années. Spécialiste des choses de
l'Islam. Membre de la société des Explorateurs français. Il
connaît bien l'Afrique du Nord, mais a surtout sillonné le
Proche-Orient, où il parvint à se faire passer, de longs mois
durant, pour un musulman. On l'imagine sans peine entur-
banné, chaussé de babouches et les épaules couvertes d'une
djellaba négligente. Il lui arriva d'accomplir des missions fort
dangereuses. Mais il commit l'erreur de se laisser encotonner,
du jour au lendemain, dans la plus puérile, la plus inutile, la
plus désarmante des « sécurités » désœuvrées. C'est en Syrie
que l'atteignit le « coup de bambou » tant redoutable. Il y fit
la connaissance de moines grecs exilés, lesquels s'étaient
convertis en secte sataniste et tinrent à l'initier à leurs rites.
Jusqu'ici tout ressemble à une risible mascarade de mystiques
névrosés. Mais Edgar Jullien, poussé par l'inaction et peut-
être d'autres soucis sur lesquels il se tait, accepta qu'on lui
tatouât sur la poitrine l'emblème tutélaire de la secte : une
chauve-souris.

Depuis ce moment une invraisemblable suite d'atroces
désastres jalonne sa vie.

Dimitri B… fut un grand pianiste que l'on écouta les poings
aux tempes, dans toutes les salles d'Europe. Fils d'un Russe
blanc, il sollicita sa naturalisation et dut, pour l'obtenir,

accomplir bien après l'âge normal dix-huit mois de service dans l'armée française. Il choisit la Tunisie. Déjà il buvait beaucoup. Son cerveau ne résista pas à la gnaule, au raki – au paludisme. Élevé par une famille fanatiquement orthodoxe dans l'observance constante et la plus stricte de ses « devoirs » liturgiques, il n'eut de cesse qu'un immense calvaire tarabiscoté comme une icône fût tatoué sur ses pectoraux. À l'encontre d'Edgar Jullien, affreusement lucide, Dimitri fait présentement figure de définitif abruti.

Dimitri se prête à cela pour un litre de rouge. Edgar Jullien, je ne sais pas. Ou je n'ose comprendre.

Au centre de la salle du fond vidée de ses larves roupillantes, on a débarrassé une table. On y a disposé un verre empli d'eau, sur la surface de quoi Face-de-Rat junior a fait flotter une aiguille à coudre préalablement aimantée et graissée.

Les deux hommes tatoués – ils s'ignorent plutôt qu'ils ne se détestent –, torse nu, adossés contre les parois opposées de la pièce, se font face. Ils avancent lentement vers la table qui les sépare. La boussole improvisée se désoriente – hésite, s'affole –, et l'aiguille sombre. Ils ont recommencé quatre fois.

Il paraît, dit le patron, que certains soirs d'orage, l'eau a même quelque peu bouillonné.

Je voudrais bien « conclure » quelque chose de cette expérience. Ou bien qu'elle pose en mon esprit un point d'interrogation, avec le souci permanent d'en venir à bout, de m'informer, d'apporter l'ombre du début d'une solution, si hybride, si banale soit-elle... Non. Je suis là pour voir, sentir, observer – subir. À d'autres de résoudre.

C'est épatant comme on se sent bien chez Pignol. Une connivence tacite, et de tous les instants, s'affirme entre les gens qui y fréquentent. La sélection s'est opérée d'elle-même : truands crevards, putains déshydratées, empafés d'indics de la basse flicaille, bourgeois un peu trop conformistes, sauf pour la livre de bidoche au noir et le calendo sans ticksons, se trouvent ici trop mal à l'aise. Ils n'ont qu'à mettre les adja. De même quiconque ne répond pas aux exigences pignolesques : en premier lieu, bouche cousue. La guerre ? histoire ancienne. Les Chleuhs ? connais point. La Russie ? changez à Réaumur. La police ? en fallait bien autrefois, pour régler la circulation… Chez Pignol, le silence constitue la principale, la plus difficile et la plus longue épreuve d'intronisation.

Après, il y a les impondérables. Ça marche par règle de trois : les têtes qui ne reviennent pas aux têtes qui me reviennent sont des têtes qui ne peuvent pas me revenir. Syllogismes bien sûr. Et du balai !…

Ô dussèche ! Vous effarouchez point du mien vocabulaire. Sommes pas mardi-gras. Employer d'autres mots serait trahir ces gens que j'aime trop. Et trahir vous aussi, dans la mesure où vous décréterez que j'ai « tout le temps », ou bien conviendrez de l'inverse. Pigez ?…

… Alors la plus invraisemblable cohésion est née entre personnages fabriqués normalement pour se mépriser avec ferveur les uns les autres. Quelle faune, mes aïeux !

Il y a Pépé la Lope. Incroyable ! Une tantouze comme c'est impossible. Il ose faire la retape à la porte de l'hôtel d'en face. Béquillard, édenté, fardé à outrance, il lui arrive de se coiffer d'une perruque pisseuse et d'enfiler un jupon, d'où dépasse son unique jambe de falzar et son pilon qui laisse voir le moignon nu. Cette raclure humaine se dit hermaphrodite. Avant, il était pensionnaire d'un bordel du Havre où on l'appelait la Mexicaine. Maintenant il entôle les Fritz, surtout les jeunes S.S. qui radinent un par un, pas très fiers – la rue leur est interdite. De n'importe où il se ferait éjecter. Ici on le supporte. Pourquoi, je me le demanderai toute ma vie. Et ma propre surprise de ne point éprouver en sa présence un sursaut de dégoût m'épouvante un peu.

Il y a Léopoldie l'Antillaise. Une poule, chouette fille qui met un frein à son taximètre pour la durée de la guerre. Le vert-de-gris, dit-elle, ne lui va pas au teint. Alors elle vend des fleurs, surtout à nous autres, toutes les fois que c'est possible.

Il y a Bizinque. Une face toute en pommettes, un pif comme un furoncle, une bouche sabrée en sortie d'œuf (d'autruche), et des yeux plats et très larges, bordés de rouge, qui font penser à une dorade. C'est un chiftir, mais fouineur de première, qui vous découvrirait un phonographe dans le désert. Il y a aussi Riton le marlou, collé avec Catherine because sa petite rente. Un jour qu'il était noir, et que fauché il ne pouvait plus boire, Riton avait collé aux mômes de Catherine une purge du tonnerre. Et tandis que les moujingues braillaient, les voisins n'entendaient pas Riton qui démontait la porte du palier. Il en fit des bûchettes qu'il revendit aussi sec à Constant, le bougne de la rue de Seine.

Les autres truands ne méritent pas qu'on les mentionne. Mais chacun vaut un roman.

Je me surprends à écrire ceci : « ne méritent pas... » Et en vertu de quoi ? Quelle prétention déplacée...

Non, je sais ce que c'est. Je leur suis sympa, je parais inoffensif et n'ai pas le goût de leur faire la morale comme Théophile. Alors ils veulent tous me raconter leur truc. Ils mendient un acquiescement, une excuse pour leurs tours souvent pendables, une ombre de commisération. Théophile les écoute. C'est une manière de saint. Moi je n'ai pas toujours la patience. Mais voici ceux d' « en face » que mes truands coudoient. Géga le marchand de tout. Chiffonnier en gros pour les présents jours. Sourire en biais, chapeau bordé, pipe et baratin. Du Balzac. Un cœur d'or. Mais il faut la fermer. Il y a Môssieur Mogniaud, actuellement professeur d'histoire dans une institution privée, dégommé du haut poste qu'il occupait à la Tour Pointue, service des Étrangers, pour ses peu gammées opignons. Il y a papa Bonnechose, avokâ-docteurendrouâ, ivrogne, cacochyme et rabougri, accompagné de deux ou trois vieux rigolos et souventes fois d'Henri Vergnolle, grand et gros lippu, architecte et chochialichte mais pour l'instant rangé des voitures pour l'unique raison qu'il n'y a plus de voitures, sauf celles de la Wehr-Heim [1].

Ici, en quatre paroles, on s'est tout dit. On se soutient mais on se tait. C'est magnifique. J'ai retracé la prodigieuse histoire des murs. Il me semble être seul à savoir que ce sont les pierres, les pierres seules qui donnent ici le diapason.

LA MAISON
QUI N'EXISTE PLUS

Il y a du nouveau pour la rue de Bièvre. Henri Vergnolle a conservé ses accointances. C'est lui qui nous a mis au courant.

À Lugny (Saône-et-Loire), un vigneron de vingt-sept ans vient d'apprendre, par l'entremise d'un cabinet d'affaires, qu'il était l'unique héritier de son oncle – le père Hubert – lequel laisse en substance « un hôtel sis à Paris, proche le boulevard Saint-Germain ». Pour en prendre possession, il faudrait acquitter des droits assez importants. Mais on pourrait, dit la lettre dont j'ai une copie sous les yeux, « s'arranger ».

Les paris (moraux) sont ouverts. On se demande si le jeune tentera de vendre son « immeuble » (!) ou se décidera, à solliciter, depuis la zone non occupée, un laissez-passer pour venir l'exploiter « soi-même ».

Chacun se marre d'avance à augurer de la frime qu'il fera. Moi je n'aime pas ça du tout. Vergnolle, lui aussi, rit noir. Depuis ce soir, je l'aime bien.

Que se passe-t-il ? Théophile Trigou m'intrigue et m'exaspère depuis longtemps. Il gagne sa vie, et pas mal, en latinisant à la « Source » et au « d'Harcourt » pour le compte d'opulents fruits secs, candidats à la licence, en peine de cicéroniques exégèses ou d'un thème trapu. À une maladroite question, il me répondit une fois : « Que veux-tu ? Ce foutu quartier m'a fait de

---

1. M. Henri Vergnolle deviendra, après la Libération, président du Conseil municipal.

l'œil. J'ai pas pu résister... » Alors quoi. Moi aussi ?... Me voici
à ce point jaloux de « mes » pierres que je m'en vais seul les
dévisager une à une, possédé d'on ne sait quelle minérale
inquiétude, pour tâcher de savoir laquelle en premier ruinera
mes espérances. C'est surtout rue de Bièvre que je rôde après
minuit, entre les patrouilles, et je guigne en particulier la maison du père Hubert, définitivement colonisée par les cloches.
Il m'est insupportable de penser que quelqu'un d'étranger,
d'inconnu, de lointain possède plus que moi des droits sur cette
bâtisse agonisante. Si ce quelqu'un arrive, je veux être le premier à le « recevoir », en connaissance de cause. Selon la tête
qu'il aura, il dépendra de ma volonté qu'il soit à jamais répudié, ou bien devienne tout de suite l'enfant du coin. Adopté
d'emblée si je décide.

Un petit pincement m'a réveillé. J'étais averti : vers sept
heures trente l'intrus devait arriver dans les parages. Il fran-
chirait la Seine, passerait « ma » frontière. Je me suis habillé
en hâte et j'ai filé rue de Bièvre. Je l'ai accueilli de loin, faisant
mine de baguenauder dans le matin acide. Rien ne tient plus
de tous les plans échafaudés. Ils sont deux, lui et sa femme. Ce
n'était pas prévu.

Ils portaient chacun une petite valise : venus à pied de la gare,
ils ont dû laisser leurs malles à la consigne. Les biffins chargés
de sacs surgissaient comme des taupes de couloirs obscurs. La
lumière dansante jouait avec leurs faces burinées, transformait
les barbus en prophètes. Les enfants commençaient de piailler.
De quelques fenêtres ouvertes on faisait prendre l'air, bien malgré eux, à des édredons qui, vexés, pleuraient des plumes.
L'homme, un papier à la main, repéra le 1 *bis*. Il eut un haut-
le-corps. Sa femme examinait le quai, le haut des toits, regardait
sous le nez les clochards déjà titubants qui passaient à sa portée.
Le couple remonta la rue jusqu'à la Maubert, puis revint sur ses
pas. L'homme se renseigna auprès de Mme Légumes Cuits à
Emporter, qui balayait dans le caniveau la sciure de sa boutique. Il fallut se rendre à l'évidence : c'était bien là.

Le désarroi de l'homme, l'indifférence de la femme, rien de tout cela n'avait pu m'échapper. Avec Séverin et Théophile, nous sommes convenus de suivre l' « affaire » de près, et de nous employer à savoir, très vite, quelle somme de charme ou d'inquiétude nous apporteront ces deux nouvelles figures surgies dans notre domaine.

Il m'est arrivé de contempler longuement deux peintures surréalistes : l'une représentait une machine à coudre posée sur une table d'opération; l'autre, un taureau fonçant dans un piano à queue.

Le couple Valentin, arraché à son univers familier, me fait le même effet d'absurdité dramatique.

Valentin n'est pas fait pour ça. Il met une telle mauvaise grâce à servir cette faune hirsute et en guenilles que les cloches l'ont vite classé parmi les « têtes de lard ». La clientèle pourrait l'abandonner, aller siroter ailleurs?... Pas question. Ces gens-là sont comme les punaises : quand ils ont décidé d'envahir un lieu, là et pas autre part, il faut que, de gré ou de force, le maître de l'endroit capitule et leur cède la place. C'est ce qui arrive à Valentin. Il a fini par prendre son parti de descendre dès quatre heures et demie pour préparer son ignoble lavasse.

Renfrogné, il répond à peine aux propos de ses clients qui, fin saouls dès huit à dix heures, lui exposent leurs doléances.

Il a dû tout de même se faire plus sociable, quand la nécessité s'imposa d'établir un classement : ceux qui travaillent – les biffins – et à qui on peut sans trop de risques consentir quelque crédit, ou même prêter des sous; et ceux qui non seulement ne foutent que dalle, mais y mettent un point d'honneur.

Paulette se pomponne dans sa chambre, descend tard et part faire ses courses, après un vague bonjour jeté à la ronde. Un silence amer, une sorte de désapprobation irritée l'accueille chaque fois : on n'a pas le droit d'afficher, à la Maubert moins qu'ailleurs et à une pareille époque, de telles velléités de fraîcheur et même d'élégance. Car elle s'attife bien, la garce, sa jeunesse pète le feu, et quand elle remonte la rue, sans affecter ce déhanchement propre aux poules, une traînée de regards la poursuit, des regards sournois, pleins de désirs, de jalousie et de regrets.

Elle et Valentin se parlent très peu, du moins dans le travail. Après le déjeuner, préparé avec soin mais expédié en dix minutes, Valentin enfile un pardessus et s'en va faire un tour. Il se balade seul, pendant une ou deux heures, parfois trois, sur les berges de la Seine, qu'il arpente jusqu'à Austerlitz et au-delà. Il n'entre nulle part, ne se lie avec personne. Un ours.

C'est le moment que nous choisissons, les copains et moi, pour entrer et « faire notre cour », comme disent les autres – c'est-à-dire tenter de nous concilier Paulette –, sans plus. Nous savons maintenant que, derrière ce charmant museau ombré de châtain pâle, cette face un peu inachevée, derrière cet énervant petit front, couve une dangereuse cervelle d'oiseau fantasque et romanesque. De son existence passée – ou de ce qui nous en intéresse –, nous avons appris l'essentiel : études trop tôt interrompues à son gré, mariage forcé, que ses parents avaient voulu « confortable », avec un garçon qu'elle n'aimait pas. Une fois, avant la guerre, dans son pays, une bohémienne lui avait prédit un long voyage... Paulette déclare, avec un rire faux, ne savoir ce qu'elle regrette le plus, du voyage non accompli, ou des cent sous que l'oracle de fantaisie lui avait coûté.

Pas d'autre confidence sur sa vie conjugale : facile cependant de constater que ses heures d'intimité avec Valentin sont réduites au minimum.

Dans ce bastringue, maintenant fermé. proche de la Contrescarpe, Fréhel chante pour les amis. Il faut franchir un long couloir et frapper quatre coups – trois secs, un plus timide –, pour que s'entrouvre la porte épaisse et basse.

Elle se tient là debout, la grande gouapeuse ravagée, en tablier noir de marchande de quat', avec sur son ventre ses deux inutiles mains gourdes. Elle détaille *Chanson tendre* et *La Vieille Maison* d'une voix de râpe à fromage, désormais sans timbre. La Lune, effacé, extatique, l'accompagne à l'harmonica. La Lune la cloche, et si brave, La Lune l'acrobate, La Lune l'extraordinaire musicien, si sensible... Les ceusses qui s'attardent aux pissoires, c'est qu'ils y sont allés chialer à coups d'épaules, le blair et les châsses dans le tire-jus à carreaux mauves. Parlez-moi un peu des durs...

Fréhel crèche chez une copine du côté de Montmartre. Mais pour la noille on lui a découvert une piaule dans le secteur. On la garde avec nous. On les emmène, elle et La Lune et le tôlier, au *Vieux-Chêne* vuider un piot.

Pour une coïncidence, c'est une couincidence. Au *Vieux-Chêne*, autour du poêle de fonte, toute la fine fleur de la Mouffe est réunie qui discute le coup. La Puce est là. Il sort de taule. Il avait fauché, dans la sacristie de Saint-Médard, les étoles d'apparat du curé. Neunœil l'officier retraité, borgne comme son nom l'indique, écoute pérorer un squelette en parchemin, très cabot, frileusement couvert d'une longue pèlerine. Auprès du squelette est assis un homme très vieux portant barbiche et binocles. « C'est là-bas dans le fond qu'était l'estrade, explique le squelette en grasseyant. Quand j' chantais, j' portais le foulard ou la bâche ; des fois, un kébour de bat' d'Af'. C'est Georges Darien, çui qu'a écrit *Contre Biribi*, qui l'a amené ici le premier coup. Il venait avec des types que j' connaissais pas, des fois des gonzesses. Juste avant la guerre, il m'a fait dîner à Montparnasse. Y'avait des bonshommes impossibles. Et craspèques... C'est bien longtemps après qu'on m'a montré ses mémoires. Il y raconte qu'il m'admirait, que j'avais le talent du vrai "chanteur du peuple"... Eh bien, tu vois, quand on sait ce qu'il est devenu, ça fait tout de même quelque chose, *surtout maintenant.* »

Le squelette en question s'appelle Montehus. Il parle d'un personnage nommé Wladimir Ilitch Lénine, qui lui aussi connut, en son temps , quelque célébrité.

Je me suis levé pour serrer la main du Gitan barbu, qui dans son coin cassait la graine en silence. Faut entretenir ses relations.

Cet homme m'intéresse. Il est grand, pas vieux, pas marqué par la vinasse, avec des traits anguleux, racés, qui confèrent une certaine noblesse à son visage sombre encadré d'une barbe drue, noire et brillante. Ses yeux profonds vous scrutent très loin. Un regard sans bavures. Ses mains, longues et déliées, ont conservé une finesse étonnante pour le métier qu'il exerce – biffin comme les autres. Un détail : son oreille gauche, percée, porte une minuscule boucle d'or. J'en vis une semblable accrochée à l'étagère à mégots d'un chanteur russe, ancien cosaque.

J'ai toujours sur moi de quoi crayonner. Après lui avoir offert à boire, j'ai voulu taper de la frime du Gitan une sanguine rapide. C'est long, cinq minutes. Il posa patiemment.

Au moment de partir avec toute la clique, le Gitan m'aborde, presque cérémonieusement – et m'autorise à conserver par-devers moi son effigie. J'eus cette parole maladroite : « Mais je ne t'ai rien demandé, j'aurais préféré te payer pour ta pose ou te faire un autre portrait, si ça avait pu te rendre service… » Il insista, presque en colère : « On ne me paie que pour le travail que je fais. Ici, je bois. Et je te répète qu'il vaut mieux, pour toi, que je t'aie donné ma permission… »

Je ne pus que commander deux autres verres. La Lune, effondré, ronflait sur la table.

Le son de la voix du Gitan, son accent à peine sensible, la netteté métallique de ses paroles ont marqué ma mémoire.

Je sais que les Allemands ont commencé de rafler les romanichels, même sédentaires. Je m'étais bien promis, au cas où je retrouverais mon homme, de lui parler du risque qu'il courait – éventuellement de le conseiller ou de l'aider. Aujourd'hui nous nous sommes rencontrés dans le marché des Carmes. J'entraînai le barbu jusque dans la rue de Bièvre. En chemin, je lui fis part de mes craintes à son sujet. Il s'arrêta pile et me regarda fixement : « Gitan ? Pourquoi ça plutôt qu'autre chose ? Je n'ai pas construit le vocabulaire du quartier… Pour les Allemands, si tu savais comme je les emm… eux, les flics et tous les autres… »

– Tu n'es tout de même pas « indic » ?

Là, il rit franchement, et me tapa sur l'épaule.

– De toute façon, que tu aies voulu me donner un coup de main, ça me fait plaisir, dit-il.

Chez Paulette, il l'appela « Madame » et non « la Patronne », et demanda du thé. On n'avait jamais vu ça. Il insista pour payer sa tournée. Un phénomène. Je ne sais ce qui m'amena à parler de mon voyage à Prague. Lui connaissait non seulement Prague, mais la Hongrie, la Roumanie, Galatz et les bouches du Danube. Il sut évoquer, avec un véritable talent de conteur, les gens que l'on trouve, leurs coutumes, leurs métiers, la couleur de leurs vêtements, la forme de leurs maisons.

Paulette, à l'encontre de son habitude, ne s'est point retranchée derrière son comptoir ; assise auprès de nous, elle a posé sur la table le châle qu'elle tricotait, et écouté avec délices les propos du barbu. Pourquoi fallut-il qu'elle racontât l'histoire de la bohémienne, du « grand voyage » et des cent sous ?

Le Gitan eut son sourire caractéristique. On eût dit qu'il n'attendait que cela :

– Nous allons voir si elle a dit vrai… – en même temps il mit devant la jeune femme un jeu de cartes étranger, orné d'enluminures inconnues ici. Coupez…

Paulette dut, sur les indications du barbu, disposer les cartes en étoile, les recouvrir, les intervertir, recommencer, faire des petits tas :

– C'est fini…

Le Gitan semblait s'être concentré, et soigneusement disposé à ne point parler à la légère – quand Valentin fit irruption. Les cartes étaient encore installées sur la toile cirée.

Le visage de Paulette, soudain excédée, exprimait une déception, une lassitude, une rancune qui ne pardonnent pas.

Valentin, en deux secondes, avait tout compris. Il est devenu blême. Je ne l'ai encore jamais vu ainsi :

– Veux-tu te sauver ! Veux-tu me foutre le camp !

Le robuste Gitan a rassemblé ses cartes et s'est levé sans hâte, très calme.

– Pardon ! Moi, je suis poli et je ne fais pas de mal !

Valentin écumait :

– Le camp ! La porte !…

– Ça va, c'est bien, fit le Gitan, bourru.

Depuis le trottoir il se retourna et adressa à son nouvel ennemi un sourire aussi étrange mais différent. Je tentai de faire entendre raison à Valentin :

– Ce type, c'est moi qui…

– Bon, bon, parlons d'autre chose…

Ses mains, son cou, ses mâchoires tremblaient.

Chez Pignol, le Gitan est venu, très tard. Il n'avait pas le cœur à la conversation. Nous ne pûmes que lui extorquer ces inquiétantes paroles :

– Jamais il n'aurait dû faire ça, ton bonhomme… Jamais… S'il savait…

Décidément, il n'a pas digéré l'attitude de Valentin. Ça le tient.

Séverin et moi nous sommes partis, songeurs, plutôt inquiets.

Eh bien ! Il en a fait de belles, le Gitan. Dès l'aube il s'est présenté rue de Bièvre. Il a demandé du café noir. Valentin l'a derechef flanqué à la porte. Les biffins présents, qui ne connaissaient guère le barbu – les gens de la Maube et ceux de la Mouffe sont frères ennemis –, ont laissé entendre qu'un de ces jours ça pourrait barder. Valentin a écourté sa promenade quotidienne, sur le pont de la Tournelle. Voici quelques jours, il a recueilli un chien affamé. Un bas-rouge. Aujourd'hui la bête était attachée dans le comptoir, auprès d'une copieuse pâtée. Paulette, renfrognée, cousait en silence. Elle rumine je ne sais quelle vengeance. Cela se sent à dix pas. Je n'ai osé lui dire que des choses banales. Valentin, qui désirait une détente, m'adressa une plaisanterie insipide. Il s'est forcé à rire. Son vin rouge tourne au sur.

Le Gitan, peu à peu, a changé de secteur. Il s'est rapproché du quai. Il abat, au dire de ses « collègues », une énorme besogne et « récupère » une quantité étonnante de vieux papiers, de chiffons et de métal. Il boit moins que les autres. On ignore où il crèche. À coup sûr, pas loin ; car chaque matin, il remonte la rue de Bièvre, s'arrête devant les vitres de Valentin exaspéré et le fixe, avec au coin des lèvres son fameux sourire, de plus en plus chargé d'une menace narquoise.

Ce matin, le barbu n'y tenait plus. Il a poussé l'audace jusqu'à tenter de pénétrer dans le café. Valentin, qui n'attendait que cela, a lâché son chien. Le bas-rouge – il est féroce – a franchi le comptoir d'un bond. On crut qu'il allait se précipiter, tous crocs dehors, sur le barbu. Mais il s'est arrêté net. L'autre, souriant, le tenait en respect. Deux doigts de sa main droite écartés en V et dirigés vers la bête avaient stoppé son élan. Alors le Gitan a dit des choses caillouteuses. Et le chien s'est mis à trembler. Il a reculé en montrant les dents, et, quand il s'est cru hors de portée d'un danger imprécis, connu de lui seul, il s'est enfui, a couru se blottir dans les jambes de son maître. Le Gitan n'a pas autrement insisté. Il est parti en chaloupant.

Maintenant le chien ne cesse de trembler. Il refuse toute nourriture. Il faut le traîner pour le faire sortir. Il s'échappe et rentre en hâte. Ses poils tombent par touffes entières. Valentin s'est décidé à l'envelopper d'une couverture et à le transporter dans ses bras, gémissant, jusque chez le vétérinaire tout proche. L'homme de l'art, un Noir, le docteur N..., est bien connu pour sa science intuitive, jamais en défaut. Il a hoché la tête au récit de Valentin. Il a parlé d' « envoûtement », de l'air d'un homme qui sait ce qu'il dit.

À la bête pelée et squelettique, il administre deux piqûres par jour. Mais sans grand espoir. Il tient à ce qu'on le sache.

...

C'est fini. Le chien a reçu l'ampoule fatale.

Pendant le temps que dura le « traitement » du chien, le Gitan n'est pas réapparu rue de Bièvre. Les nuits enfin sont devenues plus courtes, le temps plus doux... et Valentin de plus en plus sombre. Une sourde colère veillait en lui. Chacun appréhendait le jour où... Et puis c'est arrivé.

Le Gitan était entré sans bruit, alors que Valentin, rangeant ses bouteilles, avait le dos tourné. Je me trouvais dans le fond, au bout du comptoir.

Une effroyable crise de fureur empoigna Valentin. Il proféra des injures sans suite : « Bougre de... S' pèce de... » À la fin, il brandit une lourde matraque.

Le barbu – et toujours cet exaspérant sourire – braqua ses mains, les deux cette fois, avec les doigts comme deux V horizontaux. Il dit encore des choses...

Oui, c'est une force, une véritable force qui se détacha, par effluves successifs, des mains de cet homme démoniaque, et immobilisa Valentin, devenu soudain mou comme une chiffe.

Le barbu ramena une main derrière lui, ouvrit la porte et

franchit le seuil à reculons, sans se presser. Son mauvais sourire s'était accentué.

Valentin, qu'une invincible langueur avait envahi, dut s'aliter. On ne le revit de plusieurs jours. Le barbu profita de son absence pour venir, l'après-midi, étaler son jeu de cartes devant Paulette. Nous n'avons jamais su ce qu'il put lui raconter – elle ne laissait approcher personne. « C'est mes affaires », disait-elle.

Valentin a réintégré son comptoir. Il est méconnaissable. Amaigri, cireux, il regarde ses clients d'un œil éteint et fixe. Souvent il faut lui répéter les commandes. Des tics lui sont venus. Il se gratte entre les doigts. Paulette observe cela sans paraître s'en émouvoir outre mesure.

Valentin devient singe. Il se met à se gratter aux aisselles, puis aux aines, enfin partout. Cela dégoûte les clients, pourtant peu farouches et accoutumés à des pratiques plutôt malsaines.

On ne vient le voir que par curiosité.

En même temps, son cerveau bat la campagne. Il se révèle incapable de venir à bout d'une phrase commencée. Lui, d'ordinaire si peu prolixe, se lance dans des discours grandiloquents et, après quelques paroles, reste en carafe.

Ses mains et son cou ne sont plus que plaies à vif, avec çà et là des croûtes suppurantes. Nous l'avons forcé de se rendre à l'Hôtel-Dieu. On l'a dirigé dare-dare vers Saint-Louis. Personne ne sait établir un diagnostic précis sur la sorte de lèpre qui ronge sa peau. Son martyre – celui des écorchés vifs – le rend fou furieux.

Paulette n'ouvrait plus le café que l'après-midi, et refusait de servir les clients qui lui déplaisaient. Entre-temps, un plafond s'était à demi effondré dans l'hôtel, et les pompiers avaient dû le consolider.

Nous n'avons vu que deux fois le Hollandais. Il était bara-
qué, paraissait jeune malgré ses cheveux gris. Chandail,
amples vêtements de ratine bleu foncé. Casquette de marinier.
Il se prétendait possesseur d'une péniche amarrée non loin
d'ici, et nous nous sommes demandé comment, alors que les
canaux sont pour la plupart obstrués, il a fait pour parvenir
jusque dans nos murs.

Quand il se trouvait là, Paulette n'avait d'yeux que pour lui.
Il paraît qu'un jour il lui proposa de visiter sa péniche. Paulette congédia les quelques biffins présents, donna un tour de
clé, et glissa la clé dans la boîte aux lettres.

Ils partirent ensemble en direction de la Seine. Personne
d'entre nous ne les a revus depuis.

L'hôtel fut ainsi livré à lui-même, la chambre de Paulette
pillée, le café saccagé. La nuit, les clochards, qui avaient frac-
turé la porte de derrière, passaient par le couloir et envahis-
saient le café, où ils dormaient les uns sur les autres.

Un autre éboulement, beaucoup plus grave, s'est produit.
Les services de la ville s'en sont mêlés : nécessité d'évacuer
l'immeuble de toute urgence. Il fallut faire appel à la police
pour expulser une ribambelle de cloches geignant et vocifé-
rant, traînant après eux leur marmaille et leurs baluchons. On
a muré les issues.

Entre-temps, un architecte est venu, il a jaugé les dégâts et
prélevé des échantillons de matériau. Nous apprenons que les
pierres de la maison sont atteintes d'une véritable maladie :
une sorte de « champignon » les pénètre, les corrode jusqu'au
cœur. Les pierres s'effritent comme du plâtre mal pris. Et la
« maladie », de plus, est paraît-il contagieuse, et menace les
autres immeubles !

Il faut, très vite, tout démolir.

Chaque matin, le Gitan passe devant la maison et s'arrête,
juste un peu.

C'est une équipe d'ouvriers français qui commença le travail. Depuis l'étage supérieur, ils établirent une sorte de glissière en planches et étançonnèrent les murs de la façade. Ils commencèrent d'entamer la toiture, ou ce qui en restait. Mais tout ceci donne soif, et tous les quarts d'heure nos gars s'en allaient boire un verre, qui chez l'un, qui chez l'autre : au *Vieux Palais*, chez Dumont, chez Bébert. Les patrons de ces différentes stations, les habitués aussi, ne se firent pas faute de conter en long et en large l'affaire du Gitan, du chien malade et chauve, de Valentin devenu lépreux et fou, de Paulette envolée. Un démolisseur de métier n'aime pas beaucoup les histoires qui lui font travailler l'esprit.

Le second étage était à peine entamé que les six bonshommes – y compris le chef de chantier – commencèrent de ressentir aux mains, aux aisselles et aux aines, eux aussi, des picotements bizarres.

Ils trouvèrent tous, et en même temps, de comminatoires raisons de rompre le contrat qui les liait avec l'entrepreneur de la voirie. Et le chantier resta à l'abandon : personne ne voulait porter la pioche sur les pierres maudites.

Les pluies de printemps avaient transformé les escaliers en cascades, les plafonds en cataractes. La maison menaçait, à tout instant, de s'écrouler dans la rue.

Je ne sais comment les Allemands furent saisis de l'affaire : mais ce fut une équipe de Polonais, requis depuis les mines du Nord, amenés par camions à pied d'œuvre, qui, sous la garde de deux feldgrau armés, rasa tout en deux jours.

Les déblais étaient enlevés à mesure...

Aujourd'hui, tout est net, le terrain bien nivelé. Le Gitan revient, chaque matin, vers onze heures, chargé de sacs. Posément, il s'installe sur une caisse, au milieu du terre-plein, et classe la « marchandise » glanée qu'il livre ensuite aux maîtres chiffonniers : débris de laine, lambeaux d'autres textiles, papiers, métal, vieux os, déchets de toutes sortes.

Le barbu, enfin, montre son sourire des bons jours. Il est en terrain conquis.

Les Anciens avaient compris la toute-
puissance du dessous des choses.

L'aventure, suivie pas à pas, vécue heure par heure, de la
maison qui n'existe plus ne pourrait suffire à brosser le visage
de toute cette période. Depuis mon évasion je ne pouvais me
défaire de l'emprise intermittente d'une immense fatigue qui,
de temps à autre, brusquement et à des moments parfaitement
imprévisibles, me sciait les jambes, me terrassait jusqu'à me
voir craindre de m'effondrer là où je me trouvais.

J'ai demandé conseil à Cyril. « Le sommeil, m'a-t-il recom-
mandé. Seule solution. Dès que ça te prend, file t'allonger bien
au chaud, et roupille. Mais attention : *ne t'endors pas
n'importe où*, lorsque tu es à ce point affaibli. Si tu as découvert un endroit ami où tu te trouves à ton aise, c'est que tu y es
protégé. Tâche de t'y tenir. C'est très important. »

Il a raison. Dans ma chambre, sur ses indications, j'ai
changé le lit de place et d'orientation à cinq ou six reprises.
Maintenant qu'il est en biais, près de la fenêtre, j'y suis chez
moi, bien en confiance. Ce que disait Cyril se vérifie à un
mètre près.

Cyril n'est point le seul qui ait contribué à parfaire mon
éducation. Ils sont plusieurs à m'avoir enseigné qu'il existe,
dans l'ordre profond des choses, un potentiel d'humour qui
correspond à de paradoxales exigences. Le rire, propre de

l'homme ? Peut-être. Mais l'événement qui chez nous déchaîne le rire, l'événement-farce, appartient à toute la création, de l'amibe au cristal. En somme, rien ne doit être pris tellement, tellement au sérieux.

LE BLAZE D'ALFOPHONSE

En recevant la convocation qui lui intimait de satisfaire à ses obligations militaires, le nommé Borjois s'est aperçu qu'il se prénommait Alfophonse. Vous avez bien lu : effopéhachoenne. Il a commencé par se marrer, il a montré ça à ses copains qui se sont boyautés, comme de juste, et Alfophonse s'est livré illico à une discrète mais nécessaire enquête. Il aime à en proclamer le résultat dans l'argot qu'il sait mieux que personne. Car Alfophonse est un puriste : c'est un gars de la Glacière, là où les traditions ne sont pas près de se perdre.

– Dugombrends, quand ma dabuche elle a décloqué de ma hure (m'a mis au monde) j'étais le jeunot de trois frangines. « Enfin, tout d' même, on a un mavâle ! » qu'il a bonni l' pater (ici, je préfère passer sur des détails physiologiques qui, en français correct, manqueraient de saveur). Alors mon oncle, l' frangin d' ma dabuche, faut te dire qu'il était scribouille à la mairerie de l'arrondisse. C'est cézigue qui tenait comme qui dirait l' Bottin. V'là son beauf qui radine : « Eh ! la Guste, qu'il fait. Y'a du neuf ! Ta frangine elle m'a tricoté un mavâle ! Un véridique, avec des batoches et un zigouigoui ! » « Écoute, Albert, qu'il bonnit le z'oncle, quand c'est comac dans l' bled au prince de Galles, le quinge des Angliches il fait péter vingt et un coups d'un seul grondant. Et ben nozigues, c'est vingt et un canons qu'on va se carrer darjère la cravetouze ! Et pas plus tard que tout d' suite ! » Et v'là les deux beaufs qui décambutent pour se jeter vingt et un pichtogornes. Sans bavures. En r'montant, ils avaient plutôt les pompes à bascule. V'là le z'oncle qu'attrape son porte-poil pour m'inscrire sur le Bottin de l'arrondisse. « C'est pas tout ça, qu'il fait, faudrait lui dégauchir un blaze. » L' pater y s' creuse la tirelire. Ça v'nait pas. Et puis il dit : « Tu t' rapopelles le grand-dabe, dis, la Guste ? Tu t' rapopelles, dis ? Alphonse qu'il s'annonçait. Tu t' rapopelles, dis ? Eh ben ! C'est Alphonse qu'il s'annoncera not' lardon. Comme le grand-dabe ! »

» Ce que c'est que l'attendrissure ! Les v'là qui chialent, et le z'oncle en r'niflant qu'écrit : A.l.f.o... Fais gaffe ! qu'il bonnit l' pater, péhache ! Péhache quoi ? Ahelpéhache !... Merde alors ! Sur le Bottin de l'arrondisse, nib de braise pour gratouiller ! Pas l' droit ! Des clous pour chanstiquer mon blaze ! V'là comment que j' m'appelle Alfophonse !... »

Le « blaze » d'Alfophonse le rendit célèbre au régiment, puis parmi ses camarades de travail. Il finit par croire que son nom était écrit sur le bout de son nez. Alors, quand il se trouve en présence de quelqu'un de nouveau, il rit. Comme d'autres s'excuseraient. Il a un bon rire confiant et communicatif. Un rire comme une épidémie. Sa vie sera longue, et hilarante jusqu'à la dernière seconde.

LA MOULT LAMENTABLE
ADVENTURE DE THÉOPHILE TRIGOU

Sacré Théophile ! Théophile sacré ! Un soir il s'est laissé aller aux confidences. Maintenant, je sais à quoi m'en tenir sur son compte.

Il y a bientôt vingt-cinq ans, le jeune bachelier Théophile, originaire de Rennes, avait manifesté, outre un goût prononcé pour les études littéraires classiques, un penchant invincible vers l'état ecclésiastique. Sa famille dut se résoudre à le laisser entrer au séminaire. C'est donc dans ces conditions que, pour la première fois, il visita Paris, à l'occasion d'un pèlerinage à Notre-Dame. Il prit plaisir à errer dans les bas quartiers qui avoisinent la Cité, et fut immédiatement sensible à leur charme équivoque. Quelques mois plus tard, il revint en la grand-ville, toujours en qualité d'étudiant en théologie, mais cette fois pour y demeurer, près de la rue Saint-Jacques, non loin du lieu où vécut jadis un autre « escholier » : François de Montcorbier, que nous nommons Villon.

Son tempérament devait être celui d'un missionnaire ou d'un prédicateur. Car il ne se passait pas de semaine qu'on ne vît ce jeune homme, vêtu de façon sévère et coiffé d'un béret, qui hantait les abords de la place Maubert, savait les noms des autochtones les moins attirants et savait aussi se faire exposer leurs misères et confier leurs histoires les moins avouables. Dépiauteurs de mégots, tire-laine et traîne-savates n'avaient plus de secrets pour celui qu'ils appelaient sympathiquement le « Père Blanc-Bec ».

À la longue, Théophile ne dédaigna point d'entrer dans les bouges, et de se mêler de plus près encore à la truandaille. Ceux d'entre les cloches qui, sous leur carapace de sueur poisseuse et noirâtre, faisaient montre de quelque culture, acquise au « temps de leur jeunesse folle », avaient sa préférence et tiraient certain orgueil de son amitié.

Petit à petit, sournoisement, le quartier tout entier s'implanta en lui ; ce secteur, pierres et gens, décida de l'accaparer à jamais, dût cette conspiration de désirs confus des hommes et des choses venir à ses fins au prix d'un mauvais tour. C'est ce qui advint.

Trigou fut ordonné prêtre et ne quitta pas pour autant la capitale. Le jeune abbé devint professeur de français et de latin dans une institution religieuse, fort connue, d'Auteuil. Des années calmes s'écoulèrent ; Théophile accomplissait à la satisfaction de tous sa tâche de pédagogue et d'éducateur. Chaque dimanche de la belle saison, il déférait aux commandements du Seigneur en prenant quelque repos. Souvent, il se rendait, seul, hors Paris, dans une région boisée : et là, moderne François d'Assise, il se livrait à de pieuses lectures et méditait dans la solitude sylvestre égayée de chants d'oiseaux.

Un dimanche d'août où la chaleur était plus étouffante que de coutume, le jeune prêtre avait gagné la forêt de Fontainebleau.

Après une longue marche, un peu las, il s'assit sur un monticule qui semblait être placé là tout exprès, contre un grand
arbre. Il s'assoupit un long moment. Lorsqu'il se réveilla, des
picotements inusités agaçaient ses hanches. Il s'aperçut qu'il
lui restait tout juste le temps nécessaire pour gagner la gare et
sauter dans le train. Durant la marche du retour, les picotements, qui s'étaient étendus à tout le bas de son corps,
s'accentuèrent au point d'en devenir intolérables. Mais, pressé
par le temps, et peut-être accoutumé, du moins dans son
esprit, à des mortifications autrement douloureuses, il ne se
soucia qu'une fois à l'intérieur du wagon de la nature de ce qui
le démangeait ainsi.

Ce train était formé de vieilles voitures en bois, telles qu'en
ont encore les « tortillards » de province : pas de couloirs.
L'abbé était seul dans son compartiment. Il connut aussitôt
l'origine du « providentiel » – et si confortable – monticule sur
lequel il s'était imprudemment assis : c'était une gigantesque
fourmilière. Son pantalon, ses sous-vêtements étaient envahis
d'insectes que l'éloignement de leur demeure avait rendus
féroces. L'abbé jugea qu'il était temps, entre deux stations, de
parer au plus pressé : il dégrafa sa soutane, ôta pantalon et
caleçon, et se mit en devoir de secouer le tout par la portière.
En un point de parcours, la voie décrit une courbe. Un irrésistible coup de vent arracha net les vêtements des mains de
l'abbé consterné. Et le train-omnibus fit halte…

Sur le quai, chargées de fleurs des champs, psalmodiant de
lénifiantes mélodies, accompagnées par des religieuses, attendaient une cinquantaine de très pures jeunes filles, pensionnaires d'un orphelinat très chrétien.

Théophile, à qui l'imminence du danger fit perdre tout
contrôle, n'eut que le temps de se précipiter sous la banquette :
une partie de l'innocente cohorte s'engouffrait dans le compartiment. Et en voiture !…

La trépidation, la poussière, les bouquets que l'on secouait,
avaient mis au supplice notre malheureux abbé : il ne put se

retenir d'éternuer dans les mollets d'une jeune fille, laquelle incontinent poussa des cris stridents. Galvanisée d'un pieux courage, la religieuse accompagnatrice osa se pencher : une paire de fesses bleues de honte – apparition satanique – s'offrit à sa vue. Elle s'évanouit tandis que les jeunes filles tiraient le signal d'alarme. Et le convoi stoppa en pleine nature, alors que les hurlements paniques se propageaient de wagon en wagon. Mécanicien, chauffeur, contrôleur, aussitôt accourus, eurent grand-peine à extraire de dessous sa banquette Théophile plus mort que vif. Sur le ballast, il dut essuyer mille affronts, injures et quolibets auxquels il ne pouvait répondre, uniquement préoccupé qu'il était de réunir les pans (trop courts) de sa chemise, que s'ingéniait à faire flotter une coquine brise vespérale.

On remit le « satyre » – ainsi l'avait-on aussitôt identifié – aux mains de deux employés de la Compagnie, lesquels lui firent gagner à pied la demeure du plus « proche » garde-barrière (à plusieurs kilomètres…).

De là, on téléphona aux gendarmes. Théophile eut quelque peine à démontrer sa bonne foi. Il coucha au violon, et c'est seulement dans la matinée du lendemain que l'on retrouva ses vêtements égaillés sur le talus. À Auteuil, il donna une explication embarrassée, n'osant conter sa mésaventure, et pour la première fois mentit à ses supérieurs.

Dans les jours qui suivirent, la presse locale, avertie par le rapport des gendarmes, s'empara de l'incident. Le *Progrès* de Seine-et-Marne, feuille anticléricale, se répandit en sarcasmes aussi spirituels qu'ironiques, tandis que l'*Indépendant*, hebdomadaire bien-pensant, déplorait à la fois cet événement et le manque de charité dont faisait preuve son confrère. Il n'en fallut pas plus pour qu'un chroniqueur parisien, M. de La Fouchardière, profitât de l'aubaine et donnât libre cours à sa verve mordante. Les uns et les autres avaient mentionné le nom, euphorique en soi, de Théophile Trigou… Et c'est ainsi que notre abbé se vit, du jour au lendemain, congédié sans autre forme de procès de l'institution où son gagne-pain était assuré.

Il avait, de plus, subi un choc moral à ce point violent qu'il ne put le surmonter.

Il se tait sur la vie qu'il mena dans les mois ultérieurs ; mais le quartier Maubert le revit bientôt, et aussi les alentours des lycées Charlemagne, Henri-IV et Saint-Louis. Il a laissé pousser sa barbe. Vêtu d'une jaquette cuirassée de crasse, il porte plastron et col cassé, mais presque jamais de chemise. Pour quelques verres ou quelque monnaie, il aide, de prestigieuse façon, potaches et étudiants dans leurs exercices de versification et de thème latins. On l'appelle le « docteur », ou le « professeur ». Il accepte son sort avec philosophie...

Parallèlement à ce qui s'est passé rue de Bièvre, une autre maison dans Paris s'est volatilisée. C'est ce que la presse vient de nous apprendre. Un monsieur lillois – zone interdite – propriétaire d'un immeuble parisien, rue Labrouste, avait mis en vente sa maison. Il s'agissait d'un vieil hôtel en ruine, depuis longtemps déserté de ses habitants.

Un vétérinaire fixé en zone sud imagina d'acquérir l'immeuble, où il se proposait d'installer, après la guerre, une clinique pour chiens. Un notaire de Paris, sans se déranger, accomplit la transaction. Mais lorsqu'un vague sous-fifre de métreur ou d'expert à tant la porte-fenêtre se présenta sur les lieux, d'immeuble point.

Nib de castel. Envolé, évaporé. Un terrain vague où les enfants viennent jouer à la balle et pisser dans les plâtras. Plainte vient d'être déposée pour « disparition d'immeuble ». Et les canards relâchent leur muselière pour publier l'histoire en long et en large, avec de grands clichés où l'on ne voit rien, puisqu'il s'agit de la maison disparue... Même les chansonniers exploitent la chose et affûtent leurs crocs en caoutchouc ersatz. Pendant ce temps-là, Bizinque se bidonne. Il passe maintenant ses soirées à découper et classer les articles qui relatent son exploit.

Ici tout le monde est au courant depuis quatre mois. C'est Bizinque, et lui seul, le scalpeur de la toiture, le dévisseur des robinets, le désosseur de la tuyauterie du gaz. Après, il s'est attaqué méthodiquement au bois et aux œuvres maîtresses. Il n'en a jamais fait mystère et nous a payé de bons coups. Vergnolle l'architecte ne croit pas qu'il sera inquiété. Allons, tant mieux.

LES GENOUX
DU SORT CONTRAIRE

Hier Bizinque nous a amené un assez étrange bonhomme que je connaissais vaguement. Il s'agit de M. Casquette.

M. Casquette est fonctionnaire des pompes funèbres. Pas ordonnateur, malgré ses vingt-quatre ans de bons et loyaux services. Sa médaille militaire, son goût de l'ouvrage « bien faite » auraient pu lui conférer le droit à un avancement plus rapide. Mais il est doublement handicapé : son intelligence plutôt… moyenne, et son aspect physique. Petit et râblé, M. Casquette possède un crâne invraisemblablement plat et large.

Dans les années 20, il avait fallu lui faire confectionner sur mesure sa casquette réglementaire. Cet accroc aux coutumes avait nécessité la délivrance de moult « avis favorables » et signatures à différents échelons. Dans le *Bulletin municipal*, le paraphe d'un haut fonctionnaire de la ville, ministre depuis, entérina le droit dévolu à l'administration, par un vote solennel, de doter M. Casquette d'un couvre-chef hors série. Le sobriquet lui est resté, et lui-même en arrive à oublier son nom.

Resté simple croque-mort, il exerce son « art » dans le Ve arrondissement. Il accomplit avec naturel les besognes les plus repoussantes. Le soir, jusqu'à ces derniers temps, il avait coutume de jouer à la belote, rue Monge, avec de paisibles amis.

Mais M. Casquette est de caractère ombrageux. Une fois, l'un de ses partenaires aux cartes tricha par plaisanterie. M. Casquette le prit fort mal : après un échange de propos un peu vifs, il abattit son jeu et s'en alla, en maugréant : « Moquez-vous donc de moi pendant qu'il en est temps... *Je vous enterrerai tous les trois!...* »

Le lendemain, on n'y pensait plus... Mais les trois commensaux du croque-mort, des gens âgés, rendirent l'âme en un temps record, et le très pénible devoir de les ensevelir incomba à leur ami. Les habitués du petit café eurent le mauvais goût de lui rappeler ses paroles, et d'insinuer perfidement qu'il avait le « mauvais œil ».

De fait, durant tout l'hiver dernier, il porta successivement en terre tant de personnes de sa connaissance que son entourage s'est ému. On évite désormais de parler en sa présence de malades ou de vieillards par trop affaiblis.

On chuchote même que M. Casquette, au demeurant fort brave homme, est l'instrument inconscient et involontaire du destin, et qu'il véhicule de funestes effluves. Les gens sont lâches devant l'inconnu. Ses amis de toujours ont fini par s'écarter du croque-mort : on l'entoure d'un tel climat de méfiance, de silence craintif, qu'il devient neurasthénique et se met à boire.

LE VIEUX D'APRÈS MINUIT

Les Irlandais avaient dressé *leur* plan du Vieux Paris. Celui que m'a montré le docteur Garret. J'ai envie d'en faire autant, et de tracer un itinéraire bien particulier, celui des « rues à légendes » – qui ne sont pas obligatoirement les plus anciennes. Il est, dans quelques quadrilatères, des lieux où rien ne peut se passer que d'éternel. Les gens simples qui y fréquentent sont les derniers à savoir quelle sorte de pérennité ils représentent. Certains d'entre eux ne constituent rien d'autre que de purs phénomènes de survivance.

Chez *Pignol*, par exemple, il est des soirs où nous vivons ce que j'appelle *l'heure magique*. Ce mot est pour moi très lourd de sens : je l'emploie rarement. Je m'en méfie. Mais je sais pourquoi je l'écris ici.

En général, c'est au lendemain d'un jour sombre, où un d'entre nous reçut une mauvaise nouvelle : mort lointaine ou arrestation d'un ami. Ici, il y a osmose entre nos chagrins. Nous souffrons tous intensément, consciencieusement, comme pour soulager le principal intéressé. Et nous ne parlons de l'événement mauvais que pour tenter d'en atténuer, d'en édulcorer, d'en conjurer les prolongements possibles. Nos silences sont faits de colère sourde. Mais chaque fois quelque imprévisible séquence rétablit l'atmosphère en déplaçant, en transposant le plan de nos préoccupations. Souvent la conversation, d'abord languide, tourne autour d'un personnage mythique, un être falot, un semi-fantôme que chacun prétend avoir rencontré, mais dont j'ignore encore s'il existe vraiment comme vous et moi, ou bien s'il fait partie de l'hallucinante fable qui enveloppe le « Village » et parfois en prend possession en détraquant, à la même minute, les esprits de tous les noctambules. Il s'agit du « Vieux d'après Minuit ».

Nombreux sont, dans ce coin de capitale entre tous sournois et secret, les estaminets où la vie nocturne bat son plein, quoique très peu bruyante, entre minuit et cinq heures du matin, pendant le temps du couvre-feu. À part la bande de bohèmes dont je suis en quelque sorte le centre et l'animateur, ce sont les biffins et les chiffonniers « en gros » qui peuplent ces heures sauvages, tous volets clos, verrous tirés, le gosier humide et l'oreille aux aguets. Alors une tradition dont je n'ai pas eu jusqu'ici le bonheur de vérifier les « bases » … veut que, lorsqu'une discussion sans issue possible met aux prises des gens d'avis opposés, qu'il s'agisse des opérations militaires, des cours du marché noir ou du prix à l'achat des métaux non ferreux, le Vieux apparaisse, sans que personne l'ait vu entrer. Assis, ramassé dans un triangle d'ombre, avec auprès de lui son haut bâton de pèlerin, il apporte son grain de sel et en deux paroles a bouclé le bec de celui-qui-exagère ou de celui-qui-se-trompe.

Le Vieux ne se montre pas à n'importe qui. De toute façon, nul ne l'a jamais vu qu'une fois minuit sonné, et seulement dans les parages : chez Pignol, aux *Quatre-Fesses*, aux *Trois-Mailletz* ou chez Dumont. Il prend un malin plaisir à entrer ou s'éclipser alors que l'attention des gens est portée ailleurs. Il manifeste sa présence par un petit rire, une sorte de gloussement, ou bien par une parole – une vérité – qui tombe pile, au bon moment, et contre quoi il n'y a plus rien à dire. Souvent, on lui pose des questions, lorsqu'il existe un litige à trancher ; mais il ne répond que lorsque les deux parties sont en présence. Et sa parole est considérée comme une sentence sans appel. La « Vérité du Bon Dieu », disent les vieilles femmes : la Salagnac, la Georgette, la Thérèse…

Le Vieux est bon. C'est lui qui réconcilia Édouard et Bébert, les deux chiftirs fâchés à mort à cause d'une histoire de recel dont ils n'étaient coupables ni l'un ni l'autre. C'est lui qui a rabiboché le ménage Graillot, malgré les calomnies proférées contre la Graillotte. Il avait fait éloigner au bon moment le petit Bibiche à cause des oreillons, détecté la scarlatine de Zouzou, la fille à Solange…

Je me laisse conter tout cela par Pignolette, qui semble nourrir pour le Vieux une étrange dévotion. Sa voix change quand elle en parle. On dirait qu'elle tremble un peu. Je ne sais que répondre ni que penser. Je vis en pleine féerie.

LES GENOUX
DU SORT CONTRAIRE

Quatorze mètres de long, cent trente kilos. Tels sont les records que battent respectivement, au café *Guignard*, coin de la rue Dante, le comptoir et le patron. Ce colosse possède une massive et aquiline tronche de faune. Elle force d'évoquer les mascarons du Pont-Neuf. Ses sourcils surtout, bruns et broussailleux, confèrent au visage une puissance à la fois nerveuse et massive, un peu démentie par les bajoues.

Je n'ai pas spécialement le goût du sordide, et ne crois pas que ce soient les relents fades de sueur, de boissons tièdes et saumâtres, d'urine croupie qui m'aient attiré là par cet après-midi torride. Paisible, M. Casquette sirotait un godet. Je l'invitai à trinquer. Ma présence sembla lui apporter quelque plaisir. Peut-être quelque soulagement. Tout le monde s'était rassemblé dans une partie de la salle, sur la droite. Un rire abject, hystérique, un collectif rire de brutes avait pris possession de ce magma humain, secouait avec la même cadence lourde ces épaules et ces croupes. Au-delà de l'agglutinement convulsif des torses, on distinguait, par bribes, le bruit d'une dispute : deux voix grêles échangeaient, en un langage on ne peut plus coloré, des injures qu'il serait inutile et inconvenant de rapporter ici.

Je surmontai mon indifférence écœurée et parvins, suivi de M. Casquette, à m'approcher du « spectacle ». Cela en valait la peine.

Un homme blond se tenait debout, un peu courbé en avant, les mains appuyées sur les dossiers de deux chaises. Son pantalon était retroussé jusqu'au-dessus des genoux. Lesquels genoux étaient tatoués. Deux visages, deux effigies que l'on avait voulues ressemblantes. À droite, un homme moustachu, camard, aux épais sourcils. À gauche, une femme poupine, aux très longs cils, aux yeux exagérément cernés, aux lèvres grasses. L'homme contractait ses muscles, faisait jouer ses tendons ; ses rotules dansaient, et toutes ces crispations conféraient une vie étrange aux deux faces ennemies. Car les genoux s'adressaient en un français tourmenté, mêlé de sabir et de mots inconnus, des phrases ignobles : l'homme contrefaisait sa voix, et la scène était d'un tel comique noir que j'en ressentis une sorte d'angoisse. M. Casquette contemplait cela sans broncher. Il est vrai qu'il en a vu bien d'autres...

Fatigué, l'homme s'arrêta pour souffler, tandis que la foule bêlante s'octroyait quelque détente. L'homme avala coup sur coup quatre verres d'alcool, à lui généreusement offerts par son auditoire. Il se disposait à reprendre son exhibition ; mais le couple entra.

La cinquantaine miséreuse, lasse et fripée. Pas exactement des clochards cependant. Lui était chargé d'une « toilette », ce linge noir roulé comme en portent les peintres ou certains journaliers. La femme traînait une valise. Le désespoir, une immense lassitude aussi, marquaient leurs traits.

En présence de l'homme aux genoux, ils s'immobilisèrent. Médusés. Il y eut une seconde de silence total. Les plus ivres, les plus obtus d'entre les clochards présents durent ressentir un choc. Le rire des femmes à demi saoules changea de ton et de couleur. Toutes les gorges s'étaient nouées. Trois regards s'affrontaient. Ils venaient d'un autre univers, là où la haine, la haine seule tient lieu d'énergie.

Ce fut l'homme aux genoux qui bougea le premier : il rectifia sa tenue, atteignit la porte et le soleil le happa. Le couple, très lentement, s'est approché du comptoir. Ils ont demandé du rhum et ont échangé quelques paroles fugitives, dans une langue que je ne comprends pas.

– Allons-nous-en, ça sent le malheur ici, a fait M. Casquette.

Le soir, nous étions aux *Quatre-Fesses*. Bouge ainsi baptisé parce que tenu par deux dames sur le retour, lesquelles, déçues de n'avoir éprouvé au contact de leurs très nombreux partenaires mâles que des joies incomplètes, « s'arrangent » entre elles. Ce à quoi nous ne voyons certes nul inconvénient.

J'avais amené M. Casquette, histoire de lui changer les idées, et avais prié Cyril de nous rejoindre. Impossible de « digérer » la scène de l'homme aux genoux tatoués, et surtout celle de l'entrée du couple. J'étais tourmenté. Je voulais une explication. J'ai tout raconté à Cyril. Lui ne manifesta guère de surprise. Une fois que je lui eus exposé ce dont je venais d'être témoin, Cyril hocha la tête et murmura :

– Pauvre, pauvre vieux… J'ai l'impression que vous auriez *mieux fait* de vous trouver ailleurs, monsieur Casquette…

Le croque-mort se rebiffa :

– Mais je ne suis pour rien dans ce qui s'est passé…
D'ailleurs, il n'y a pas eu de gâchis…

Cyril réfléchit, et, pesant ses mots :

– … *Pour rien*. Bien sûr, vous en êtes persuadé. Vous n'y
êtes *pour rien*. Et dans ce qui *va se passer* maintenant – évidemment, vous n'en savez rien, ça vous dépasse, et vous ne
pouvez absolument pas intervenir, n'est-ce pas, monsieur Casquette ?

L'autre ouvrait grands ses yeux, comme si on lui eût parlé
hébreu.

Discrètement, j'ai demandé à Cyril :

– Quel est donc le « pauvre vieux » sur qui tu t'apitoyais
tout à l'heure ?

– Hé bé… Wladimir, bien sûr…

– ?…

– Mais… le… (il montra ses genoux).

– Tu sais qui c'est ?

– Oh ! là là ! Je ne connais que lui…

… À Marseille, en 1919, le jeune sergent ukrainien Wladimir
Iline, qui avait combattu dans les Balkans aux côtés des
troupes alliées, se trouvait sans le sou et sans emploi. Il avait
brûlé la politesse à son unité, alors cantonnée à Corfou et en
instance de rapatriement. La situation légale de Wladimir
était aussi précaire que celle de son budget… D'autre part, la
perspective de réintégrer un pays à son gré trop plat et trop
monotone – nous ne parlons que de la topographie – souriait
médiocrement à son esprit assoiffé d'aventures, non ennemi de
quelque exotisme et définitivement attaché aux gens de
l'Europe occidentale. Tâcher de rallier Paris, le ventre creux,
et se voir, pour éviter le refoulement vers quelque frontière
encore mal délimitée, devenir terrassier-nécrophore dans les
tranchées d'Argonne ou manœuvre-forçat dans les régions
dévastées ne lui souriait guère plus. Il n'avait pas le choix…

C'est ainsi qu'il gagna le fort Saint-Jean, et se trouva bientôt placé sous la protection du fanion rouge et vert du 2e bataillon du *nième* régiment de marche de la Légion étrangère... là où Cyril, qui alors se nommait Pétrovitch, était fourrier.

Wladimir s'était engagé pour cinq ans. Il s'accommoda sans trop de peine du régime de discipline extrêmement stricte qui était celui de sa nouvelle formation. Et, lorsque le régiment embarqua à destination de l'Afrique, Wladimir s'était taillé de solides amitiés. De surcroît, l'estime de ses chefs directs lui valait de nombreuses faveurs, en particulier une plus grande liberté dans ses allées et venues... tant il est vrai que la faculté judicieusement octroyée d'accomplir un périple de trois cents mètres est souvent beaucoup plus précieuse que celle de faire le tour de la terre avec la bride sur le cou.

À Sidi-bel-Abbès, Wladimir passa le contrat des « frères de sang » avec l'un de ses compagnons. Un très jeune Bulgare qu'il avait distingué dès Marseille, et qu'il aimait entre tous... non pas pour *sa grande bravoure*... mais parce que c'était un gars régulier, de parole et tout. Assez marrante d'ailleurs, l'histoire du « Bul ». Franc-tireur allié aux « comitadjis » serbes, il tomba entre les mains du 175e français d'infanterie... (ici, je dresse l'oreille au récit de Cyril), à Monastir, c'est ça, Monastir... et s'il n'avait pas été presque un gosse...

Là, j'éclate.

– On l'aurait zigouillé, bien sûr. Mais, écoute-moi, Cyril, je vais te dire la suite. Le 175e l'a adopté. Ils en ont fait comme qui dirait une mascotte. Le môme est devenu, un moment, ordonnance d'un officier...

– Vouais, fait Cyril, un peu éteint, l'air beaucoup plus consterné qu'ébahi.

– Eh bien ! l'officier, c'était mon oncle !... et ton gars, il a terminé sa campagne comme aide-cuistot...

– Oui, oui, c'est ça...

– Le cuistot, tiens-toi bien : c'était mon père. Depuis 1920 ou 1921, j'entends raconter l'histoire chez moi. Ton Bulgare est rentré en France avec le bataillon expéditionnaire des Dardanelles. À Marseille il s'est engagé… Maintenant, son nom me revient. Boris… Boris Kazalik.

– Évidemment, c'est ça, bien sûr, cette blague… articulait Cyril, presque effondré. Mais qu'est-ce que tu viens foutre encore là-dedans ?

– Il n'y a pas lieu de se frapper. Mon père et mon oncle étaient ensemble en Orient. C'était normal que je sache l'histoire… Je trouve ça plutôt amusant. Rien de grave…

– Oh ! mais si, c'est grave, dit quelqu'un.

Et cela fit sursauter tout le monde. C'était le Vieux.

Minuit venait de sonner. Olga, la patronne en titre, avait bouclé les volets au-dehors. Maintenant, elle calfeutrait la vitrine, de l'intérieur, avec des couvertures. À la caisse, la propriétaire des fesses numéros 3 et 4 faisait les comptes.

Le Vieux. Nous n'avions ni remarqué ni « senti » sa présence. Il se caressait la barbe, dans son coin de pénombre, content de son petit effet. Ce qui me surprit le plus est qu'une fois la première seconde d'émotion passée, personne ne sembla tellement étonné.

On me l'avait maintes fois décrit tel qu'il était : tout petit, très barbu, très chevelu, avec sa pèlerine brune et son long bâton, ses très grandes mains si belles, ses jambes courtes et difformes, saucissonnées, des chevilles aux genoux, par des cordons, sa voix d'oiseau malade et son air à la fois bon et malicieux.

En vérité, je ne croyais pas à son existence. Je ne sais pas si je fus, sur le moment, déçu ou ravi. Peut-être les deux. Peut-être eussé-je préféré admettre qu'une légende – charmante d'ailleurs – qu'une légende bien ancrée, bien acceptée, avait pris corps dans l'esprit des gens. Et détecter chez ces gens un symptôme clé : celui de la mémoire *non acquise* d'un fait dont on ne saura jamais s'il appartient au domaine de la fiction. Pour la première fois, il m'était donné de « vivre » un événement insolite qui me soit extérieur, et le saisissement, le hoquet, l'éblouissement tant attendus, tant désirés, ne s'étaient pas présentés. Mes organes autonomes, ceux dont je ne puis contrôler les réflexes, ceux qui me dictaient, qui géraient mon immense trouille sous les Stukas en piqué, avaient dit amen. M. Œil, Mme Oreille, MM. Nerfs, Mmes Génitoires se tenaient aussi pénards et impavides que les copains là présents : Edmond, Bucaille, le père Casquette, et même Cyril… Tout le monde trouvait ça tout naturel. Le Vieux d'après Minuit, et tout ce qu'il représente de fantastique, ce n'est pas du flan. Plus qu'à s'incliner. Et cependant… Il ne *pouvait pas* être entré : ni par la porte du couloir ni par celle de la cave, puisque nos regards étaient braqués dessus ou à peu près. Ni par la rue, Olga avait bouclé depuis onze heures. De soupirail, il n'y en a pas. S'être caché dans un coin, avant notre arrivée ? Idiot d'y penser. Con comme la lune. Enfin, c'est comme ça.

Le Vieux ne parla pas tout de suite. Tranquillement, il laissa Cyril finir de conter l'histoire des genoux.

À Bel-Abbès et autres lieux, les légionnaires Boris et Wladimir surent offrir à leurs camarades le plus réconfortant exemple de pure et efficace et vigilante amitié. Ce dont l'un manifestait le désir constituait pour l'autre un immédiat et impérieux devoir de conquête. La dure école du bled, les routes incandescentes que l'on construit sous les cinglures effrénées d'un sable soulevé par un vent de fin de monde, épreuve dont le corps ne se console que pour vaincre la nuit glacée, les multiples éléments qu'ils avaient choisi d'affronter en toute conscience de cause, parce qu'ils ne s'étaient pas fait d'illusions sur leur hostilité perfide, nos gars surmontèrent tout cela, victorieux, de mois en mois plus forts et plus avant dans la conquête d'eux-mêmes. Et plus unis. De cette sorte de fraternité puissance deux que l'on « reçoit » plus qu'on ne la découvre.

Cyril savait tout. Des deux « frères de sang », il était le seul confident possible, parce que point jaloux et inaccessible aux soupçons réputés « troubles », pour l'unique raison que rien de trouble ne se passait que ce qui vient d'être rapporté.

Le bataillon se déplaçait. Il est monstrueux d'affirmer ici qu'à l'issue de la guerre, la *leçon*, la *conclusion* de la guerre réside partout ailleurs que dans le témoignage « massacre ». Des morts on se fout très vite. Mais c'est épatant – et c'est heureux – comme ils nous battent sur ce point.

Ce qui compte, ce sont les migrations. Le bataillon se déplaçait. Depuis belle lurette les mots « milliers » ou « millions » de morts, et le mot « défaite » et le mot « victoire » ne signifient plus rien, et ne règlent que peau de balle.

Le bataillon se déplaçait. Une guerre est un brassage inouï, un monstre très au-delà de la hideur ou de son contraire, beaucoup plus cohérent et esthétique et logique et nécessaire que certains machins scellés sur nos fontaines, un monstre qui ravale sa bave et rejette au loin son écume. C'est à l'écume que le bataillon eut affaire.

Du sud d'Oran au sud d'Alger, les monts des Ksour, le Djebel Amour, les Ouled-Naïl, étaient alors explorés par des bandes hybrides, qui pompeusement se dénommaient « expéditions », voire « missions scientifiques ».

Pour le compte de chevaliers d'industrie déçus par l'armistice général en Europe, survenu trop rapidement à leur gré, des groupes de soi-disant techniciens, en réalité des aventuriers de la bonne espèce, sillonnaient ce qu'ils croyaient être encore des « pays neufs », en quête de quelque ombre de gisement, houille, métal ou autre, ou de n'importe quelle sorte de débouché commercial propre à faire fructifier – et surtout à camoufler – d'immenses capitaux désormais sans emploi et bien près d'être bloqués avant leur définitive confiscation.

Laquelle eût eu lieu au profit d'autres chevaliers d'ind... (voir phrase précédente).

Les meilleurs échantillons de la crapule négrière européenne et levantine circulaient dans les teuf-teuf, déployaient des plans aussi impressionnants qu'imprécis et tentaient de mener grande vie là où c'était possible. Des centaines de petits commerces itinérants, toute une corporation, s'étaient improvisés autour de ces conquistadores du sable et de la caillasse. De toutes ces activités modestes mais lucratives, la vente de boissons rafraîchissantes plus ou moins alcoolisées, de tabac, de kif, voire certaines complaisances que l'on consent aux plus généreux de ces messieurs, n'était pas la plus négligeable. C'est ce qu'avait compris Consuelo Quaglia.

Navarraise, née avec le siècle, elle avait franchi en 1917 la frontière d'Hendaye et n'eut de cesse, tant étaient éloquents ses charmes juvéniles, qu'elle n'eût fait à Bordeaux, ès place Mériadeck, d'éblouissantes et déterminantes premières armes. Quelques démêlés avec la police des mœurs, son idée bien arrêtée de décliner les « services » de ses successifs souteneurs ou candidats tels, la forcèrent de se découvrir une autre vocation : celle de voyageuse impénitente. Sa beauté, son extrême avarice, son absolu mépris de tout ce qui n'était pas enfermé dans sa propre peau brune et musquée, firent merveille. Tout juste majeure, elle trouva moyen de gagner Aïn-Sefra, seule, avec l'intention de s'y établir, en poche permis de séjour, patente, licence… et une confortable somme de pesetas, de francs et de dollars. Quand le bataillon fit relâche aux environs de la ville, le cabaret de Consuelo était déjà devenu le lieu de ralliement par excellence de tout l'élément européen quelque peu fortuné.

Entre-temps, Wladimir et Boris avaient conquis « sardines » de laine et galon doré. Cyril était devenu adjudant. Une nuit, ils se retrouvèrent tous les trois chez Consuelo. Il y eut bagarre, Cyril ne se souvient plus pourquoi, si tant est qu'il l'ait su, entre civils et militaires, puis, les civils évincés, entre turcos et légionnaires. Ces derniers restèrent maîtres du terrain, et Consuelo remarqua le visage de Cyril, les épaules de Wladimir et l'élégance du jeune Bulgare. Cyril me raconte :

« La garce. C'est moi qui me la suis farcie le premier des trois. J'aurais mieux fait de rester sur ma faim. Un corps splendide pourtant. Mais c'était comme si des kilomètres ou des siècles, ou des kilomètres de siècles eussent séparé sa tête de son bas-ventre. Quand tu avais jeté ta gourme, elle avait une manière de te repousser par les épaules et de te regarder, tellement absente et méprisante à la fois, qu'il ne te restait plus qu'à remballer ton service trois-pièces et t'en aller siroter jusqu'à la gauche, prendre une formidable biture pour donner à ton dégoût de toi-même une raison avouable. Moi je n'ai pas recommencé. Mais Wladimir, lui, s'est laissé prendre. Là où je voyais le plus profond, le plus total et le plus dégueulasse des cynismes, lui découvrait de la pudeur, qu'il disait. Moi de Kiev et lui de Kharkov, c'était lui le plus Russe, ô combien. Envapé, entortillé, ensorcelé. À la fille ça plaisait. Peut-être pas tellement qu'il la tronche : ou alors elle lui en voulait d'avoir provoqué dans sa chair des réactions qu'elle avait décidé de ne plus connaître. Ça la détrônait. C'est par vengeance qu'elle le possédait, au point qu'en levant le petit doigt elle lui aurait fait faire les pires conneries. Se laisser fusiller ou damner. De temps en temps, elle s'envoyait le môme Boris, mais moins sérieusement, juste pour emmerder l'autre. Wladimir en crevait, il en desséchait de jalousie. Alors un jour il s'est décidé, mort de honte, à parler à son copain. Il a vidé son sac. Le Bul en était baba. Un gars comme Wladimir, à ce point chipé d'une telle pute ! Mais il a fait ce qu'on lui demandait : il a juré de ne plus repiquer au truc. Pour ce que ça pouvait lui foutre… Mais voilà que Wladimir s'est mis à faire des projets. Il entrevoyait la quille : plus que treize mois à tirer… Et au bout, la carte d'identité française, et un joli pécule, un petit magot… Consuelo, ça tombait bien, en avait marre du bled. Elle l'attendrait. Ils fileraient ensemble, avec chacun leurs éconocroques, en France sur la Côte ou dans les Baléares. Là, on monterait une taule avec un petit hôtel. Et on se la coulerait douce… D'accord qu'elle disait, Consuelo. Lui s'y voyait déjà : et une nuit, il manque à l'appel et reste à roupiller dans le giron de la fille. Cette nuit-là, on nous a réveillés à cinq heures, dare-dare, et nous avons pris la route, à marches forcées, pour El Goléa. Wladimir ne nous a rejoints que huit jours plus tard. Le régime du temps de guerre n'était pas encore rapporté. Du moins pour nous. Il n'y avait pas absence illégale, mais désertion. Wladimir fut cassé de son grade. Il passa le falot à Bel-Abbès : six mois de taule, six mois de rab. Et le jour tant attendu de la quille, il n'a même pas pu serrer la main de Boris, son "frère de sang", qui filait sur Oran. Mais l'autre, faut croire que ça le tenait. Il s'arrange pour prolonger son séjour en Afrique : il fait un détour par Aïn-Sefra où la fille se morfondait en patience, il lui fait vendre tout son bordel et voilà nos salauds qui débarquent à Marseille. Ils ont eu le culot d'envoyer une carte à Wladimir, pour lui souhaiter bon courage. Ça, ils n'auraient pas dû. Wladimir en est devenu frapada. Encore plus à cause de la forfaiture de son copain que d'avoir perdu la fille. Rien ne l'arrêtait plus : mauvaise conduite, fugues, bagarres à tout bout de champ. Il écopa plusieurs mois de cabane supplémentaires, qu'il purgea à Alger. En taule, il s'est fait tatouer sur les genoux les portraits de Boris et de la fille, par un type qui les avait connus. Il avait dit : "Tant que mes genoux seront ensemble, eux ne se quitteront pas. Mais tant que mes genoux s'engueuleront, je ne leur vois pas la vie belle…" Depuis ce temps-là, il fait marrer les copains, avec son petit numéro. Il était devenu plus normal : il avait même demandé à rempiler, mais vu ses mauvaises notes et sa santé – il aurait fini tubard – on l'a réformé. Ici c'est moi qui l'ai recueilli les premiers temps. Il est emballeur chez un maître chiftir. »

M. Casquette avait écouté cela, et cette fois semblait comprendre. Il se tourna vers le Vieux, qui le regarda de toute sa malice :

– Comme on te connaît, tu en enterreras bien un ou deux sur les trois, fit-il dans sa barbe.

M. Casquette n'était pas content :

– Ah ! non, non, arrêtez de me parler de ça…

Je hasardai :

– *Sur les trois…* Vous voulez dire que le couple… *c'étaient les deux autres ?…*

Le Vieux haussa les épaules.

– Cette idée! Bien sûr... Il n'y a plus qu'à attendre la suite... Vous pouvez vous vanter d'avoir fait du joli travail... Enfin, *ce n'est pas votre faute*...

Edmond et Bucaille sont excellents camarades, mais il faut le savoir, car ils passent leur temps à se chamailler ; tous les deux chiffonniers en gros, ils sont en perpétuelle bisbille sur le prix de la marchandise. Comme ils étaient en présence du Vieux, qui, à tort ou à raison, à la réputation de tout savoir, ils tentèrent de l'entreprendre pour qu'il les mît d'accord. Le Vieux les rabroua :

– Laissez courir la nuit... Vos chiffons, votre papelard, votre ferraille... Ce n'est pas le moment de parler de ça.

Olga nous avait fait du café très fort, du vrai café de marché noir. Nous le savourions lentement, avec délices, en remerciant la patronne. Son amie était venue boire à notre table. En passant derrière elle, Olga lui prit tendrement les épaules et voulut lui poser à la dérobée, comme eût fait un homme, un baiser dans le cou. Mais Edmond avait aperçu le geste.

– Eh bien! les gouines! Vous gênez pas...

– Nous, ça ne nous dérange guère... fit Cyril en se marrant.

Et le Vieux se mit à glousser :

– Il y a des balances où tout ça ne pèse pas grand-chose...

Notre attention fut attirée, un moment, par un bruit au-dehors, où normalement tout devait être encore désert. Nous mîmes plusieurs minutes avant de réaliser que le Vieux avait disparu, évaporé devant sa tasse vide.

Fernand est licencié en droit, et présentement inspecteur de police, ce qui n'est guère une sinécure pour les gens qui lui ressemblent. Car il est là, dit-il – et il le prouve, « pour la bonne cause » – celle du gibier – et accepte d'être cordialement détesté de ceux auxquels il rend, sans qu'ils s'en doutent, les plus invraisemblables services. Moi je suis « dans le coup ». Nous sommes amis. Ce matin, Fernand est venu me trouver. « Ça t'intéresse. Viens voir. C'est à deux pas. Si tu en manques, emprunte à ta voisine un peu d'eau de Cologne. Prends au moins deux mouchoirs. »

Je connais bien le 6 de l'impasse Maubert pour en avoir naguère retracé l'histoire. C'est là que, voici bientôt trois siècles, le marquis de Sainte-Croix, l'amant de la Brinvilliers, avait installé son laboratoire, et c'est là qu'on le découvrit mort au milieu de ses cornues dans des conditions qui font encore discutailler les historiographes.

Une odeur à défaillir. Dans sa chambre, au dernier étage, tout habillé sur son lit, Wladimir est hideux. Un tiers-point lui traverse la gorge de part en part. Tout son corps est convulsé. Ses mains agrippent le matelas. Ses genoux sont ramenés à hauteur du menton.

– Alors ?…

– Alors rien. Moi je suis attaché au quartier. J'ai juste le droit de faire les premiers constats. L'assassin n'a rien fouillé, rien volé. Voilà ce qu'il y avait sous le polochon.

Il me montre une liasse de billets. Il fait :

– J'attends ceux de la Criminelle. Ça pue vraiment trop ici. Va te taper un rhum chez Pagès, j'y serai dans un moment. Je voudrais te poser une question, pour ma propre gouverne.

Chez Pagès, il me demanda seulement si, selon moi, le meurtre de Wladimir avait quelque chose à voir avec la présence ici des Allemands. Je lui dis que non, je ne croyais pas.

– Mais tu n'as pas de soupçons ? Il paraît qu'on t'a vu ces temps-ci boire le coup avec ce type.

– Si tu tiens à me faire oublier qu'après tout tu es flic, évite de me mettre dans le bain, même pour ta gouverne personnelle.

Il n'a pas insisté.

Wladimir était mort depuis plusieurs jours, et c'est à cause de l'odeur que les voisins avaient forcé sa porte. L'immeuble, déjà sordide, menaçait de devenir inhabitable. Dès la fin de l'après-midi, ce fut M. Casquette, accompagné de deux aides, qui monta faire son office. Pas question d'emporter le cadavre sur une civière. Pour le coucher dans la caisse de sapin, impossible de l'étendre : il restait recroquevillé. Les croque-morts tiraient dessus, l'un par les pieds, l'autre par les aisselles. Ils s'étaient fait des sortes de cagoules avec des serviettes imbibées d'un produit spécial.

Alors, M. Casquette prit une décision. Il se saisit d'un maillet destiné à cet usage, et fracassa les coudes et les genoux – les genoux ! – du corps, qu'il ensevelit, désarticulé comme un pantin. Ils avaient déjà eu quelque peine, tant l'escalier est étroit, à monter la caisse vide. Ce sont les pompiers qui leur prêtèrent des cordes. Ils descendirent la bière par la fenêtre, devant deux cents badauds réunis, enchantés de cette attraction non prévue au programme.

– Tout de même, fichu métier que le vôtre, monsieur Casquette.

– N'en faut bien… Après bientôt vingt-cinq ans de pratique, on ne pense plus guère à ce qu'on fait.

– Penser à ce qu'on fait… À propos, quand vous avez tapé sur les genoux, avez-vous *pensé* aux tatouages qui se trouvaient là, sous la toile du pantalon, et que vous écrasiez tranquillement ?

– Tiens ! Non… c'est vous, seulement maintenant, qui me rappelez ce détail.

                                                    12 septembre

J'ai rencontré Fernand.

– … Et le macchabée de l'impasse Maubert, en as-tu des nouvelles ?

– Oui… La Criminelle a eu vite fait d'identifier l'assassin :

un Bulgare, un ancien légionnaire avec qui ton chiffonnier avait eu des histoires, dans le temps... Mais l'action est éteinte.

– Ah bah ?...

– Le type et sa femme se doutaient qu'ils seraient vite repérés dans Paris. Ils sont allés trimarder en banlieue. Ils buvaient. Une nuit, vers la plaine Saint-Denis, ils se sont allongés au pied d'un four à chaux désaffecté qu'on était en train de démolir. Personne ne pouvait se douter qu'ils étaient couchés là. Au petit matin, ils ont reçu chacun, en même temps ou presque, un énorme moellon qui leur a écrasé le visage et broyé le crâne. On les a transportés à Lariboisière; mais ils avaient dû crounir sur le coup.

J'ai conté ceci à M. Casquette. Il m'a demandé de l'aider à rédiger une lettre. Il voudrait démissionner des pompes funèbres pour raisons de santé.

CHAPITRE V

« Dis-moi qui tu hantes, je te dirai qui tu hais. »

Avril 1943

Il ne pouvait plus en être autrement.

Moi le sceptique, le déçu, le blasé, le négateur, l' « anarchiste », disent les copains, et ils n'ont pas tout à fait tort, me voici, et de mon plein gré, en « service commandé ». Incorporé dans une formation – militaire, s'il vous plaît – de résistance. Ce n'est certes pas la conséquence d'un accès de tricolorite à retardement. J'ai quelque raison de me foutre un peu du sort et de l'avancement des culottes de peau qui, le bas des reins encore endolori du monstrueux coup de botte reçu, se congratulent et s'entre-suspendent sur le poitrail, en zone Vichy, les effigies palmées de la Troisième défunte.

Mais il m'était impossible de refuser de participer à planquer ce bougre de parachutiste, qui ne parlait pas un mot de français et s'indignait de ne pas trouver ici de cigarettes blondes. Après, il y eut l'engrenage…

Mon « métier » consiste désormais à régler des bombardements sur des objectifs allemands de la région parisienne. C'est-à-dire à faire en sorte qu'il y ait le moins possible de victimes civiles. Baste ! J'aurai, quoi qu'il arrive, la conscience tranquille. Que demander de mieux ?…

Les missions que j'accomplis me laissent des loisirs : de

plus, il me fallait une « couverture ». Chaque matin, je suis professeur de français et de dessin au titre de l'Enseignement technique.

Je n'ai point pour autant abandonné mes chers bohèmes. Mais ça commençait de sentir le roussi chez Pignol. Nous avons émigré vers un havre moins scabreux : les « Trois Mailletz », près de Saint-Julien-le-Pauvre. Au coin de la rue Galande.

L' « Oberge des Mailletz » est de beaucoup la plus ancienne dont on trouve trace dans les archives de la Ville. En 1292, Adam des Mailletz, tavernier, payait pour la dîme 18 sols et 6 deniers. Ainsi nous l'apprend le « livre de la Taille » de l'époque. Lors de leur fondation, les « Trois Mailletz » furent le point de ralliement des artisans « sculptiers » qui, sous la direction de Jehan de Chelles, taillaient dans la pierre blanche des personnages bibliques destinés à orner les chœurs nord et sud de Notre-Dame. Il existe, sous l'immeuble, deux étages de caves superposées : les plus profondes sont de l'époque gallo-romaine. On y a entreposé, entre autres objets reconstitués, ce qui reste des instruments de torture découverts dans les caves du Petit-Châtelet.

Un comptoir modeste, un patron chevelu qui paradoxale-ment réussit à n'être jamais rasé de frais ni franchement hir-sute. Un poêle au centre de la pièce vétuste : des gens simples et sans histoire, moins ivrognes que rue de Bièvre, moins sales aussi. Exactement ce qu'il nous fallait.

MINA LA CHATTE

Nous n'avions pas plus de raisons que les autres d'être là, Théophile, Séverin et moi, lorsqu'elle apparut, son paquet dans les bras. Un bonnet de fourrure grise, vissé jusqu'aux yeux, lui conférait une allure d'Asiate.

Un méchant manteau, gris aussi, avec un col et des pare-ments assortis au bonnet, complétait l'ensemble.

Un visage sans âge. Pas de menton. À la bien regarder, une tête féline. C'est seulement quand elle fut là, auprès de nous, que nous sentîmes passer l'*Ange du Bizarre*. En vérité, nous l'attendions. Nous remarquâmes que son paquet était une chose vivante, enveloppée dans des lambeaux d'étoffe. Elle resta debout, près de l'entrée. Le patron chevelu – un nommé Grospierre, un brave type – la contemplait patiemment, retranché derrière ses énormes lunettes.

Enfin, elle articula timidement, d'une voix aiguë et mal assurée comme un violon qui crincrine :

– Vous n'auriez pas une goutte de lait ?

– Mais bien sûr que non, ma pauvre dame, fit Grospierre. (Du lait en ce moment ! Pensez un peu !)

Elle eut un soupir : Aaaah ! et remonta son paquet comme pour le porter à ses lèvres. Il y avait dans ces gestes, ce regard et ce soupir, tant de lassitude, de désappointement désespéré que nous en fûmes tous remués et presque honteux. Grospierre eut une moue excédée :

– Attendez une minute.

Il revint avec un gobelet, et fit

– Froid ? Chaud ?

– Comme ça, c'est bien comme ça…

Les yeux de la femme luisaient de contentement, mais depuis longtemps elle ne savait plus sourire. Elle s'assied, rabat un coin de l'étoffe qui recouvrait le paquet et découvre la tête d'un petit chat transi. Grospierre, comme nous autres, s'attendait à voir paraître la frimousse d'un bébé. Nullement indigné, il la regarda faire.

Avec mille précautions, elle tendit le gobelet à la bête, qui se mit à laper avidement. Quand ce fut fini : « Ah ! Merci ! » fit la femme. Elle hésita, et puis : « Je peux me chauffer un moment ? »

Le premier breuvage à la saccharine lui fut offert par Théophile. Elle resta longtemps assise, en silence. Elle regardait partout, craintivement, surtout dans les coins sombres. Elle ne s'en alla que complètement rassurée.

Elle revint le lendemain, puis les jours suivants. Elle portait toujours un chat dans ses bras : mais jamais le même. Parfois, elle était aussi chargée d'un sac à provisions lourdement empli de choses qu'elle ne montrait pas.

Nous sûmes d'elle que son nom était Mina, qu'elle mendiait ou travaillait à l'occasion, qu'elle recueillait les chats errants et les élevait dans une cabane en planches, à Gentilly, d'où elle serait bientôt expulsée... Cela la navrait surtout pour ses bêtes qu'elle soignait et nourrissait, à qui elle consacrait son temps et sa vie.

Je ne sais lequel d'entre nous la surnomma le premier « Mina la Chatte ». Mais il était impossible, oui, impossible de la qualifier d'autre manière.

Aux *Trois Mailletz*, les habitués finirent par adopter Mina comme le symbole quotidien de l'indifférence profonde à ce qui accaparait le plus l'esprit de tout le monde. On parlait à mots couverts des difficultés de l'avance allemande en Russie, de ce qui se passait en Grèce, en Afrique du Nord, et ici, bien sûr. On épiloguait sur les futures contraintes possibles, sur les restrictions à craindre, sur la validation de la prochaine quinzaine de tickets de pain...

Et puis entrait Mina, berçant un « nourrisson » : et l'on ne s'inquiétait plus que de la santé du chat, des circonstances de sa capture. Et chacun d'entre nous mettait de côté, chaque jour, quelques reliefs de nourriture...

Un jour, nous attendions Mina avec une certaine impatience heureuse. Séverin lui avait découvert, chez Dumont, rue Maître-Albert, une mansarde où loger, et où elle pourrait, en les amenant discrètement et un à un, abriter ses pensionnaires.

Il suffirait de rassembler, ce qui n'était pas impossible, quelques caisses à savon, un peu de sciure et d'eau de Javel pour que toutes les exigences de relative propreté et de paix précaire soient satisfaites. Les deux « tabatières » donnaient sur le toit, où les bêtes pouvaient facilement accéder et s'en donner à cœur joie de miauler à la lune.

En cas de réaction de Dumont, qui hébergeait – et cachait – moult hommes traqués, nous prenions sur nous d'arranger les choses.

L'essentiel était que Mina emménageât.

Enfin elle arriva. Elle s'assit comme à l'accoutumée. Nous lui annonçâmes la bonne nouvelle. Mais elle ne sembla pas y prêter toute l'attention que nous étions en droit d'attendre.

Seul, son fardeau du jour accaparait, cette fois plus que jamais, ses soucis et sa sollicitude. C'était un affreux petit matou, pelé, roux et borgne. Et méchant, stupidement méchant, car il griffait sa bienfaitrice lorsqu'elle voulait le faire boire. Nous lui conseillâmes d'abandonner à son propre sort cette bête ingrate, laide et dangereuse, car elle paraissait malade et mena-çait de contaminer ses congénères. Conseils, exhortations, rien n'y fit : Mina, butée, nous répondit qu'elle s'attacherait à cette bête plus qu'à aucune autre, d'abord parce qu'elle la repoussait, et puis parce qu'elle était malade et mutilée, par conséquent la plus malheureuse...

Rien à dire...

Le lendemain, Mina s'installa rue Maître-Albert. Nous l'aidâmes à transporter ses hardes, ses chats – et quelques car-tons soigneusement enveloppés dont nous ne cherchâmes pas à savoir ce qu'ils contenaient.

Bizinque donna un coup de main et prêta sa poussette.

Le soir même, Mina, harassée, après avoir soigné ses bêtes, pouvait s'étendre sur un lit fait de paquets de journaux recou-verts d'un « matelas ». Le matelas, c'était une toile cirée pliée en deux, cousue comme un sac dans lequel on avait fourré de la sciure à bois.

Nous croyions bien avoir apporté à Mina une grande somme d'apaisement, en lui découvrant « sa chambre ». Hélas ! C'est de ce jour que ses malheurs ont commencé.

Et ceci n'était, une fois encore, point de notre fait.

Le sale petit animal roux fut la cause de tout. Mina s'entê-tait à dorloter, à couver cette bête, à coup sûr dangereusement atteinte d'un mal que nous ne savions définir. Hargneuse et sournoise, sa voix était un étonnant, un inquiétant feulement rauque.

Mina se décida à consulter le vétérinaire noir. (Celui qui avait tenté de soigner le chien de la rue de Bièvre…)

Là encore, le docteur N… se montra réservé. Il eut ce mot : « C'est un chat qui cache son jeu… » Cependant, il le guérit. Le pelage plus brillant, l'aspect plus robuste, la bête qui semblait s'être définitivement remise ne sembla pas pour autant être reconnaissante à Mina de son patient dévouement. Remise sur pied (mettons : sur pattes) – seul son œil absent ne pouvait être remplacé –, elle franchit la lucarne et disparut, sans adieu, par les toits.

Quatre jours durant, Mina fut inconsolable. Et puis…

Et puis il se produisit « du nouveau ». Mina, comme chaque soir, s'attardait quelques minutes au comptoir de chez Dumont avant de réintégrer sa ménagerie. Un cimentier entra.

Cimentier, du moins le disait-il. Il cherchait où loger dans le quartier. Il était roux et borgne.

Roux et borgne. Il se nommait Goupil.

Goupil, c'est-à-dire : Renard. De même que Bièvre signifie « Castor ».

Il faudrait des pages de digression pour tenter de fixer, de situer la nature de la connexion spontanée qui s'établit entre Mina et l'homme roux.

Toujours est-il que, ce même soir, Goupil, parmi les chats et les paquets, partageait le « repas » de Mina et sa couche misérable. Pour nous, il était proprement impensable qu'une aventure sentimentale, même platonique, advînt à un tel être que Mina, à ce point éloignée de la complexion humaine normale que nous la considérions un peu comme une créature asexuée.

Mais le fait était là, patent, indiscutable, et l'étonnement que nous en conçûmes fit « virer » notre curiosité et détruisit en partie l'intérêt que nous attachions aux événements mondiaux.

Dès les premiers jours de leur liaison, le Goupil s'avéra exigeant et féroce. Il semblait considérer Mina beaucoup plus comme une proie que comme une esclave. Il travaillait irrégulièrement, comme manœuvre : il avait déclaré se soucier peu d'être embauché par une entreprise qui eût pu être requise par les occupants. Quant à Mina, elle assumait l'essentiel des dépenses de cet invraisemblable « ménage ». Presque chaque jour, chargée comme à l'habitude de paquets plus ou moins volumineux, elle gagnait les bords de la Seine, qu'elle longeait infatigablement jusque-là où s'arrête la file des boîtes de bouquinistes. Souvent, elle parlementait avec ces gens, pour la plupart un peu brocanteurs. Nous apprîmes vite la nature de son activité : elle « chinait ». C'est-à-dire qu'elle recherchait, pour les acquérir et, bien sûr, pour les revendre, certains objets. Lesquels avaient tous un air de famille : ils représentaient exclusivement des chats. Sous forme de statuettes, de pots, de manches de couteaux – d'ustensiles indéfinissables. Il y avait des chats en bronze, en porcelaine, en albâtre, en bois, en tout ce qu'on voudra. Nous avons su un peu plus tard qu'elle cédait ses trouvailles, d'un intérêt certain ou bien de peu de valeur, à son tour, à un riche collectionneur. Il s'agit d'un personnage qui, avant la guerre, fréquentait les théosophes de la salle Adyar. Les marchands d'objets d'art, rue Jacob, le connaissent bien ; ils l'appellent l' « Homme-Chat ». Mais le bonhomme n'aime pas qu'on parle de lui.

Ce petit commerce semblait porter ses fruits : Mina vivait mieux, ne mendiait plus, n'était plus en peine de quelque monnaie. Elle entretenait paisiblement ses bêtes – qui avaient colonisé le toit, désormais déserté des pigeons –, et surtout soignait son « homme ». Cela dura ainsi pendant les quelques semaines où Goupil disposait d'un peu d'argent de poche, glané çà et là en corvéant à contrecœur. Mais dès que vint une période de gêne, le Goupil n'eut aucun scrupule à s'approprier le pécule de Mina. Il s'en alla dilapider ce pauvre argent dans les troquets de la Mouffe, après avoir enjoint à sa femme de vendre les derniers objets qu'elle possédait.

Mina ne sut opposer à cette abominable attitude qu'une résignation décourageante. En vain tentions-nous de la décider à se séparer de cet affreux bonhomme. Elle secouait la tête tristement, nous regardait d'un drôle d'air et proférait de sa voix sourde : « Vous n'avez donc pas encore compris ?... » Ces mots nous faisaient mal.

Nous ne pouvions alors nous défendre d'évoquer le chat disparu, le chat roux et borgne, comme Goupil. Le mystère poignant qui entourait cette aventure, et présidait à cette coïncidence, paralysait notre volonté d'en parler entre nous. Trigou fuyait comme la peste l'approche de Goupil : il évitait de passer devant sa maison, de marcher dans son sillage. En entendre parler lui était odieux. Tout témoignage de l'existence de cet homme lui inspirait une horreur maladive.

Séverin épiait le Goupil, de loin, s'enquérait de ses faits et gestes, uniquement préoccupé de savoir dans quelle mesure Mina allait être ou non persécutée.

Quant à moi, je tentai résolument de vaincre ma répulsion, de l'approcher, de le sonder, de gagner sa confiance. J'avais – déjà – coudoyé tant de monstres... Peine perdue. Temps perdu. Argent perdu, car, dans l'univers de la Maube où tout se liquéfie, mes seuls « travaux d'approche » possibles consistaient à lui offrir verre sur verre. Lui les avalait sans broncher, quitte à émettre à mon sujet, une fois moi les talons tournés, quelque formule malsonnante. Ma bêtise et mon insistance le dépassaient. Rien à en tirer. Le temps ? Il s'en foutait. La guerre, les Allemands ? « Moi, ils ne m'auront pas pour le travail obligatoire... » Là s'arrêtaient ses soucis. Aux autres questions, il répondait par des grognements, des grimaces, parfois un mauvais sourire.

Vers Noël, nous connûmes une mauvaise passe. Pour des raisons différentes, Séverin et Théophile étaient entrés dans l'illégalité.

Je n'avais pas encore d'emploi stable, et l'état-major londonien de mon réseau m'avait fait parvenir, au lieu des subsides prévus sous forme de billets de banque, un chèque négociable à Alger (!...).

Jusque-là, nous avions aidé Mina autant qu'il était humainement possible : et cependant nous savions que le Goupil était le premier à profiter de ce dont nous nous privions de si grand cœur.

Les dernières nouvelles reçues de Londres étaient la « livraison » extraordinairement rapide de mille (oui, mille) cartes d'alimentation en blanc, admirablement clichées d'après le modèle que j'avais fait expédier. Mais, alors qu'ici le papier en est infect; on nous a parachuté ces pièces sur un magnifique bristol glacé... Passons.

De fainéant et cynique, le Goupil, qui ne buvait plus à sa soif, devint brutal. Il frappait Mina lorsqu'elle rentrait sans argent ou presque. Et nous autres, misérables, n'y pouvions rien. À la période des raclées – que Mina subissait sans mot dire – succéda celle des férocités calculées. Un soir que non seulement il lui manquait son compte d'âcre vin rouge, le Goupil se sentit affamé. Dumont l'avait semoncé et menacé de le flanquer à la porte s'il continuait de maltraiter Mina. Goupil se tint coi. Sans piper, il gravit les escaliers, se saisit d'un chat, le plus doux, le plus confiant, l'enferma dans un vieux sac qu'il lesta d'un lourd caillou. Et puis il s'en alla le précipiter dans la Seine.

En apprenant cette monstrueuse nouvelle, Mina manifesta un tel désarroi, une telle colère désespérée que Goupil entra dans une terrible crise de fureur démentielle. Il fallut arracher Mina des pattes de la brute et la cacher dans le quartier de la Glacière, chez un ferrailleur misérable mais fraternel.

Goupil alors se mit à terroriser tout le monde. Pas question pour quiconque d'appeler la police à la rescousse. On subissait le dément, chacun espérait rapide l'inéluctable fin de la tragédie.

Cela dura quinze jours. Le Goupil las de chercher Mina, rentrait à la brune et noyait un chat, parfois deux. Les derniers, il les mangea et en vendit les peaux.

Un midi, alors qu'imprudemment Mina s'était rendue aux Halles et glanait quelques détritus dans les monceaux de déchets, le Goupil lui tomba dessus. Il la roua de coups et à bout de bras la ramena chez elle à demi inconsciente. Il l'enferma à l'aide d'un cadenas et s'en alla rôder des heures, dans la rue, sans perdre de vue l'entrée de l'immeuble.

Il rentra très tard.

Un peu après le couvre-feu, le bruit d'une effroyable querelle réveilla le voisinage. Entre le Goupil et Mina s'était engagée une lutte sans merci. Timidement, les gens, des fenêtres, observaient le toit.

Le vacarme cessa sur une longue plainte.

Le père Tacoine, qui habite en face, dit avoir aperçu une bête jaune – il ne pourrait jurer que ce fût un gros chat – s'enfuir par les lucarnes.

Au matin, Dumont, que Séverin et moi nous accompagnions, força la porte. Dans l'invraisemblable amas de caisses brisées, de loques déchiquetées, d'immondices de toutes sortes, nous ne découvrîmes ni Goupil ni Mina.

Seulement une chatte grise, raide, pendue au vasistas.

Dans ses griffes crispées il y avait des touffes de poils roux.

J'ai soigneusement recueilli ces poils. J'en ai confié une partie à mon ami d'enfance B..., fourreur dans le quartier. Au premier examen : « C'est du renard de pays », me dit-il.

Je l'ai rencontré avant-hier : « ... Au fait, cette touffe de poils... ils ont été arrachés sur une peau non tannée. À mon avis, ils appartenaient à une bête vivante. »

J'ai tenté, à plusieurs reprises, de relater cette histoire. Je ne sais quelle répugnance, quelle inconsciente mais irrésistible consigne de silence me força de la transposer et d'en faire un conte du Moyen Âge. Je ne sais davantage ce qui me pousse à l'écrire aujourd'hui, sans me relire. Ce serait encore trop pénible…

J'oubliais : j'ai raconté ceci au docteur N…, le Noir, celui qui sait des choses, celui qui avait dit du matou hargneux : « C'est un chat qui cache son jeu… »

La bonté de cet homme, surtout pour les bêtes, est légendaire. Il m'a fixé d'un air à la fois méfiant et navré. Il m'a dit en ouvrant toute grande sa porte : « Occupez-vous de ce qui vous regarde… »

CHAPITRE VI

Je constate avec une joie profonde que, depuis mon immatriculation aux forces combattantes, une veine insolente nous protège, mes compagnons et moi. Nous ne sommes exactement « espions » ni les uns ni les autres : tous bien incapables. Je dirige un centre de cartographie et de transmission. Les autres sont radios, agents de liaison, codeurs… Tous des techniciens. Pas des faux jetons. Nous narguons chaque jour, avec nos moyens de fortune, les détections de la gonio allemande. Le danger rôde partout. Je le reniffle chaque fois. Je suis alors extrêmement maître de moi ; tous les sens tendus, prêt à tous les miracles, « survolté ».

J'ai appris que, de même qu'une guerre entre les hommes n'est pas un phénomène à l'échelle humaine, le danger qui prend une forme et une valeur humaines est beaucoup plus lié aux heures et aux lieux qu'à ses très inconscients véhicules.

DANSE-TOUJOURS

Hier, chez Quarteron, rue de la Montagne, je me suis rendu complètement ridicule et un peu suspect. Il me faudrait apprendre à refréner mes élans de sympathie, quand ils sont un peu trop spontanés.

Je baladais ce jeune Polonais, arrivé de Londres avant-hier, que l'on m'a confié pour quelques jours. Il possède un broadcast. Mardi, deux Wellington pilotés par ses compatriotes viendront photographier la base de Brétigny, que je « contrôle ». Lui réglera la mission en phonie, depuis le sol à Marolles-en-Hurepoix. Il parle très peu français, fort bien l'allemand, pas mal anglais. Je lui ai fourni – maintenant c'est un jeu pour moi – un ausweis du « Sicherheitsdienst » : il se nomme désormais Watsek, est ingénieur à la frontière belge pour le compte des Fritz. Nous sommes parés. Mais d'ici là il doit prendre contact avec le « groupe antenne » de mon réseau, et participer à une émission depuis Paris. Les risques sont énormes, j'estime imbécile d'exposer presque inutilement ce garçon. Mais ce sont les ordres.

Je ne peux pas me défendre d'être très, très inquiet à son sujet. Alors j'ai voulu lui faire faire, dans les méandres qui me sont familiers, ce que j'appelle le « tour bénéfique ». Une station ici, une autre là, et ailleurs si nécessaire : il s'imprégnera, sans le savoir, d'influx que je veux protecteurs, et qui le débarrasseront d'autant de scories alourdissantes, paralysantes et peut-être fatales si l'on n'y prend garde. C'est sa mort absurde que je crains. Je n'ose dire : je la *pressens.* Il est grand temps de prendre ce cas en main.

Gérard, le peintre barbu, nous accompagnait. Il a ces jours-ci une tête de diable en boîte.

Le vieux Quarteron, visiblement agacé, farfouillait dans un dossier de factures. Il louchait avec inquiétude vers un gros type attablé qui faisait des comptes, auprès d'une bouteille de mousseux et de trois verres vides. Deux quidams genre pète-sec, mains dans les poches, pardessus rejeté en arrière, chapeau en bataille, marchaient de long en large, nerveusement. Quarteron sembla content de notre arrivée. Cependant il nous dit : « Sidonie est passée ce matin. Elle vous souhaite bien le bonjour. » Ce qui signifie en clair : « Faites gaffe. Je ne connais pas – ou je connais trop bien – ces gniars-là. Il y a lieu de s'en méfier. »

Je le rassurai d'un clin d'œil. Des trois zigues, moi j'en connaissais deux : Joseph Brizou et Pierrot-la-Bricole. Des gangsters, les pires des frappes, mais pas donneurs pour un empire.

Le gros leva les yeux, avisa la barbe de Gérard et lança : « Ils sont bath, ceux-là. » Moi j'étais vexé : j'apporte les soins les plus minutieux à faire en sorte que mon aspect et ma mise n'attirent l'attention de personne, dans quelque lieu que ce soit. Mon Polonais, avec son manteau coupe Saint-Galmier, a l'allure inoffensive d'un collégien monté en graine. Cependant je ne pipai mot. « Comment tu vas ? » me fit Brizou. – « Yau de poêle », que je répondis selon le rite consacré : c'est notre plaisanterie fine. Brizou fit aligner trois autres godets et les emplit de ce qui restait de mousseux dans le col doré. Pierrot-la-Bricole se décrispa et vint nous serrer la main. Mais il était en affaires. Brusquement il se retourna vers le gros : « Et dans le coup, t'as calculé ? … Tu sais ce qu'on risque ?… Tu te rends compte ? … »

L'autre, placide, laissa tomber : « Danse toujours… J' sais c' que j' joue… »

Ça m'a plu. J'ai éclaté de rire, et la détente fut générale. Quarteron me prit à part un moment pour m'annoncer que « Danse-Toujours » était un très dangereux bandit (qu'est-ce que ça peut bien me faire), qu'il avait toutes les polices au cul, et qu'à toute la clique ils avaient beau être bons clients, tant qu'ils étaient là, lui, Quarteron, ne bandait que d'une et ne savait pas de laquelle.

Quand je revins auprès de mes bonshommes, Danse-Toujours jeta vers moi un œil en coin : « Maintenant tu es affranchi. Tu sais à quoi t'en tenir, pas vrai ? … » Quarteron devint jaune et ramassa quelque chose par terre. Moi je m'esclaffai à nouveau et commandai une bouteille.

Danse-Toujours m'envoya dans l'épaule gauche une bourrade qui me fit chanceler. Et nous échangeâmes une de ces poignées de paluches pleines de doigts qui comptent dans la vie d'une phalange.

Pour m'en avoir bouché un coin, il m'en a bouché un coin, le Danse-Toujours. Les autres ne pouvaient pas tenir à notre rythme. Ils sont allés se coucher. J'ai donné ma clé à Watsek. Gorgé de schnaps, il a dormi dans mon lit. À six heures du matin, nous nous retrouvons, Danse-Toujours et moi, dans le bas de la Mouffe, près des Gobelins, devant deux bouteilles de blanc bien glacé et un homard tout chaud tout fumant sortant de la marmite, et qui vivait encore voici une demi-plombe. À notre époque, c'est presque une honte. C'est injurieux pour les petits copains. Lesquels ne se plaignent de rien. Danse-Toujours a donné au patron la consigne d'offrir à son compte un verre à tous ceux qui entrent.

Toute la nuit, et toute la matinée, nous avons parlé de lui et de Paris, de Paris et de lui. Ils sont inséparables. Pour être précis, lorsqu'il s'agit d'*un certain Paris* et d'*un certain lui.*

J'ai déjà vu, et ça m'a épaté chaque fois, des hommes de rencontre s'apercevoir au cours de la converse qu'ils avaient en même temps la même maîtresse, et au lieu d'adopter l'attitude digne, froide et constipée qui sied en pareil cas, rire pas jaune du tout et se mutuellement accabler de prévenances souvent liquéfiables, et se glisser en lousdé dans le tuyau de l'esgourde des confidences coquines et s'attendrir... Eh bien, entre moi et Danse-Toujours, c'est tout comme, quand il s'agit de notre ville. Pas jaloux pour un sou l'un de l'autre. Nous nous complétons. Les hommes sont à ce point isolés, prisonniers de leur foutue peau qu'ils se révèlent grégaires jusqu'à l'invraisemblance.

En sortant de chez Quarteron, il avait humé l'air frais de la Montagne, prêté l'oreille aux plaintes timides d'un accordéon sur quoi s'essayaient des mains anonymes, derrière une fenêtre entrebâillée, quelque part dans un cube d'ombre. Et puis il avait respiré, profondément, et dit des mots très ordinaires : « Ah ! Paname... y a qu' ça de vrai... »

Il m'avait entraîné vers la rue Descartes. Peut-être par déformation professionnelle, il me vint à l'esprit de retracer, pour lui

seul – quel public en or ! – l'histoire, la « petite histoire » surtout, des rues déjà assoupies que nous arpentions. En doublant
le tabac des « Quatre-Sergents », ses souvenirs affluèrent.
« Ceux-là je les connais bien, fit-il. C'est comme qui dirait mes
"potes" : Goubin, Pommier, Raoulx, Bories... Quand j'étais
gosse, le patron montrait une grosse vieille table où ils avaient
soi-disant gravé leurs noms avec la pointe d'un coutelas qui se
trouvait là suspendu au mur, à côté d'une pétoire d'époque.
Il y avait aussi un tableau en couleurs où les quatre types
levaient leurs verres devant la mer et le soleil, même que sur le
soleil ils avaient foutu un bonnet rouge... – Oui. Mais ce n'est
pas le seul établissement dans Paris qui se recommande des
sergents de La Rochelle : il y en a un boulevard Beaumar-
chais... – D'accord. Et l'autre ? (Il comptait me surprendre.)
– L'autre ? Parbleu ! Rue Mouffetard, chez Olivier... – Chez
Olivier, c'est ça... – L'enseigne sculptée et peinte était autrefois à l'extérieur. Mais on a bien fait de la déplacer et de la
sceller dans la boutique... – Oui, et sais-tu pourquoi ? – Pourquoi quoi ? – Pourquoi on l'a mise dans la boutique, ton
enseigne ? – À cause de la pluie... – Et mon œil ! C'est parce
qu'elle sert à des choses. À des choses que tu ne soupçonnes
pas. Maintenant c'est fermé : mais nous irons au matin, dès
l'ouverture. Je te raconterai ça sur place. »

J'étais passé cent fois devant cette masure de la rue Thouin
sans me douter que dans l'arrière-cour existait une gargote
clandestine où l'on pouvait se farcir à volonté d'excellente char-
cuterie bretonne, parvenue en fraude. Là, Danse-Toujours,
qu'on appelle M. Édouard, est honorablement connu. Il
dépense sans compter. Nous festoyâmes. Et Danse-Toujours,
qui en était au stade des épanchements, tint absolument à évoquer pour moi sa navrante jeunesse. « Ce n'était vraiment pas
ma faute. J'étais costaud et bagarreur, et ils sont cinq ou six à
m'avoir servi de pères. Ils m'ont foutu des trempes, mais
jamais suivi, jamais commandé. Quand j'avais dix-sept ans,
un sale mec de juteux en rupture avait maqué ma putain de

mère... – Tais-toi. Tu ne dois pas, tu ne peux pas dire une chose pareille. Même si tu le penses. Même si c'est vrai. »

Il fallait que la table soit solide : il l'eût fendue. Il criait : « Si, c'est vrai, vrai, vrai... Si, j'ai le droit, j'ai le droit de le gueuler, parce qu'ici, *ici* on a tous les droits, mais justement pas celui de déconner... – Allons, calme-toi. – Je ne pouvais pas le blairer, le juteux. Et la plupart du temps, c'est ma pomme qui faisait bouillir la marmite... Alors un jour j'ai déclaré nibdouze. Le mec a voulu se montrer. J'étais en rogne. D'un seul coup de poing, d'un seul, de ce poing-là... (il regardait en étranger son énorme pogne), je l'ai sonné, là sur la tempe. Il est mal tombé. Il a crevé d'une méningite. Moi, colonie de Belle-Île-en-Mer. J'étais avec des gars brûlés, des gars qui ont les yeux trop clairs... Tu vois un peu ? – Oui. Je vois. – Après ça été fini. Peut-être j'aurais pu profiter de la guerre de 1939 pour me remonter : pouvais pas, j'étais en taule. Maintenant me v'là le dur des durs. Dans mon boulot je suis fortiche, mais au fond il n'y a pas plus malheureux bonhomme. Tu piges ? – Bien sûr que je pige. Je voudrais beaucoup pouvoir t'aider, et c'est tout à fait possible que ça arrive un jour. De toute façon, il y a, à ton sujet, quelque chose qui me rassure. – Dis voir. – J'ai bien enregistré tout ce que tu m'as dit, je comprends ton drame et je le déplore, mais j'ai beau chercher, je ne peux pas éprouver pour toi une ombre de ce qu'on appelle la pitié. Il me semble que ça vaut mieux. – Ah ! Tu me fais du bien. »

Il pensait loin.

– Paris, Paris, vois-tu, c'est à cause de lui, à cause de la ville sans les gens, que je ne suis pas aux trav' à perpète. C'est drôlement chouette pour moi que Paris m'ait à la bonne.

– Je voudrais que tu t'expliques. Je voudrais aussi savoir pourquoi on a le droit de tout dire sauf de déconner, ici plutôt qu'ailleurs.

– Madame Rita, z'auriez pas un plan des rues ?

– Mais bien sûr, monsieur Édouard.

– Je vous le débigoise. Tenez, au matin vous en rachèterez un autre.

Il lâcha une poignée de petits billets.

Il arracha les feuilles pliées – une par arrondissement – et se mit à les assembler sur les deux tables rapprochées.

De son stylo il cocha des points qui correspondaient à des places, des carrefours. Et rapidement, sûr de lui, il traça deux lignes à peu près droites, parallèles : une de chaque côté de la Seine. Deux autres droites, celles-là transversales. Enfin une courbe irrégulière qui sensiblement suivait le tracé de l'ancienne enceinte, celle du XIIIe siècle. « Voilà le circuit. C'est là-dedans que tout est grave », dit-il.

Ça devenait passionnant. Je fis :

– Raconte.

Il prit son temps.

– Bien sûr que tu connais le Vieux-Chêne ?

– Bien sûr.

– Et qu'est-ce que tu en sais ?

– Des tas de choses. L'ancien lavoir… Casque d'or, Leca et Manda, les bagarres…

– Et puis encore ?

– Périodiquement c'est comme si les têtes y prenaient feu toutes seules : coups de surin pour un oui pour un non, même des meurtres…

Il ménageait son effet.

– Écoute bien : *tous les sept ans*, bagarre rangée ou effusion de sang, un poinçon dans le lard, y'a pas, faut que ce soit grave et que ça coule. Et *tous les onze ans*, c'est officiel, c'est prouvé, meurtre avec mort d'homme. Et il *faut* qu'il y en ait au moins un qui passe l'arme à gauche. C'est la rue, c'est l'endroit qui veut ça. Tu connais le Port-Salut ?

– Les grilles, rue des Fossés-Saint-Jacques ? Ben voyons…

– Qu'est-ce qui s'y passait pendant la Révolution ?

– Te fatigue pas. De tout temps on y a conspiré.

– Et qu'est-ce qu'on y fabrique d'autre à présent ?

– Je ne veux pas le savoir. (Parbleu !…)

– Bon. Et à tel endroit ?

Il me montre sur la carte. C'est près de la Seine. Je rigolai.

– Oh là là ! C'est un vieux bistre où l'on fait un tout petit peu boxon, juste dans les coins, pour pas que ça se sache trop…

– Depuis combien de temps ?

– Cette blague ! Depuis Saint Louis, au moins…

> *Dames au corps gent, folles de leur corps*
> *Vont au Val d'Amour pour chercher fortune…*

– Ça colle. Alors je vais te dire. La Mouffetard, tu sais ce que c'était avant ?

– Avant quoi ?…

– Avant tout ça. Avant qu'il y ait des maisons.

– … La *Via Mons Cetardus*, une nécropole où les Romains qui occupaient la Cité permettaient qu'on enterre des chrétiens. D'ailleurs, maintenant encore on découvre, de temps en temps, un sarcophage… C'étaient les Aliscans de Paris.

– D'ac. Les chrétiens de ce moment-là… ils étaient un peu triquards ?

– C'est-à-dire… pas tellement bien vus des autres…

– Sais-tu que depuis toujours c'est à la Mouffe qu'on fait des prières à la gomme ?

– À la gomme ? Comprends pas.

– Oui. Des prières pas comme tout le monde. Des « qu'a pas cours ». Mame Rita, z'auriez pas les journaux de ces derniers jours ?

– Voui, monsieur Édouard.

Et voilà Danse-Toujours qui se met à compulser une douzaine de canards. Il ne s'occupait de rien d'autre. Il avait sorti un couteau à cran d'arrêt, tranchant comme un rasoir. De temps en temps il découpait un minuscule entrefilet, sans titre ; et il mettait le bout de papelard dans sa poche.

La colère, quand elle surgit à l'état pur et s'accumule, refré-
née parce qu'elle ne trouve pas de pôle où s'ébattre, représente
un formidable potentiel de puissance destructrice. De Danse-
Toujours, silencieux, concentré, serrant les dents, il émanait
une projection furieuse de terribles fluides. La colère, la colère
seule l'avait mangé, pénétré, était devenue la seule raison
d'être de toute sa substance. Il tentait cependant de se maîtri-
ser : mais j'appréhendais un prochain déchaînement. J'ai
ramassé, sans qu'il l'ait vu, l'un des articles découpés. On y
annonçait, sans autres commentaires, que le nommé Armand
B..., condamné à mort pour double assassinat par les assises de
la Loire, avait « payé sa dette » à la « société ».

– C'est tout à l'heure que *ça* va se passer, me dit-il. Dès le
petit matin, il faut radiner chez Olivier.

Je fis : « Cette nuit, c'est vraiment chouette. Il y a du Villon
dans l'air. » Danse-Toujours sursauta : « Villon ! Tu as dit : Villon ! Villon François ? » « Hé bé... Naturellement... » « Attends.
Tu vas voir. » Dans sa poche revolver, il avait une luxueuse édition, reliée de basane, des *Testaments* et des *Ballades*. Mais de
lui rien ne m'étonnait plus.

– Ça c'est mon bonhomme, c'est mon champion. je l'aurais
conoblé qu'on aurait fait une drôle de paire. C'est un frangin
comme cézigue qu'il m'aurait fallu.

Il voulut s'attacher aux pas du poète : « Alors, à quelle hauteur de la rue Saint-Jacques il créchait, l'oncle Guillaume ? Et
La Pomme de Pin, où ça se trouvait au juste ? » Je le renseignai
de mon mieux. Nous nous sommes récité ensemble, à mi-voix,
la *Ballade des Pendus* : « Mais non, tu prononces mal. C'est
beaucoup plus simple que ça... » Il reprenait docilement.
Après quoi il m'envoyait de grandes bourrades : « Toi alors,
t'es un drôle de pote, cochon qui s'en dédit... »

J'avais oublié que depuis minuit « nous étions » dimanche.
Dès cinq heures, nous sortîmes prendre l'air. À la même
minute, deux cents gnomes, korrigans, elfes ou sorcières bar-

dés de guenilles, chargés d'énormes baluchons, attelés à des poussettes ou remorquant des chariots improvisés, s'étaient évadés de l'ombre comme asticots d'un fromage, et toussant, rotant, bâillant, se bousculant, s'engueulant, se pressaient en direction de Saint-Médard. C'étaient là les « patrons » des premiers éventaires des fameuses « Puces » Mouffetard, qui allaient, sur les trottoirs des rues Saint-Médard et Gracieuse, se disputer les meilleures places. Une très ancienne tolérance permet aux biffins et à quiconque le désire de venir ici, chaque dimanche matin, exercer à même le pavé le commerce de la brocante, sans être nécessairement titulaires d'une patente, ni payer aucun droit.

Chez Olivier, la petite salle emboucanée, « décorée » d'anciennes couvertures en couleurs du *Petit Journal illustré*, était déjà envahie d'une gueusaille frileuse, gluante et fumante d'âcre buée.

L'enseigne, de taille imposante, joliment coloriée et tout de frais revernie, est fixée au mur, à gauche près de l'entrée.

Les effigies en bas-relief de nos quatre « conspirateurs », verre en main et mines enthousiastes, se détachent sur un fond maritime qu'assombrissent des nuages patinés au bitume. L'habileté naïve de l'artisan qui exécuta ce morceau, un véritable joyau d'art populaire, trahit l'époque précise de sa conception – et de son achèvement : le sculpteur-façonnier, dans le courant même de l'année 1822, se trouvait sous le coup de l'émotion, de l'indignation généreuse d'un peuple exaspéré par la décollation imbécile, en place de Grève, de quatre très jeunes *carbonari* pour rire. Quel est le sous-off, je vous le demande, qui n'a jamais, au cours d'une cuite, décidé de sauver la France – ou tout autre pays ? …

Danse-Toujours me poussa du coude. Un homme, debout, immobile, faisait face à l'enseigne, qu'il semblait examiner avec une extrême attention. En aucune manière il ne s'émouvait du vacarme naissant. C'était l'aube. Le contre-jour me révéla son profil aigu que soulignait un mince collier de barbe grisonnante. Je m'approchai le plus possible de cet homme : je suis sûr de ne pas me tromper. Je *ressentis* qu'il priait avec une rare ferveur. Cela dura de longues, de très longues minutes. Imperceptiblement l'homme inclina la tête, par trois fois. Et puis il fit demi-tour et s'approcha du comptoir. Danse-Toujours l'aborda, lui passa familièrement son bras sous le coude. Je crus qu'ils se connaissaient. Mais pas du tout. Danse-Toujours fit signe à Olivier, du pouce, de verser n'importe quoi, ce que l'autre voulait. Et puis mon nouvel ami tira de son portefeuille une somme importante : plusieurs milliers de francs. Discrètement il les tendit à l'autre : « Pour la famille », fit-il à mi-voix. L'homme remercia d'un sourire entendu et d'une poignée de main qui en disait long. Il s'en alla sans avoir prononcé une seule parole. Danse-Toujours voulut me mettre sous le nez l'un des entrefilets prélevés aux journaux de l'avant-veille. J'ai fait :

– Merci. Je commence à comprendre.

– Peut-être, mais tu ne sais pas encore tout, dit-il.

Et derechef il m'entraîna. Il désigna le Vieux-Chêne. Entre les deux fenêtres du premier étage, l'arbre étale ses ramures tourmentées et ses racines généreuses.

– Peux-tu donner un âge à cette enseigne ?

– Non. Je sais seulement qu'elle était déjà en place vers le milieu du XVIIe siècle.

– En quoi est-elle ?

– En bois, avec plusieurs couches de plâtre mélangé d'alun, pour la protéger.

– En bois de quoi ?

– Comment veux-tu que je m'en rende compte ?

– Je vais te le dire : en bois d'épave. L'épave d'un vaisseau renfloué dans l'estuaire de la Seine, en 1592. je dis : quinze-quatre-vingt-douze.

– Où donc as-tu appris tout ça ?

– Un peu partout : mais surtout à Melun, quand j'étais en centrale.

Fichtre! Ils en savent des choses, les gens qui sortent de centrale! Danse-Toujours continuait :

— Et connais-tu sa sœur, à cette enseigne?

— Oui, dans la rue Tiquetonne, il y en a une qui lui ressemble : l' « Arbre à Liège ». C'est chez le père La Frite.

— Bon. D'abord tu sauras que les deux sont taillées dans le même bois. Et à part ça, tu ne remarques rien?

— Tout de suite, non.

— Je vais tout te dire. Nous allons d'abord casser une graine.

Et c'est ainsi que nous achetâmes le homard.

Danse-Toujours a pour moi soulevé un coin du voile. Avec des mots simples, des formules banales qui disent quelle honnêteté foncière, quelle profonde bonté habitent ce bandit chevronné, il m'a fait découvrir ma ville sous un angle merveilleux. Je n'aurais jamais osé imaginer tout cela.

— Oui, mon pote, du bois d'épave, ça a d'abord été du bois d'arbre, avec rien de spécial — du bois comme tout le monde. Les hommes l'ont coupé, ton arbre. Ils l'ont scié, travaillé, raboté, tordu, poli, calfaté, goudronné. Ils en ont fait un navire, et du navire ils ont fêté la naissance, ils l'ont baptisé comme un enfant. Et puis ils se sont confiés à lui. Mais les hommes n'étaient plus tellement les maîtres. Lui aussi, le bateau, il avait son mot à dire. C'est quelqu'un, un navire, c'est comme qui dirait une personne qui pense, qui respire, qui *réactionne*... Un navire, ça porte avec soi son ordre de mission. C'est *propriétaire de son destin*. Alors il coule, ton bâtiment, il va par le fond parce que c'était son métier de sombrer, tel jour à telle heure, à cause de ça et ça, et à tel endroit. C'était peut-être déjà inscrit dans les étoiles. Et puis longtemps après , d'autres hommes découvrent l'épave, ils la renflouent, ils en remontent des morceaux de bois — et il faut voir avec quel respect ils font ça. Alors tu crois que ça ne *sait* rien, que ça ne se *souvient* de rien, que ça ne *peut* rien, un bout d'épave, que c'est bête autant que c'est dur, que c'est con comme... comme un bout de bois?... Je te dirai une bonne

chose, que les marins savent bien : le bois d'épave, c'est le bois
du *retour de flamme*. Rien de ce qui se passe sous le signe et
sous l'enseigne du bois d'épave, même d'un tout petit morceau,
ne se balade dans un seul sens. Une saloperie vaut mille salo-
peries ; une fleur (il voulait dire : un bienfait) te rapporte un
champ, une province de fleurs, des tulipes ou des cyclamens,
comme ti veux ti choise. Par exemple : dans l'armature de
l'enseigne des quatre sergents, il y a *du bois d'épave*. « Nous
autres » (?…) on le sait… Eh bien, après le boulot du type tout
à l'heure (il parlait de l'homme à la prière), je te garantis que
le président de la Cour, et tout le jury et le procu, et les matons,
les gaffes et le bourreau, les aides et tout le tremblement ils
vont en dérouiller, et pas qu'un chouia. Dès tout de suite ils ont
droit à une fameuse poisse. Du solide. Et pour longtemps.

– En somme… Ce n'était pas pour… pour le *repos* du mort,
comme ça se fait d'habitude, que ce type priait ?

– Non. *C'est pas de la bonne prière.* Et crois-moi : pour se
permettre de faire ça, le gars il faut qu'il ait du courage. Heureusement qu'il y a des mecs comme sa pomme… Comment
que nous autres on se défendrait ?

– Tu dis : nous autres. Tu as beau être « chargé », tu n'es
tout de même pas dans la situation d'un condamné à mort ?

Il eut un geste évasif :

– Euh beuh ! Tout juste… Mais je te disais… Le Vieux-
Chêne est le seul endroit de ce secteur-ci qui ait « affranchi sa
couleur ». Tout ce que tu y fais, ce que tu y dis, ce que tu y
penses même, est grave et porte avec soi son retour de bâton.
C'est le début du circuit ousque c'est zéro pour la déconnante.
Maintenant attends voir, je vais te montrer autre chose.

Il insista pour débarrasser la table, et de nouveau se livra à
son jeu de patience : reconstituer le plan de Paris, dont il avait
fourré les éléments, pliés à la diable, dans les poches de son
pardessus.

Je l'aidai. Il me demanda à brûle-pourpoint :

– D'après toi, quel est le vrai centre de Paris ?

... J'étais interdit, pris de court. Je croyais que [...] faisait partie d'une somme de connaissances tou[...] lières – et secrètes. Je fis, pour gagner du temps :

– Le point zéro des routes de France... La plaq[...] parvis Notre-Dame...

Il eut un regard excédé :

– Tu me prends pour un branque ?

Le *centre* de Paris, spirale à quatre centres dont chacun, bien autonome, ignore les trois autres... Mais on ne révèle pas ça à n'importe qui. Je suppose – j'espère – que c'est en toute bonne foi et bien innocemment qu'Alexandre Arnoux mentionna ce luminaire, derrière l'abside de Saint-Germain-l'Auxerrois. Je n'aurai pas créé le précédent. À mon tour de laisser les enfants jouer avec la serrure.

– Le centre... tel que tu dois le concevoir... c'est le puits de Saint-Julien-le-Pauvre. Le « Puits de Vérité » depuis le IXe siècle.

Il jubilait. J'avais lâché le morceau. Il me dit :

– Tu sais... avec toi on pourrait faire de grandes choses. Malheureux que je ne sois plus guère « récupérable » ... même en ce moment.

Il donnait libre cours à un élan tout puéril d'amitié fraternelle. Mais son idée le tenait : il bondit chez la mercière-papetteuse toute proche et en rapporta un petit compas rudimentaire, en fer-blanc.

– Regarde. Le Vieux-Chêne, le Puits. Le Puits, l'Arbre-à-Liège...

De part et d'autre de la Seine, suivant rigoureusement la ligne qu'il avait tracée, les enseignes séculaires se trouvaient très sensiblement à la même distance du puits magique.

– Eh bien vois-tu... depuis tout le temps... quand il y a un coup dur au Vieux-Chêne, à *une lune* d'intervalle – juste vingt-huit jours – la *même chose* arrive chez le père La Frite, mais en moins grave. Comme une répétition. Comme un écho...

... Ensuite il énuméra, et indiqua sur la carte, les principaux lieux clés dont lui ou ses amis avaient éprouvé l'efficacité.

Il dit en conclusion :

– Moi je suis le pire des truands, je veux bien qu'on m'ait au tournant, c'est de bonne guerre. Mais pas n'importe où. Il y a des endroits où quand on ment, ou quand on *pense mauvais*, c'est à Paris qu'on manque de respect. Et c'est à moi que ça fait mal. Alors je ne vois plus clair : je me rebiffe. C'est comme si j'étais là pour ça.

Je ne sais dans quel tourbillon me voici lancé à cause de Danse-Toujours. Je n'avais certes pas besoin de ça, mais je ne ferai rien pour contrarier l'enchaînement de tout ce qui va se passer.

Hier, outre Brizou et Pierrot-la-Bricole, ses lieutenants et à l'occasion ses gardes du corps, Danse-Toujours était flanqué d'une blonde mal teinte, pas jeune, replète et va-de-la-gueule. Il me la présenta : Dolly-Longue-à-Jouir. C'est, dit-il, son « état-tampon ». Elle reçoit sa correspondance et s'occupe, quand la bande veut passer la nuit dans le quartier, de découvrir un gîte discret.

Ils étaient tous d'assez méchante humeur, en pétard contre un certain Corse qui n'avait pas été régulier dans une affaire, pour moi assez vaseuse, de forets en acier au wolfram. Le Corse, convoqué, n'arrivait pas. Danse-Toujours bouillait.

– C'est la dernière fois que ce salaud me fait une entourloupette. Le prochain coup que je le rencontre, même s'il vient maintenant, je lui tirerai les oreilles.

Je savais que ce n'étaient pas là paroles en l'air. Je désirais une détente bien impossible à provoquer. Heureusement survint Alexandre.

Un chiffonnier un peu paf, l'air d'un bon bougre. Connu dans le coin pour être vaguement cinglé. On n'y prête guère attention. Tout le monde a ses petites manies.

– Te voilà mon flicard, avait fait Danse-Toujours, jovial, soudain détendu. Bois un coup, c'est un ordre.

– Voui, m'sieu l' principal, à vot' bonne santé, m'sieu l' principal et m'sieu-dames tout l' monde, éructait le bonhomme en engloutissant coup sur coup deux grands demis de pichtogorne.

Brizou rigolait ferme, mais Pierrot-la-Bricole et Dolly-Longue-à-Jouir, elle surtout, le biglaient d'un sale œil.

On a raconté beaucoup de choses au sujet d'Alexandre Villemain. Des choses compliquées, troubles et pas très belles. La vérité est plus simple. Je la tiens de Quinton, son principal « acheteur ». La voici :

À quarante-cinq ans, Villemain fut mobilisé et incorporé comme territorial, afin de participer à la très galimatieuse gué-guerre 1939-1940. On ne pouvait rien tirer de cette cloche, incapable de marcher au pas, mais débrouillard en diable, et qui faisait marrer tout le monde. Un jour on s'aperçut qu'il ne savait pas lire. On le changea de compagnie – en omettant de le consigner sur les registres de sa nouvelle unité –, on lui confia un titre « bidon » constellé de cachets fantaisistes, un fusil Gras, des cartouches de Lebel, des vivres pour trois jours, un seau de pinard, un litre de gnaule. On l'établit dans une cabane de cantonnier, au bord d'une route, un peu au-dessus de Senlis. Un adjudant lui dit : « Tu feras la police de la route... Tu arrêtes tous les véhicules, militaires ou civils, tu vérifies leurs papiers, et tu ne les laisses filer que s'ils sont en règle. Autrement, tu préviens les gendarmes. Compris ? Rompez !... »

Et le régiment prit le large, laissant là Villemain, lequel, complaisant de nature, donna par-ci par-là un coup de main aux paysans, répara des vélos, se mit à glaner là où il pouvait vivre, pinard, tabac et même vêtements lorsqu'il fut en loques.

Dans la région, on l'appelait le « sauvage ». Mais durant sa « journée » réglementaire – de six heures trente à cinq heures du soir –, il accomplissait impeccablement son « service », fronçait les sourcils sur les papiers des bagnoles qu'il laissait passer avec un grand geste et un sourire protecteur. Une fois cinq heures sonnées au clocher le plus proche, il posait son flingue, bouclait sa cahute et s'en allait trimarder. Le « policier de la route » a fait rire aux larmes des centaines de gens, dont plusieurs généraux. Et tout se passa ainsi jusqu'à l'exode. Il y avait alors vraiment trop de monde : Villemain s'octroya une permission et se reposa. Deux jours, deux nuits de silence, pas d'autre bruit que les avions au loin, et sur sa tête, les corbeaux...

Et puis s'amena, en ordre impeccable, une division de Panzer. C'est tout à fait vrai que Villemain arrêta les motocyclistes de tête. Lesquels, ahuris par cette apparition, le désarmèrent, le mirent dans un side et l'emmenèrent avec eux « pour leur montrer le chemin » !

La division, en avance sur son horaire, campa deux jours au nord de Paris. On habilla Alexandre d'un treillis chleuh, on le gratifia d'une paire de bottes, et il devint, dans une « Kantonsstandort Kommandantur », préposé à la distribution d'essence pour les Belges fugitifs qui regagnaient leur pays. Et puis, quand les Allemands en eurent marre, ils le firent démobiliser par la gendarmerie et le renvoyèrent à sa Maube.

Cette invraisemblable aventure lui tourna sur le cassis, qu'il avait fragile, et depuis lors l'inoffensif Alexandre baratine le populo. Une gabardine, à ses yeux, est une espèce d'uniforme. Chaque fois qu'il avise quelqu'un revêtu d'un imperméable, il s'approche du quidam, le bouscule doucement et lui dit, en grand mystère : « J' suis comme vous... j' suis d' la police... »

Alexandre parti, rond comme un boudin, lesté de quelque argent et d'un solide casse-croûte, Danse-Toujours et Brizou épiloguaient joyeusement : « Hein ! Crois-tu qu'il est rigolo... Si tous les "flics" étaient pareils... » Visiblement ça ne plaisait pas à Pierrot-la-Bricole, et la Dolly ramena sa fraise : « Moi il ne me fait pas marrer, votre clodo, mais pas du tout. Il a beau être marteau. Le gars qui rêve qu'il est flic, même s'il n'a rien à voir avec la poulaille, comme cézigue qui sait même pas signer son nom, faut s'en méfier. Par principe. Il a ça dans le sang. Même pas besoin d'éclairer (de le payer) pour en faire une "casserole". Et celui-là, veux-tu que j' te dise? qu'il ne soit pas du tout donneur, mais pas du tout, j'en suis pas si sûre que ça. » Et Pierrot-la-Bricole y va de sa surenchère : « Ce pauvre mec, il a le coup de barre. Autrement lui qui est du bled, il saurait qu'*ici* tout se paie à son prix, et surtout ce qu'on dit de travers. Mais moi je ne peux pas le craindre, j'ai le pot, ilenquiquine les plus fortiches. Et puis, faut bien que de temps en temps on s'amuse. "Danse-Toujours, j'sais c' que j' joue…"»

Danse-Toujours voulait emmener tout le monde dîner chez un Chinois de sa connaissance, quand apparut le « Corse ». Nous aurions mieux fait de filer cinq minutes plus tôt.

Ô la sale gueule. Je l'ai déjà rencontré deux ou trois fois. Il me débecte. Il se fait appeler Sacchi ou Saqui ou Saki. Il se dit de Calvi : mais je jurerais qu'il fait partie de cette tourbe d'apatrides volontaires, de réprouvés de partout, de ces blattes humaines huileuses, suifeuses, rampantes, puantes qui infestent certains rivages méditerranéens. Ce ne sont pas des traits, mais des stigmates qui composent sa tête à claques. Avec ça, des œufs de pigeons sous les châsses et des contrevents en fait d'étiquettes. À vomir.

Tout de suite ils ont commencé de remuer leur salade. J'ai vaguement compris qu'il s'agissait d'écouler auprès d'un bureau d'achat allemand des forets en métal rare, mais tous mis au rebut pour fabrication défectueuse : chacun avait une « paille ». Il fallait les vendre au prix fort, et Sacchi s'en chargeait. Mais, pour accaparer l'essentiel des bénéfices, il invoquait l'incontrôlable existence de tas d'intermédiaires que bien entendu il fallait « arroser ». La mauvaise foi du métèque était flagrante. Danse-Toujours se contenait. À la fin, faussement calme, il s'approcha de Sacchi apeuré et lui souffla dans le nez.

– Corsico de mes deux. Moi qui t'ai sorti de la mouscaille.

Pour les forets tu peux mettre une croix dessus, je les fourguerai moi-même. Mais pour l'affaire des étaux, et celle du fil de cuivre, c'est à l'as que tu m'as fait passer la soudure. Tu vas foutre le camp du coin, dès tout de suite. Auparavant j'ai un compte à régler. Pas avec toi, avec mon bled. C'est icigo mon bled, à moi. J'avais juré de te tirer les oreilles. J' peux pas *ici* revenir sur ma parole.

Et mon colosse empoigne l'autre par ses soucoupes et se met en devoir de lui faire faire du vol plané par-dessus une chaise en rotin. Comme numéro de voltige, c'était champion. Le type gigotait, couinait lâchement : « Houla ! Houla ! » Quarteron fit bien de s'interposer : le Sacchi saignait, les deux esgourdes à moitié décollées. Il bondit vers la porte et, pointant vers son tortionnaire un index rageur :

– Moi non plus cette fois, je ne déconne pas. Elles te porteront malheur, mes oreilles, tu entends ? Malheur qu'elles te porteront !

Danse-Toujours cracha dans sa direction :

– Viens me le dire ici, je te les coupe aussi sec, dit-il en tirant son couteau.

Mais le faux Corse avait pris le large.

– Mettons les bouts, fit Dolly. Ici faut plus s'éterniser. Ce type est mauvais, maintenant que tu l'as dérouillé il est capable de tout.

Nous filâmes, chez le Chinetok et bien entendu ne revînmes qu'au matin. Danse-Toujours, visiblement obsédé par les paroles de Sacchi, jura trois fois, dans le cours de la nuit, qu'il lui trancherait les oreilles et les ferait sécher. Ça lui servira de fétiches.

Il n'était pas saoul le moins du monde.

Hier j'étais à Brétigny avec Watsek, le radio polonais. Tout a fort bien marché : un temps très clair, presque pas de nuages. Les deux Wellington, après avoir tournoyé durant plusieurs minutes au-dessus du terrain, ont piqué à deux reprises, bravant la Flak. Les Fritz, affolés, avaient couru aux abris. Imperturbable, Watsek a transmis ses messages. Je respire. Mais demain nous aurons du coton : nécessité d'émettre depuis Paris, et notre centrale, près de la gare de Lyon, est tombée aux mains de la Gestapo. Heureusement sans trop de bobo.

À midi, j'ai appris que dix minutes après notre départ de chez Quarteron, avant-hier soir, quatre inspecteurs, avertis par téléphone, sont venus pour cueillir Danse-Toujours. À leur tête il y avait mon ami Fernand. Je préférerais qu'il s'occupe d'autre chose.

De cela je n'ai rien dit au « Corse », qui m'attendait aux Trois-Mailletz, à ma grande surprise. Mielleux, visqueux, faux jeton comme à l'habitude, il a tenté de me tirer les vers du nez. Il voudrait que j'arrange, entre lui et Danse-Toujours, un ultime rendez-vous. Il affirmait que tout pouvait rentrer dans l'ordre et qu'il y avait gros à gagner. Bien entendu j'ai refusé, en prétextant que je ne savais où joindre qui que ce soit de la bande, et que leurs affaires ne m'intéressaient en rien. Alors mon type a dévoilé ses batteries. Il en veut terriblement à Danse-Toujours. La séance punitive de l'autre soir l'a mortellement vexé. Auprès de moi, dont l'apparente attitude est absolument neutre, il éprouve le besoin de se vanter. Bien qu'il me connaisse à peine, il voudrait reconquérir à mes yeux je ne sais quel prestige. Il m'importune avec des histoires, sûrement fausses, de vengeances cruelles où il a toujours le beau rôle, et auxquelles il ajoute, à mesure qu'il les raconte, des détails bassement sadiques. Je le laisse continuer parce qu'il m'a dit à deux reprises :

– Mes oreilles (elles portent toutes les deux un pansement fixé au sparadrap) –, mes oreilles lui porteront poisse.

– Mais pourquoi *tes oreilles* et pas autre chose, toi tout entier par exemple ? ...

– Mes oreilles *seulement*. Comme ça je n'aurai plus besoin de m'en occuper.

Mais comment feras-tu ?

Parbleu ! Je me les ferai « enchanter ». Connaissez pas la combine ?

– Ma foi non et je le regrette : ça m'intéresserait fort.

– Je peux vous donner le condé, mais rien pour rien. C'est régulier, hein ? Mille balles.

La crapule. Je lui en ai allongé la moitié en acompte. Nous avons rendez-vous vendredi matin, carrefour des Gobelins.

Géga est un homme invraisemblable. Ces temps-ci il était toujours fauché, mais trouvait toujours le moyen de rendre aux hommes traqués qu'il m'arrive de prendre en charge les services les plus inattendus. Il nous découvre souliers, vêtements corrects, nourriture – endroits où dormir tranquilles, pour cela il ne faut pas être très exigeants, et même des vélos dont il achète les pièces une à une, au hasard des occasions. Aujourd'hui le voici propriétaire – ou gérant, personne ne sait au juste – d'un petit café qu'il vient d'installer rue de Bièvre, et qui jouxte le terrain vague, ex-maison du père Hubert. Comme Géga est complètement fleur – tel qu'on le connaît, ça ne durera pas – et qu'il n'a guère de marchandise en stock, on le paie d'avance quand on vient chez lui boire le coup. Alors il va faire emplir les verres au troquet d'en face. Il ne gagne pas un sou dans l'affaire, tout le monde trouve ça tordant et lui le premier. Cet après-midi nous avions conseil de guerre, à l' « Œil » – telle est l'enseigne du nouveau bistrot Géga – avec deux radios du groupe-antenne « Hunter » et Watsek le Polonais. C'est grave. Les messages à transmettre d'ici vingt-quatre heures sont d'une telle importance qu'il nous faut à tout prix, quels que soient les risques, découvrir tout de suite un lieu d'émission. Nous disposions dans Paris, jusqu'à ces derniers jours, de deux toits où déployer l'antenne. Les motocyclistes gonio les ont repérés. C'est cuit. Émettre de banlieue ? Nous risquerions de troubler les transmissions d'un réseau ami installé dans les parages, et de tout brouiller, ses messages et les nôtres. Brochard le pitaine, chef de groupe, a dû prendre, à contrecœur, une décision.

– Tant pis. Nous émettrons depuis la Halle aux Vins, où le type qui me prête son pavillon ignore totalement ce que nous allons y faire. C'est à peu près sûr qu'il y aura de la châtaigne. Tout ce que nous pouvons, c'est demander qu'on double le groupe de protection. Rien à faire, il faut y aller.

Il a raison. De la bonne réception d'un seul de nos messages dépendent peut-être plusieurs centaines de vies humaines : il s'agit d'éviter le bombardement en pleine gare, au centre d'une agglomération très dense, d'un train chargé d'explosifs en beaucoup plus grande quantité – et beaucoup plus puissants –, que l'on ne croit à Londres. Le convoi se dirige vers le Midi. Une attaque au sol le détruira dans la nature. J'en fais mon affaire.

Les gars se sont regardés. Ils savent ce qui les attend. Ils ont fait : d'accord. Watsek n'a pas bronché.

Vraiment Danse-Toujours joue avec le feu. Qu'un roussin l'aperçoive et il est fait bêtement. Eh bien, rien à chiquer : il faut qu'il prenne « son bain » du quartier. Tout à fait par hasard il est entré à l'«Œil », et a dit en m'apercevant : « Faut croire que je t'avais reniflé. »

Ça ne m'amusait pas, mais je ne pouvais faire autrement que le présenter à Géga et aux copains. Ils ont parlé longuement, et de quoi, de qui, je vous le demande ?... De François Villon, pour lequel Danse-Toujours, quasi illettré, nourrit une sorte de culte. Géga, en dilettante averti, était aux anges. Moi je surveillais la porte. On ne sait jamais.

C'était en 1940, dans un bobinard de Lorraine. Des gars d'une autre compagnie étaient avec moi. Responsable de la « bonne tenue » du détachement, je devais les surveiller comme un pion ses élèves.

Le colonel m'avait dit : « La "dixième" attaque à quatre heures du matin. On ne sait pas ce qu'il y a en face. (Il n'osait pas déclarer tout de go qu'à son sens c'était parfaitement inutile, mais on rectifiait de soi-même.) Ces garçons-là méritent bien un peu de bon temps. Surtout veillez à ce qu'ils ne se saoulent pas. Tâchez de les faire écrire chez eux. Et ramenez-les avant minuit. »

Et puis le vieux colon m'avait tourné le dos pour laisser échapper : « Pauvres gosses ! »

Ma vie durant je me souviendrai de ces heures passées en compagnie de quatre filles flétries, à ce point harassées et désabusées qu'elles ne se maquillaient même plus. Elles s'attendaient à ce qu'on les forçât d'évacuer le secteur, d'une heure à l'autre. Elles cherchaient beaucoup plus à se blottir qu'à glaner quelque cent sous, et aucun d'entre mes gars ne pensait à la gaudriole.

Ils ont bu sagement du vin de la Moselle. Le vague à l'âme était général, et avait gagné même la mère maquerelle qui, de désespoir, offrit sa tournée. Chacun se confinait dans ses souvenirs. Et c'est à ce moment que j'ai vu quatre des dix visages se nacrer, s'affiner, s'amincir, devenir diaphanes puis troubles, comme à travers une brume, un nuage verdâtre qui ne trompe pas. J'avais même griffonné sur la nappe des bribes de poème :

> *Oui je vous vois marqués d'avance*
> *Mes frères du dernier matin...*

Le lendemain soir il fut bien assez tôt pour apprendre que mes pressentiments ne m'avaient pas abusé.

Mais ce qui s'est passé tantôt, en présence de Danse-Toujours et des radios, est bien différent. Ma sensitivité plus que jamais exaspérée m'autorise, non : me *force* d'affirmer qu'il existe dans le lot deux morts en puissance. Deux morts prochains. Lesquels ? Je ne sais pas encore. C'est un peu comme s'il dépendait de moi de les désigner. Un inexplicable sens de la responsabilité m'oppresse. De toutes mes forces je projette vers Watsek – celui qui m'inquiétait le plus – ma volonté de le voir s'en tirer.

Danse-Toujours est parti une fois la nuit tombée. En s'en allant il m'a pris à part :

– Tu sais, le Sacchi ? la salope, il a voulu me donner. Maintenant c'est sûr, ça ne fera pas un pli.

Et il esquissa trois gestes tranchants – deux sur ses oreilles, l'autre sur sa gorge.

Vendredi soir

Comme il fallait s'y attendre, ça ne s'est pas passé tout seul. À cinq heures moins cinq tout était en place. À cinq heures quatre ils ont accroché l'appareil de relais, qui se baladait au-dessus de la Normandie, à mi-chemin des côtes anglaises. À cinq heures dix-neuf, émission terminée : cinq heures vingt-trois, incursion pétaradante des motardsgonios, immédiatement suivis de feldgendarmes et tout de suite après d'un camion de S.S.

Le matériel est resté sur place. Brochard, en bras de chemise, a roulé une barrique vide jusque dans la rue Saint-Bernard, a pu atteindre le quai et se planquer dans une péniche. Il est en sûreté, ainsi que Watsek : mais il y a un mort – un gars du groupe de protection –, et deux blessés légers restés entre les mains des Fritz. Même s'ils disent tout ce qu'ils savent, nous ne serons pas autrement inquiétés : le dispositif d'alerte a fonctionné une fois de plus. Un mort, un seul, je sais que ça ne fait pas le compte. Je suis soulagé au sujet de Watsek, mais ne peux m'empêcher de penser à Danse-Toujours. J'ai beau me répéter que rien de ce qui se passe ne dépend de moi, cette sale angoisse ne me quitte pas.

Ce matin le Sacchi m'attendait au lieu convenu. Il s'est d'abord fait copieusement servir à boire, et a exigé ses cinq cents francs, en me faisant promettre de garder le silence sur ce que j'allais voir et entendre.

Je croyais pourtant connaître comme ma poche ce secteur limité essentiellement par le boulevard Arago, l'avenue des

Gobelins et la rue Croulebarbe. Pourquoi fallut-il que ce fût cet être infâme, répudié des gens et des pierres elles-mêmes, qui me révélât la formule de ce sourire inconnu ?

Là-bas, la Manufacture, l'école Estienne, les chantiers du Métro. Plus près, le garde-meubles. Ici des voies bordées de maisons basses aux noms rassurants : rue des Cordelières, rue des Marmousets, passage Moret... Les pierres sont claires, les cours profondes et vastes, d'où l'on accède aux premiers étages par des escaliers extérieurs en bois vermoulu. Beaucoup d'artisans semblent avoir hérité – et exploiter encore – les recettes des temps anciens : peaussiers, relieurs, enlumineurs, lithographes... Il *fait* ici plus *lent* qu'ailleurs.

Les visages des gens témoignent d'une patience laborieuse et tranquille. Tiens ! comme c'est curieux : ce mur empiète de cinquante centimètres sur l'espace vital du mur son voisin, dont il est séparé latéralement d'un pied tout au plus. Pour les gens d'ici, qui connaissent beaucoup plus de « retardataires » que de noctambules, idéale pissotière « naturelle ». Il faut qu'un homme mince se coule de chant dans l'étroit espace, ce que j'accomplis sans peine à la suite de Sacchi, pour se retrouver à l'orée d'un long couloir curviligne, ignoré même des enfants du cru qui l'eussent sans vergogne utilisé comme *buen retiro*. Quarante mètres, cinquante peut-être, entre deux parois sourdes-muettes-aveugles, l'une de briques creuses, l'autre de calcaire non crépi. On oblique à droite : et brusquement l'horizon s'échancre, et laisse apparaître un coin de ciel avare, au-dessus d'un univers miniature de Venise nordique. J'ignorais qu'il existât encore, dans Paris, un tronçon de Bièvre à ciel ouvert. Il fait froid. Les fenêtres sont fermées au-dessus des eaux noires. Du bras droit il faut se cramponner à une corde suspendue à la muraille : on se hisse sur une étroite passerelle volante qui vous vient à mi-cuisse. Le rétablissement péniblement opéré – il n'y a pas d'élan –, on se balance en caressant le mur, jusqu'à ce que l'on atteigne un store de bois articulé à la façon lyonnaise : c'est là. Un saut à l'intérieur, sur un sol peu ferme qu'amollit encore une couche de sciure. On se trouve chez M. Klager, en plein antre des enchantements.

Il n'en a rien dit, mais il a dû me reconnaître, M. Klager. Moi je l'ai remis tout de suite : c'est lui la barbe en pointe qui dimanche, aux Quatre-Sergents, faisait la « mauvaise prière ». Il me sourit gentiment, sans insister : mais son regard se glaça lorsqu'il fixa le « Corse ». Il lui parla durement, le traita sans ménagements, avec des pincettes. J'aime mieux ça.

– Tu as apporté ce que je t'ai dit ?

Sacchi, dominé, courbé, penaud, péteux, fit :

– Oui... Voilà. J'en ai eu un mal... et ça m'a coûté bien cher.

– Garde tes histoires pour toi. Tu ne paieras jamais assez cher ce que tu fabriques, grommela M. Klager, d'un ton méprisant. Voyons ton truc.

Sacchi avait ôté le couvercle d'une vulgaire boîte ronde à pastilles contre la toux. On avait coulé dedans une substance à son image : graisseuse, brunâtre, malpropre et qui sentait mauvais. M. Klager examina au jour le contenu de la boîte, en éprouva l'odeur.

– C'est bon, fit-il. Allons-y. Tiens-toi droit. Ne bouge pas.

L'autre obéit.

M. Klager, qui portait une blouse grise, retroussa ses manches. Il parut se recueillir un moment : puis il se remit à malaxer entre ses doigts un peu de la répugnante pommade, et en enduisit, en les massant avec ses pouces, les oreilles de Sacchi. Il accomplit ensuite une série de passes, de moins en moins lentes, depuis les vertèbres cervicales jusqu'aux parotides, et le long des mâchoires.

– Voilà, c'est fini. Ne te débarbouille pas avant demain. Je te conseille de rentrer tout de suite chez toi : tu pues.

Sacchi, gêné, entraîna M. Klager dans une pièce attenante, hors de ma présence, pour lui remettre le prix de son « intervention ». Qui devait être chaudement tarifée, à en juger par le froissement prolongé des gros billets, dont le bruit est caractéristique.

Ils revinrent.

— Maintenant il ne me reste plus qu'à me faire encore une fois tirer les oreilles. Mais le salaud, il peut numéroter ses abattis, ricanait Sacchi, les yeux plissés, la bouche mauvaise.

— De toute façon, prends garde aux tiens, répliqua Klager — il tourna les yeux vers moi, et, nettement plus aimable : Pour vous, monsieur… eh bien, maintenant que vous connaissez le chemin… À votre disposition.

Visiblement il ne tenait pas à ce que je lui parle devant l'autre de mes petites affaires. Nous prîmes congé avant d'escalader la fenêtre. Sacchi tendit une main timide que Klager ignora.

Je fis un brin de conduite à mon Corse de malheur, histoire de savoir deux choses.

— Que comptes-tu faire, maintenant, avec Danse-Toujours ?

— Prendre avec moi deux mecs solides, le rencontrer et le foutre en boule. Il faut qu'une fois encore il touche à mes oreilles. Mais qu'il y touche seulement : je ne m'en ressens pas pour une java comme l'autre jour.

— Et après, il se passera quoi ?

— De toute façon, il lui arrivera un coup dur.

— Ouais. Mais dis-moi, qu'est-ce qu'il y avait dans ta boîte, qui puait tellement ?

— Me parlez pas de ça. C'est dégueulasse. Tout ce que je peux vous dire, c'est que j'ai dû mettre dans le coup un fossoyeur de Bagneux pour me le procurer.

— C'est… c'est le macchabée que ça sentait ?

— Ça pourrait se faire…

Ce voyou enfin semé — pouah ! quelle nausée ! — je bondis à nouveau chez Klager. Je n'y pouvais rien, je n'eusse pu dormir. Il m'accueillit sans étonnement.

— Ce type… vous le connaissiez ?

— Très vaguement. Je ne l'aime pas. Il veut du mal à un personnage que je ne connais pas non plus depuis bien longtemps, mais à qui je porte une certaine estime. À part cela, guère « recommandable » …

– Celui de dimanche ?

– Exactement.

– Et vous êtes venu pour…?

– Je ne saurais vous dire au juste. D'abord par curiosité pure, je préfère vous l'avouer tout de suite, bien que certainement vous n'aimiez pas ça… et maintenant, parce qu'il m'est devenu indispensable de savoir des choses que jusqu'ici j'ignorais.

– Mais qui êtes-vous au juste ?

D'après ce que je lui racontai, rien d'autre qu'un professeur suppléant à l'enseignement technique, curieux de nature, amoureux passionné de tout ce qui intéresse le vieux Paris et des traditions que l'on y maintient.

– Journaliste ?

– Pas le moins du monde, surtout en ce moment.

Ça le fit sourire. Nous nous étions compris. Il me désigna la porte du fond.

La conversation dura deux grandes heures. Je ne puis la relater en son entier, ici ni ailleurs, aujourd'hui ni plus tard. Je suis lié au secret, et c'est par déférence beaucoup plus que par crainte que je tiens ma langue et retiens ma plume.

J'ai le droit, cependant, si d'aventure il m'arrive de parler de M. Klager ou d'écrire à son sujet, d'indiquer ce qui va suivre.

D'abord, le véritable métier de Klager ne consiste en aucune manière à envoûter ses contemporains ou enchanter telle ou telle partie de leur anatomie. Non plus que se livrer à des prières clandestines – et maléfiques. M. Klager est dinandier. Il confectionne des objets – coupes, hanaps, vases, boutons, broches – en métal repoussé. Pour l'instant, la pénurie de cuivre et d'étain en feuilles ou sous toute autre forme oblige M. Klager à exercer une industrie un peu différente : il fabrique des lanternes et des luminaires en tous genres. Il utilise, avec une adresse consommée et un goût très sûr, les matériaux de fortune qui lui tombent sous la main.

Mais cet homme, de qui la vie devrait être exempte de tout autre souci que celui de sa très fructueuse activité quotidienne, ne connut point que des jours fastes et des amis sûrs. Encore jeune, pour éviter un désastre, qui eût compromis à jamais la quiétude de son existence, il crut devoir recourir à un « jeteux de sort » lorrain. Lequel mourut d'une embolie foudroyante au cours d'une « opération » particulièrement grave et délicate. Depuis ce jour, Klager est l'héritier involontaire d'une énorme somme de forces – bonnes et mauvaises, pour employer une très primaire formule – qu'il gère comme un banquier, selon sa conscience et aussi les occasions qui lui sont offertes de se *débarrasser* – ce mot est de lui – d' « accumulations » par trop encombrantes.

– Mais pourquoi permettez-vous que votre pouvoir s'exerce dans les *deux* sens ?

– Croyez-vous que les gens mauvais qui s'adressent à moi auraient une activité meilleure s'ils ne me connaissaient pas, et feraient moins de mal ?

Mais vous vous laissez rétribuer pour cela.

Rassurez-vous. Je n'ai pas conservé par-devers moi un centime de cet argent : il tombe entre des mains qui en ont bien besoin. Et ce n'est pas là *exactement* de la charité.

Et moi, qu'est-ce que je fais d'autre ? Je tâche de déterminer les points d'impact, afin seulement de limiter les dégâts ; mais je ne pourrais jamais faire en sorte qu'il pleuve moins de bombes…

CHAPITRE VII

Septembre 43

Nous sommes en plein règne du doute, de l'hésitation, de la défiance lassée. M. Français Moyen a punaisé, sur le placard de sa cuisine, une carte, achetée à un camelot, du « théâtre des opérations dans l'Est ».

Chaque midi, et chaque soir à neuf heures, l'oreille attentive aux informations de radio-Londres, il rectifie à coups de crayon, ou s'il est patient à l'aide de petites épingles, sa « ligne de front ».

Là se bornent ses soucis, là se limite son esprit de combat. De plus en plus l'idée s'accrédite que cet interminable conflit n'est qu'une vaste foutaise dont nous n'avons guère, nous Français, à nous plaindre, car de toute l'Europe nous faisons figure d'enfants gâtés.

MM. les managers, régisseurs et chefs de plateau des guerres futures devraient dès maintenant apprendre que, de même qu'un film, le déroulement d'une guerre ne supporte pas les « longueurs ». Si l'arrière se lasse et s'ennuie, le combattant en subit le contrecoup, et cela influe énormément sur la qualité de la main-d'œuvre (guerrière s'entend).

Pour moi et mes amis, qui puisons nos informations à de tout autres sources que celles de la propagande, nous savons que ça se terminera tôt ou tard par l'écrasement *déjà concerté* des forces gammées. Nous jouons gagnant. Mais je me dis que, si j'étais capable d'avoir des convictions et que celles-ci m'eussent entraîné vers l'autre bord, je jouerais perdant avec la même désinvolture, et sans scrupule d'aucune sorte. De toute façon, je me félicite chaque jour de me trouver en contact permanent avec une élite de gens qui pas plus que les autres ne font dans le sublime – chacun d'entre eux poursuit avant tout sa propre aventure – mais qui constituent un apport nerveux de danger, de risque, de violence, de poivre sans lequel on ne mériterait que de crever d'ennui. C'est égal, si un jour nous entendons à nouveau parler de « pouvoirs publics » qui aient droit à quelque audience de la part du populo redevenu citoyen, les « institutions républicaines » (ou autres) restituées auront bien de la peine à se faire prendre au sérieux.

Heureusement la Ville veille. Elle aussi possède ses armes secrètes. Depuis cet été elle a libéré des soupapes de sûreté qui font partie d'un dispositif merveilleux, connu d'elle seule. Voici trois mois que l'on observe un peu dans tous les coins le plus réjouissant surgissement d'illuminés, de détraqués plus ou moins frénétiques, d'hallucinés, de ravigotants tochombes. Les plus modestes ne prétendent assurer que le salut de la France, voire de l'Europe ; mais la plupart s'en prennent au Monde avec un grand M, quand il ne s'agit pas de notre pauvre petit système planétaire dans son ensemble. Nous avions déjà nos rigolos patentés : Ferdinand Lop, l'ineffable, au sujet de qui s'indignent, dans l'abominable « Pilori », les ignares délateurs à dix francs la ligne de merdoyante prose antisémitique, antidémocratique (comme si ça voulait encore dire quelque chose), anti tout ce qu'on voudra. Moi qui depuis belle lurette suis persuadé que notre Ferdinand national n'est pas aussi louftingue qu'il veut bien le laisser paraître, je lui découvre un certain courage. Lui laisse hurler les loups et continue de recevoir les messages successifs et contradictoires lui annonçant l'arrivée, sous le pont des Arts, du sous-marin qui le cueillera afin de l'emmener en mer du Nord négocier un compromis entre les belligérants. Pas folle, la guêpe...

Il y a, rue de Seine, Raymond Duncan. Olympien, hiératique, madré, primaire, il éprouve le besoin de se vêtir comme un figurant d'une pièce adaptée d'Aristophane pour les tournées Barret. Dans la rue, il ignore les gosses qui sur ses pas crient à la chienlit. Il continue de présider les « dialogues socratiques » auxquels participent d'ahurissantes rombières coiffées de larges et poétiques chapeaux, où parmi des jardins à la française parsemés de fruits confits folâtrent des volailles empaillées. Duncan est parvenu à blouser les très naïves « autorités occupantes » : Américain, il n'est point soumis, comme présentement ses compatriotes demeurés en France, au régime des camps de concentration, avec tous les honneurs, égards et adoucissements que l'on doit bien aux actionnaires et copropriétaires de moult aciéries, usines d'armement et autres fabriques de colifichets situées en territoire hitléirique. Il y a Fèvre, le demi-solde, botté, jaquetté, chapeauté d'un tromblon, avec ses longs cheveux gluants, son visage diaphane de persécuté, sa voix d'eunuque, sa canne torsadée ; il y a Dodola-Prière, en perpétuel état d'extase, qui, doué d'une souplesse étonnante, tous les dix pas tombe à genoux, mains en avant, et touche le trottoir de son front – qui en est devenu calleux. Quelques autres encore, d'envergure et d'intérêt moindres mais non moins incorporés depuis de longues années à la cohorte des quotidiens farfelus qui marqueront ce quart de siècle. Ils sont catalogués, acceptés, admis une fois pour toutes. Ils n'étonnent plus que les petzouilles. Et voici les nouveaux, les insoupçonnés, les prophètes, les messies, les krishnas, les « ceux-qu'on-attendait-depuis-toujours ». Il n'est pas un quartier qui ne s'enorgueillisse de son propre prédicateur. Montmartre a son « astronome public », qui, moyennant quarante sous, vous montre, dans un télescope de marché aux puces, la Lune et ses escarres, et vous gratifie d'un couplet-prime : « Ambassadeur des Étoiles » ... au nom des milliards de milliards de mondes stellaires (ce qui n'est guère compromettant...) je proteste contre la guerre et j'apporte la solution... Auteuil a Baptiste, le clochard ancien combattant, de 14 bien sûr, qui décrète la très prochaine auto-extermination de l'humanité, et la conquête du monde par les chevaux, chevaux marins, chevaux terrestres, fantômes ressuscités de tous les chevaux de tous les temps tués dans toutes les batailles... À Grenelle divague Ben Derrer, par faveur spéciale en communication constante avec Mahomet. Un troisième sexe est né, à qui incombe désormais la tâche de perpétuer l'espèce. C'est, à partir de tout de suite, péché mortel que d'utiliser de façon normale les éléments d'humaine tuyauterie dont on peut disposer. L'avenir appartient aux chastes, aux onanistes, aux pédés et aux gouines. Et allez donc !

Au parc Montsouris c'est plus grave, car ils sont toute une bande. Deux bandes plutôt, que dis-je ! deux sectes, qui très sagement se réunissent dans le péristyle des Marronniers, au-dessus de la cascade, et très courtoisement se livrent à des palabres contradictoires. Ce sont les « Rayonnants Vectifs » et les « Perpendicastes ». Ils ont à plusieurs reprises intrigué les gardes, qui durent croire à un vocabulaire de convention et les laissèrent tranquilles. Mais des mouchards ont eu vent de l'affaire ; ils ont organisé une rafle. D'après les nouvelles, tout est tombé à plat. Il s'agissait de modestes fonctionnaires, d'employés très subalternes, de petits retraités bien incapables de dire pourquoi ils éprouvaient le besoin d'extravaguer à pleins tubes, au moins une heure tous les jours.

Oui, c'est un *vent de folie* qui souffle ces temps-ci, et ce terme n'est pas une métaphore hasardeuse. Personne n'est à l'abri de l'exaspération collective qui a gagné les esprits. Tout le monde se découvre un peu héros. Y compris – et c'est là le désastre – les héros authentiques. Ceux qui devraient pendant encore pas mal de temps s'ignorer cette qualité. Je pense aux gars parachutés, traqués, promis à la mort farouche sinon aux pires tortures, que je coudoie chaque jour. Ils savent fort bien à quoi peut les conduire la moindre incartade, le moindre manquement aux très strictes et très élémentaires consignes de prudence. Rien à faire. Tous capables de voler dans le lard du plus insignifiant feldwebel rencontré au mauvais moment.

À la Maubert, là où la détresse physiologique soigneusement entretenue – l'un de leurs secrets – confine mes cloches dans un nirvana permanent, un univers de lumière douce et de bruits assourdis, un monde sans poids et sans consistance, c'est une débauche de phrases définitives et de gestes théâtraux. Une demande de crédit pour un verre de ratafia équivaut à une tirade cornélienne.

Imaginez qu'un ancien potache, saturé de ses bons classiques, riche d'une mémoire qui chante et prêt à dispenser des kilowatts de bonne volonté, s'amène à l'Odéon un jour de bide. Il y a des jours ainsi faits, que tout y sonne creux, et le creux lui-même, quand on veut l'éprouver, rend un timbre indécis. Rien à faire : l'esprit ne souffle pas. On trimbale une déception désormais lancinante, une rancune contre on ne sait qui au juste : auteur ou interprètes ? On n'a plus qu'à se couler dans les plumes et se bercer, tout seul, bien tout seul, d'alexandrins orfévrés sur mesure.

Chez les cloches, c'est différent. Celui qui jure ses grands dieux que tout à l'heure il aura fait fortune appelle le miracle ; car il sait, lui, que le miracle peut intervenir. Il faut s'accoter ou s'asseoir dans un coin tranquille, surtout n'attirer l'attention de personne, autant que possible fermer les yeux – et écouter. Le bonhomme parle pour lui seul. Il met ses trésors à l'encan : « Sur la tête de Geneviève qu'avait une petite fille qu'est morte à sept ans… »

… Le stade du mélodrame est dépassé depuis longtemps. Le *drame* est là, bien présent, bien solide. Un événement n'est jamais par lui-même que ce qu'il est, sans plus. C'est ce qui se passe alentour, et dans le même temps, qui en fait – éventuellement – le « fait tragique ».

Pour comprendre, il faut avoir, au moins une fois, « respiré » cela.

Les responsabilités, de jour en jour plus graves, que j'assume obligent mon esprit à être perpétuellement tendu.

Aussi suis-je présentement bien incapable de musarder comme autrefois, de faire à la rêverie et au dolce farniente une aussi large place. Mes études, mes recherches emploient tous mes loisirs. Je voudrais publier, plus tard, entre autres, un glossaire de mots français qui doivent leur origine à la « petite histoire » parisienne. J'ai déjà accompli, dans ce domaine, de bien curieuses analyses, et fait des découvertes imprévues.

SAINTE PATÈRE

Il est un substantif, honnête et banal autant que modeste, dont l'origine relève cependant de la plus esbaudissante truculence : le mot « patère ». Vous savez, ce machin après quoi l'on oublie sa gabardine, là où les gens qui en portent encore suspendent leur chapeau.

Ce vocable signifie aussi (Larousse dixit) des « ustensiles » fixés au mur, et qui servent à soutenir les rideaux. On veut faire dériver « patère » de « patera », mot latin qui désigne tout autre chose. Eh bien, pas du tout.

La « patera » était, chez les Romains, un vaisseau ressemblant à une soucoupe, peu profond et destiné aux libations. Sa forme rappelle nos actuels « tastevins ». Sous prétexte que ces récipients étaient le plus souvent ornés de ciselures, on voulut les assimiler aux cabochons de métal embouti que l'on cloue parfois sur l'extrémité des patères : tout ceci pour justifier une étymologie « tirée par les cheveux ». Vous vous méprenez, messieurs de Sorbonne : cette fois encore, c'est Paris qui a raison.

Adoncques, il était autrefois, dans l' « île aux Singes », une langue de verdure qui, au-delà des Gobelins, partageait en deux notre vieille amie la Bièvre, des constructions de bois et de branchages. Le terrain était à tout le monde : et les riverains qui disposaient de quelques loisirs aimaient à venir se prélasser de temps à autre dans ce lieu calme et ombragé.

Or, en un temps que je crois pouvoir situer aux environs de 1350, un prêtre séculier dont la postérité ne nous a point légué le patronyme, faisait retraite en cette île durant la belle saison. Robinson d'avant la lettre, il vivait chichement dans une cahute par lui construite, et s'adonnait à de profondes et sévères méditations. Il ne dédaignait point, lorsque le temps était chaud, de s'aller livrer, dans les eaux de la rivière, à de dévotes ablutions. Peu d'humains vivaient en ce lieu; et le prêtre à l'âme pure, n'ayant rien à cacher au Créateur, se baignait dans le plus simple appareil, en gardant toutefois, suprême déférence, son chapeau.

Des ronces, des broussailles formaient de touffus promontoires, et les rives de l'île étaient ainsi bordées de criques charmantes où l'on se sentait chez soi, dans l'intimité confiante des premiers âges.

Un jour, le prêtre s'aventura un peu plus loin que n'eût dû lui permettre le rideau de feuillage. Il n'avait de l'eau que jusqu'à mi-cuisses. Et là, il se trouva nez à nez, si l'on peut ainsi dire, avec deux adorables naïades – comme si Ève eût eu une sœur jumelle. La surprise immobilisa, pour un temps, nos sirènes. Peut-être aussi je ne sais quelle curiosité...

Les voies du Seigneur sont impénétrables. Cette vision à lui offerte n'était-elle point l'une des tentations contre quoi l'Évangile nous met en garde?

Deux soucis assaillirent l'esprit du prêtre : celui de déférer aux liminaires préceptes de pudeur : celui aussi d'implorer Dieu qu'il ne le laissât point succomber et délivrât son esprit de tous ses désirs impurs.

Fortement troublé, il ôta son chapeau, qu'il plaça là où le lui commandaient d'éternels principes, joignit les mains au-dessus de sa tête, et en toute humilité récita : *Pater noster qui es in coelis...*

Alors s'accomplit le miracle : ô l'ineffable vigilance du Seigneur omniprésent! *Le chapeau resta en place.*

Adveniat regnum tuum...

La merveilleuse efficacité du *Pater* prononcé en d'aussi dramatiques circonstances confirma notre prêtre dans ses édifiantes convictions.

Dans l'île même, il bâtit, de ses mains, une chapelle dont il orna le fronton d'un visage féminin rayonnant de divine pureté. Et la chapelle fut dédiée à « Sainte Patère ». Nul ne lui tint rigueur d'avoir improvisé, à l'intention de Sainte Nitouche, une sœur cadette…

Chez les Élus aussi, il doit y avoir une « Compagnie Hors-Rang » …

J'ai retrouvé, jusque dans les grimoires de la fin du XVIe siècle, mention des vestiges de la chapelle « Sainte-Patère ». J'éprouve pour la petite sainte une tendre vénération. Vers elle vont mes pensées, chaque fois que j'accroche mon imperméable.

À plusieurs reprises, j'ai rencontré le Gitan de la rue de Bièvre. Il continue de coloniser l'emplacement de la maison démolie. Malgré ses protestations, en vérité très molles, je ne lui ai pas caché ma conviction que tous les désastres successifs attachés à ce lieu étaient son fait, et dus uniquement à sa volonté maléfique. Mais, en dehors de cela, je ne prétends pas porter sur lui et son comportement un jugement quelconque : je me borne à mes très égoïstes observations. D'ailleurs passionnantes. Lui souriait, sans jamais se compromettre. Cependant, un jour, il m'a dit :

– Moi, je ne resterai pas tout le temps à Paris. Je te demande deux choses : si tu me rencontres ailleurs que par ici (son geste circulaire voulait englober la Mouffe, la Maube et la Montagne), agis comme si tu ne m'avais jamais vu. Il sera toujours temps, quand tu le désireras, de « refaire » connaissance…

– Bon. C'est promis. Ensuite ?…

– … Il se peut que tu aies des relations… des architectes… des gens de la Ville…

– Ça pourrait se trouver, en effet. Alors ?

– Alors, fais ce que tu veux, raconte n'importe quoi, mais il faut mettre tout en œuvre pour qu'on ne s'avise pas de construire quoi que ce soit, avant longtemps, très longtemps, à l'endroit que tu sais.

– Mais pourquoi ?... Qu'est-ce qui arriverait ?

– Des catastrophes... *sans limites*... je n'y peux plus rien...

– Je te promets d'y veiller. Même un jour j'écrirai ça quelque part.

– Ce serait encore le mieux...

Dolly-Longue-à-Jouir, lancée à ma recherche, m'empêche de traverser la rue de la Huchette. Elle a couvert des kilomètres de pavés et d'asphalte avant de me mettre la main dessus. D'une poigne qui sait ce qu'elle veut, elle m'entraîne à Saint-Séverin. Dans l'église. Là au moins on est tranquille.

– Il s'est passé quelque chose ?

– Oui... Non. Oui et non.

– Danse-Toujours ?...

– Au vert. Ça barde. Faut qu'il se planque.

– Qu'est-ce qu'il a fait encore ?

– Le Corse...

Un geste discret mais nerveux, pour signifier que nous n'en sommes plus aux détails.

– Et moi, dans tout ça, je peux quoi ?

Elle se rapproche très près. Un chuchotement :

– On n'a plus confiance qu'en vous. Faut lui porter un truc...

Elle extrait de son sac un paquet ficelé dans du papier d'emballage.

– C'est quoi ?

– Deux millions.

– Bon. Où ?...

Une adresse, ou une histoire de fous ? Rue des Terres-au-Curé. Ça existe, ça, dans Paris ?

Mais oui. C'est à la porte d'Ivry. Il y a de la verdure, des maisons basses. Très peu d'Allemands. Pas de flics. Dans ce petit restaurant propret, Danse-Toujours m'accueille avec des égards et salamalecs auxquels je ne suis guère habitué.

En mettant le paquet dans sa poche, il m'a dit :

— As-tu besoin de quelque chose ?

J'ai fait :

— Immédiatement, non.

— C'est mieux comme ça. Tout à l'heure on parlera. Mais ne me pose pas de questions.

Nous fîmes un tour. Dans ce quartier retiré, beaucoup de gens vivent aussi de la petite brocante. Nous entrâmes dans une boutique au sol de terre battue, une sorte de resserre, de caverne d'Ali-Baba emplie des objets les plus disparates et apparemment les plus inutiles. Le patron est un Juif polonais tout petit, hilare et dont le vocabulaire français comporte au plus cinquante mots. Il a trouvé moyen d'installer un bar dans un coin de son antre. Il nous verse d'excellente mirabelle.

— Tu vois, papa Popovitch, c'est la crème des types, déclare Danse-Toujours. Du moment que c'est moi qui te présente, tu peux lui demander n'importe quoi. Même des choses dangereuses, et c'est bon à savoir.

Le bonhomme a sa manière à lui d'acquiescer : il éclate de rire. Je m'étonne du fait que ce vieux type ne semble guère se soucier des rafles et des misères de toutes sortes dont on accable ses congénères.

— Il s'est fait recenser à Gentilly, explique Danse-Toujours, mais il vit dans le coin. Aucun risque. Tu vois, ce secteur-ci est en dehors du circuit que je t'avais tracé un jour ; mais tu pourras compléter la carte, tracer une ligne depuis la place d'Italie. C'est Paris qui s'agrandit, petit à petit. Il lui faut beaucoup de temps et de patience avant d'adopter un nouveau village…

Danse-Toujours m'a signifié qu'il ne désirait pas plus que ça me voir partager ses propres soucis.

— Mes affaires c'est mes oignons, ça ne servirait de rien que je t'entraîne dans des turbins. Faut que je file en province. Ça sent le brûlé ici.

Je fais :

– Et ton « Corse » ? Tu l'as revu ?

Il a mis toute la réponse dans son regard, en disant calmement :

– Si par hasard tu le croises dans la rue, et que tu n'aimes pas les revenants, change de trottoir.

Danse-Toujours a rangé dans une enveloppe deux pages de cahier couvertes de son écriture droite et fine. Ce sont des adresses – presque uniquement des débits de boissons, des téléphones, des noms tels que Chapeau-l'Arnaque, aux Tonneaux de huit heures à minuit : Dora la Rousse, passage Ramey à cinq heures, et cætera. Tous ces gens, sur la seule recommandation de mon ami, me doivent aide inconsidérée et illimitée en cas de besoin. Ceci est fort précieux. Mais ce n'est pas tout. Danse-Toujours enfourche son dada et tient à me faire ses dernières recommandations, car il se pourrait que nous ne nous revoyions plus jamais. Il m'indique, cette fois avec un extraordinaire luxe de détails, quels sont dans Paris les lieux où une affaire de telle ou telle nature doit être de préférence fomentée, discutée et conclue ; et surtout, les endroits qu'en l'occurrence il convient d'éviter. C'est une sorte d'initiation aux courants mystérieux qui font palpiter la Ville dans ses veines les plus secrètes. Danse-Toujours m'a dit encore un certain nombre de choses époustouflantes qu'il m'est interdit de divulguer. Sa phrase finale surtout, qui tient en huit paroles. Et brusquement il me plante là, me serre la main et file, sans se retourner, vers le boulevard extérieur.

LES « BOESMIENS » ET PARIS

Depuis un moment, je me sentais suivi, pisté plus exactement. J'avais beau employer toutes les ruses usitées en pareil
cas – brusques volte-face, arrêts prolongés devant les vitrines
qui réfléchissent l'enfilade de la rue – je n'apercevais personne. Pourtant, je ne *peux* pas me tromper. Enfin je fus rassuré : c'était le Gitan, qui m'aborda le sourire aux lèvres, après
que Danse-Toujours se fut éloigné.

– Moi, je ne t'aurais pas adressé la parole. Souviens-toi de
ce que tu m'as fait promettre…

– Oh ! Je m'en souviens. Et ça compte à partir de ce soir.
Mais, auparavant, je voulais te voir une dernière fois.

– Comment tu savais que j'étais dans ce quartier ?

– Quand je *veux* retrouver quelqu'un, je sais m'y prendre.

– Quoi de neuf ?

– Voilà. Je quitte Paris pour assez longtemps. Il faut que je
change de nom.

– À cause de la police ?

– Pas du tout. Une histoire de… de famille. Je te raconterai
peut-être un jour.

– Alors, tu voudrais un jeu de faux papiers ?

– Pas besoin. Nous aussi, on a nos combines…

– Besoin d'argent ?

Son sourire s'épanouit.

– Non, non. Je t'ai choisi comme parrain : tu vas me dire le
prénom que je porterai pendant sept ans.

Ce qu'il m'a appris, j'aurai le droit de le raconter plus tard.

Hier, entre onze heures et minuit, à un emplacement consacré,
rue Saint-Médard, je me suis, sur les instructions du Gitan,
conformé aux rites de sa tribu. Nous avions un verre empli de vin.
À l'aide d'une lame de rasoir, nous avons chacun pratiqué une
légère incision dans notre poignet gauche. Quelques gouttes de
sang sont tombées dans le pinard, que nous bûmes en quatre gorgées – deux chacun. Le Gitan désormais se nommera Gabriel.

Je savais déjà pas mal de choses : j'ai eu maintes fois la joie, lorsque entre mes mains échouait un document rare, lorsque mon regard s'arrêtait sur les pages oubliées d'un bouquin trois fois centenaire, de constater que ce que je venais d'apprendre corroborait des intuitions qui n'avaient même plus besoin d'une preuve extérieure pour devenir certitudes. Mais Danse-Toujours et le Gitan, ce dernier surtout, m'ont ouvert des horizons nouveaux, et j'étais loin de les soupçonner aussi vastes. Je n'ai pu me défendre d'aller rôder une nouvelle fois, seul, rue de Bièvre. Après avoir salué l'endroit maudit, je me suis surpris longeant les grilles de l'archevêché et j'ai porté mes pas vers l'île Saint-Louis, *île de ma douceur brumeuse...*, cette enclave de calme confiant, ce vaisseau de pierres pensives avec qui, certaines nuits, à certaines heures, j'ai l'impression de communier. En franchissant la passerelle, l'idée m'est venue que le Gitan n'était pas le seul de sa race à avoir jeté le mauvais sort sur un lieu de la galère parisienne. Une chronique de 1427, en pleine guerre de Cent Ans, nous rapporte que, le 17 avril de cette même année, parvinrent jusqu'à la Cité « douze Penanciers », c'est-à-dire : « Pénitents, comme ilz disoient, un Duc, un Comte et dix hommes à cheval qui se qualifioient Chrestiens de la Basse-Égypte chassez par les Sarrazins qui estant venuz vers le Pape confesser leurs pêchiéz, receurent pour pénitence d'aller sept ans de par le monde sans coucher en lict. Leur suitte estoit d'environ 120 personnes, tant hommes que femmes & enfants restans de 1 200 qu'ils estoient à leur départ. On les avait logés au villaige de La Chapelle où on les alloit voir en foulle. Ilz avoient les oreilles percées où pendoit une boucle d'argent. Leurs cheveux estoient noirs et crespés, leurs femmes très laides, sorcières, larronnesses, & diseuses de bonne aventure... »

Les « Boesmiens » se virent d'emblée bannis de la Cité où ils comptaient se livrer à de « spectaculaires dévotions ». Devant l'intransigeance de messieurs de la Maréchaussée, ils tentèrent d'ameuter la foule, toujours généreuse, des bada encadre, on les force de prendre le bac ; on les fournées, sur les berges de l'île Notre-dame, actuelle proue de l'île Saint-Louis, en attendant de les refouler plus loin. Ce bannissement rapide ne fut point de leur goût : et voici nos « pénitents » qui jettent le masque et attachent le maléfice au bras de Seine qu'on les avait forcés de franchir.

Depuis, en cet endroit précis, il se passa des choses…

En 1634, le « Pont de Bois », entrepris par Marie, n'était qu' « un chemin de quatre toises, et des garde-fols de chaque costé » … On l'inaugure par une procession jubilaire. Trois paroisses envahissent en même temps notre passerelle, qui s'écroule. Vingt noyés, quarante blessés. En 1709, on doit démolir ce qui restait du pont, fort ébranlé par les glaçons que charriait la Seine. On le reconstruit en 1717 : on le peint en rouge, d'où le nom de « Pont Rouge » perpétué par la taverne située au coin du quai. Le pont accuse bientôt une inexplicable faiblesse. On l'interdit aux voitures. En 1819, il faut reconstruire les arches. Dès 1842, le pont maudit, à nouveau, menace ruine. On bâtit une passerelle provisoire en fil de fer, puis, en pierre, le pont Saint-Louis… qui s'effondre, d'un bloc, en décembre 1939.

Depuis, cette affreuse cage de fortune, plancher de bois et croisillons de fer, relie les deux îles…

« Où mon cheval a passé », disait Attila…

Je ne crois pas que l'on doive pour autant assimiler les bohémiens à des oiseaux de mauvais augure. Ils rendent le mal pour le mal et le bien pour le bien. Mais au centuple. Leur pouvoir semble les dépasser. J'en ai connu en Espagne qui lisaient dans les étoiles ; en Allemagne, qui guérissaient les brûlures ; en Camargue, qui soignaient les chevaux et savaient adoucir, chez les bêtes comme chez les femmes, les douleurs de l'enfantement.

Il est des êtres humains qui échappent aux humaines lois. Le malheur est peut-être qu'ils ne le sachent pas tous.

En attendant, je livre ici une idée toute gratuite : le jour où les frontières d'Europe et d'ailleurs seront, comme jadis, perméables aux passages des tribus nomades que d'aucuns veulent « inquiétantes », il serait intéressant que des chercheurs fondés en astronomie (mais oui) se penchassent, calendriers, carte du ciel et de la terre en main, sur les circuits itinérants des Tziganes migrateurs.

Peut-être comprendront-ils que ces voyages lents, et apparemment sans but, répondent à des exigences cosmiques. Comme les guerres. Comme les migrations...

Les Tziganes furent persécutés, en France et ailleurs, de façon sauvage, maladroite, imbécile et cyclique. Presque autant que les Juifs. À Paris, on les parqua, de siècle en siècle, hors des limites successives de la Ville. Les États d'Orléans, en 1560, les condamnèrent au bannissement, sous peine de la hart ou des galères, s'ils osaient reparaître. Soufferts dans quelques contrées que divisait l'hérésie, chassés en d'autres lieux comme descendants de Cham, inventeur de la magie, ils ne paraissaient nulle part que comme une plaie.

Ce sont les gens assoiffés de merveilleux qui osaient aller à leur rencontre, au-delà des barrières et des murailles. De nos jours, il en existe d' « honorables », d' « assimilés » – quel affreux mot ! – et soucieux de cacher soigneusement leur origine, sauf à ceux dont ils savent – dont ils ressentent – qu'ils leur apportent une sympathie spontanée.

Je ne résiste pas au plaisir de restituer ici une légende du XVe siècle. Elle s'attache à l'effigie d'une vierge qui autrefois ornait le chœur de la chapelle Saint-Aignan, dont on découvre encore des vestiges dans la Cité, rue des Ursins, tout près de Notre-Dame.

À la fenêtre d'une maison basse, une jeune fille cousait et ravaudait les vêtements de sa famille. Sous ses yeux, au-dehors, jouaient des enfants : ses propres frères cadets, et les fils des voisins.

Par un chaud après-midi, un ménestrel tzigane dirigeait ses pas vers le parvis de Saint-Julien-le-Pauvre où, comme c'était la coutume, les chanteurs, musiciens, conteurs d'histoires, montreurs de bêtes, contorsionnistes, venaient faire en plein vent la démonstration de leurs talents et louer leurs services aux intendants des châteaux proches ou lointains.

Le Tzigane s'était arrêté au milieu d'une petite place bordée de maisons trapues. À l'une d'entre elles était accotée la margelle d'un puits.

Des femmes bavardaient autour. Le Tzigane avait extrait de sa housse de toile verte une viole : il l'avait patiemment accordée.

Les enfants, attirés par la prestance du jeune homme à la peau de bronze, par les couleurs chatoyantes de ses vêtements à la coupe inusitée, par la forme étrange de l'instrument, étaient accourus.

Le Tzigane s'était placé près de la jeune fille : il l'avait contemplée longuement.

Les cheveux de l'adolescente, ainsi que le voulait la mode du temps, étaient nattés et relevés le long des joues. Un voile d'étoffe blanche couronnait son visage à la beauté si parfaite que sa douceur, sa finesse, la pureté de son ovale étaient déjà légendaires : un moine ne s'en était-il point inspiré pour peindre la vierge qui surmontait le chœur, dans la chapelle Saint-Aignan ?

Le Tzigane commença de jouer : et la mélodie qui s'éleva était si prenante, si persuasive, le son de l'instrument si pénétrant, que les gens, silencieux et figés, se maintinrent d'eux-mêmes sous le charme ; car le charme existait. Mais il n'était point destiné à s'exercer sur les enfants, ni sur les femmes muettes d'admiration et de stupeur. La jeune fille avait compris que le bohémien jouait pour elle, et pour elle seule. Le départ du musicien, qui, contre toute attente, s'était abstenu de solliciter une quelconque obole, la laissa envahie d'une langueur heureuse. Dans sa tête candide commencèrent de germer des rêves inconnus.

Les jours suivants, le Tzigane revint, à la même heure, jouer au même endroit. Son regard s'était enhardi jusqu'à rencontrer celui de la jeune fille : il devait y lire tant d'admiration, de reconnaissance, d'étonnement mêlés à un désir à la fois violent et imprécis, que la partie magique à laquelle il se livrait semblait lui être favorable. Lorsqu'il eut la certitude d'avoir gagné – à quelle cause démoniaque ? – l'âme de la blonde enfant, il attaqua un air bizarre, lancinant d'abord, inquiétant, et puis obsédant, et qui, de plus en plus rapide et toujours sur le même motif, semblait vouloir entraîner les maisons, les pierres, le soleil et les gens dans une sarabande effrénée.

Il termina brusquement, sur un son aigu. Il s'en alla très vite, sans se retourner, et disparut dans les étroites ruelles qui conduisaient vers la cathédrale.

Il fut impossible à la jeune fille de cacher aux siens combien le Tzigane avait impressionné de façon profonde – et inconnue – son cœur et ses sens. Aussi son père avait-il pris ombrage de l'insistance du « baladin » à venir devant sa fenêtre libérer ses airs ensorcelants ; il se disposait à l'en chasser lorsque le bohémien avait quitté la place.

Le soir même, la jeune fille, prise d'une fièvre soudaine, se mit à trembler et à délirer. Sa mère la veillait.

– Mère, le Tzigane m'appelle... C'est moi qu'il attire avec son violon... Il joue en marchant, et des gens courent vers lui, des gens multicolores...

– Ce sont les couleurs des derniers nuages. Il fera nuit tout à l'heure. Dors...

– Il m'appelle, le Tzigane, le Tzigane ! Tout le monde danse autour de lui... Ils sont nombreux... Je ne vois pas leurs visages... Je vais, je veux le rejoindre ! Je pars... C'est moi, moi qu'il appelle !...

On ne put que mander un prêtre. Dès avant minuit, il disait la prière des agonisants.

Personne jamais ne sut ce qu'était devenu le bohémien ; une fois de plus, on chassa de la Cité tous les nomades étrangers, que l'on voulut expulser du royaume.

Beaucoup de gens crurent voir, à la chapelle Saint-Aignan, la vierge au pur visage qui surmontait le chœur bouger et brunir, pendant la messe des morts.

Qui donc inspira la légende du roi des Aulnes (Der Erlenkönig) au poète allemand ?

... Je dois laisser ici place à la grande voix de Kostis Palamas :

« La musique se fait chair et s'épanouit en un monde nouveau, en un homme nouveau... Celui-là, le dernier-né, le fils de la musique et de l'amour, se dressera triomphateur sur une large terre, prophète d'une âme plus large encore...

« Prenez-moi dans vos bras, a-t-il dit, et écoutez, ô vous, grandes forêts innocentes ! Et nous l'avons enclos dans notre rêve et la voix de la lyre chantante a tout absorbé, est devenue un gouffre, est devenue un rêve et une incantation : nous sommes devenus un temple, et lui un chantre, un prophète, un dieu de l'harmonie... »

Ô Bohémiens de ma Bohème ! Il est heureux que les malédictions, les anathèmes jetés contre vous depuis des siècles n'aient point entamé la fraternité vigilante de vos chantres fidèles.

Chaque jour les paroles – théories, observations, conseils et mises en garde – que me dispensèrent Danse-Toujours et le Gitan se vérifient et prennent un sens plus profond.

– Ce n'est pas pour rien qu'il existe tant de bistrots dans Paris, affirmait Danse-Toujours. Ce n'est pas tellement pour boire que tant de gens y sont tout le temps fourrés. C'est pour se rencontrer, se réunir, se rassembler – se rassurer. Oui, se rassurer : les gens s'emmerdent tout le temps, et ils ont la trouille, la trouille de la solitude et de l'ennui. Et puis ils portent tous dans leur au-dedans leur bonne petite trouille-maison : la peur de la mort, tous aussi je m'enfoutistes qu'ils aient l'air. Pour ne pas y penser ils feraient n'importe quoi.

N'oublie pas que c'est avec cette trouille-là qu'on a bâti tous les temples et toutes les églises. Alors, dans des villes comme celle-ci où quarante races se mélangent, tout le monde découvre toujours quelque chose à se dire. Mais voilà ce qu'il faut que tu saches : quand tu te trouves bien dans un troquet, que tu as décidé d'y revenir souvent, d'y rencontrer tes potes, si tu veux t'y tenir à l'aise et ne pas trouver au mauvais moment de cailloux dans l'engrenage, colle-toi dans un coinsteau, fais ta correspondance, lis, tâche de casser la croûte sur place et observe ce qui se passe pendant une grande journaille. Au moins deux fois dans le jour, et trois fois si ton bouchon est ouvert la nuit, il y a le moment du « temps pour rien ». C'est tous les jours à la même heure et à la même minute ; mais ça change suivant les endroits. Les gens parlent, ils se racontent leurs trucs, ils trinquent, et, paf ! la seconde de silence, où tout le monde reste immobile, le verre en l'air et les yeux arrêtés. Tout de suite après le boucan remet ça ; mais ta seconde où rien n'arrive, elle peut durer des cinq, des dix minutes. Et pendant ce temps-là, dehors et partout ailleurs, la vie, la vie des autres continue plus vite, beaucoup plus vite, comme une avalanche. Si tu es prévenu et que tu profites de ce moment-là pour ne pas lâcher les pédales et dire ton mot, tu es sûr d'être écouté, et même *obéi* si c'est nécessaire. Tu verras : fais-en l'expérience.

C'est absolument vrai. Aux Grilles Pataillot, rue Frédéric-Sauton, le premier « temps pour rien » est à midi trente-six. Je m'y trouvais, par hasard, voici trois semaines. Il y avait là Jean le matelassier, un brave bougre de type tout simple ; et, parmi une dizaine d'habitués, deux jeunes ménagères que tout le monde connaît, Jeannine et Thérèse. Elles sont très copines et ont l'habitude de faire leurs commissions ensemble. La « seconde à blanc » est arrivée ; et pendant cette seconde-là, Jean, qui suivait le fil de ses pensées – d'ordinaire plutôt indigentes – dit en regardant les filles : *Tiens ! Coquette et Cocodette.* C'est tout. Deux mots comme ça. N'importe qui aurait pu émettre n'importe quelles autres paroles : mais le *moment* voulait que ces deux mots prennent un tel poids, une telle résonance qu'ils ont fait fortune. Depuis ce jour-là, dans tout le quartier, ce ne sont plus Jeannine et Thérèse, mais Coquette et Cocodette que l'on a rencontrées faisant leur marché.

On ne m'ôtera pas de l'idée que les meneurs d'hommes, ces sortes de furoncles, d'abcès à demi conscients tirant à eux, comme des humeurs délétères, les foules fiévreuses, possèdent la science infuse du temps sclérosé. Ils jouent avec les secondes vides comme sur un damier. Une fraction de temps fixé, figé, de temps *mort*, enfoncée comme un coin dans les rouages les plus merveilleusement huilés du plus lucide des esprits : et voilà tout le mécanisme foutu par terre, prêt à assimiler toutes les disciplines, prêt à entériner les plus monstrueuses aberrations, collectives surtout.

Il faut avoir, ce qui est mon cas, assisté une fois à la cérémonie du « Licht-Dom » pour comprendre le fait nazi, en saisir la stérile grandeur et en mesurer le vrai danger, qui ne s'éteindra pas avec l'écrasement de la Wehrmacht.

Cyril s'entraîne à développer jusqu'à l'exaspération ses facultés « réceptrices ». Il prétend maintenant être en mesure de détecter, à distance ou presque, un *vrai nazi* d'un simple feldgrau. C'est dans le métro surtout qu'il se livre à ce petit jeu. Il avise un Fritz qui lui tourne le dos. Il tâche de s'en approcher, et fait appel à toutes ses antennes. Diagnostic. Après il n'y a plus qu'à vérifier. Ceux qui, avant 1939, étaient membres du parti ou de la Hitlerjugend portent un insigne violet et noir. Il paraît qu'il ne se trompe jamais.

Ce que je faisais jusqu'à maintenant n'était pas, à mon goût, assez « sportif ». Il y a du danger, bien entendu – le tout est de ne pas se faire prendre –, mais ce n'est jamais qu'un travail de fonctionnaire clandestin. Alors je ne fais plus cas des consignes formelles qui m'interdisent toute autre activité que mes missions officielles.

Je distribue comme des prospectus des faux papiers à qui m'en demande. Je planque des évadés, des parachutistes. J'ai fait passer en zone sud des Autrichiens déserteurs. À présent, je risque vraiment beaucoup. Mais la chance ne me lâche plus : ma ville veille sur moi.

Je suis tout de même allé un peu trop loin en donnant mon adresse à Oscar Heisserer. C'est un gars de mon régiment. Nous nous sommes reconnus dans la rue. Il est alsacien : il s'en fallait de cent cinquante mètres qu'il fût allemand. Il parle français sans accent, mais sa langue maternelle est celle de Goethe. Je me souviens qu'il n'était pas très chaud pour la « drôle de guerre ». Prisonnier, il fut tout de suite très copain avec les Fridolins. Un peu plus peut-être qu'il n'eût convenu. Ses camarades – il leur servait d'interprète et d' « homme de confiance » – ne l'aimaient pas, et entre eux le désignaient comme un faux jeton. Libéré comme « Volksdeutsche », il ne s'en ressent guère pour endosser l'uniforme vert-de-gris et aller faire un tour du côté de la Volga. Je lui ai confectionné un jeu de papiers au nom de Lagarde. Certificats de recensement, de travail, tout le toutim. Cependant, je le sais très impressionné par l' « ordre » allemand, très intoxiqué, peut-être depuis avant la guerre, par la propagande nazie. C'est par excellence le type dont on doit se méfier. J'ai été d'une imprudence folle. Mais il est torturé par le doute, et j'aime jouer avec ça.

ZOLTAN
LE MAÎTRE À SE SOUVENIR

J'ai aussi « mes » flics. Ceux-là sont francs comme l'or. Le plus précieux, le plus chic type aussi, est Jean Lecardeur. Cet énorme patapouf ne porte plus la tenue depuis au moins quinze ans. Il fait fonction d'inspecteur aux Halles, où ses attributions consistent à répartir les « médailles » – ou insignes des porteurs autorisés. Il habite Sainte-Geneviève-des-Bois, à proximité de Brétigny, et chaque matin m'apporte les rapports de mes agents de liaison dont certains sont employés sur le camp même. Lecardeur s'occupe de mes « enfants », comme il dit, qu'il ravitaille en légumes, fruits et parfois en viande.

L'autre jour, il m'a confié son embarras. Il s'est empêtré d'un heimatlos, un Hongrois nommé Zoltan, qui a une fois pour toutes signé sa propre paix séparée avec tout ce qui se bagarre, Axe ou pas Axe, et n'en pince guère pour aller grossir les troupes de l'amiral Horthy.

Ses pérégrinations longues et mouvementées à travers l'Europe centrale avaient trouvé leur aboutissement logique : en 1938, Zoltan s'était fixé à Paris, où il comptait enfin se construire une existence paisible et exempte d'imprévus. Vingt années d'aventures et de fortunes diverses avaient enrichi son esprit d'assez de souvenirs pour peupler les trois ou quatre heures de rêvasserie béate que Zoltan s'octroyait chaque jour, quelle que fût l'opportunité du moment.

Dès l'âge de douze ans employé d'un cirque dans sa Budapest natale, Zoltan Hazaï fut tour à tour apprenti pâtissier à Belgrade, tenancier de gargote louche à Salonique, docker à Tultcha sur le Danube.

Il embarqua sur un vaisseau russe et durant deux années empila des caisses sur les quais d'Odessa. Après quoi, parcourut la Pologne, le nord de l'Allemagne, et se trouvait en France lorsque éclata la « guerre pour rire ». Il fut, on ne sait trop pourquoi, suspecté par les autorités de police et ne dut qu'au désarroi provoqué par la ruée allemande en juin 1940 de n'avoir pas connu la douceur de nos propres camps de concentration (lesquels, depuis l'exode des républicains espagnols, ne seront jamais pour notre pays un titre de gloire, il s'en faut).

Depuis l'occupation, c'est autre chose. Zoltan se faufile, se terre, fait le naïf. Mais il faut vivre. Possesseur d'une imposante musculature, notre homme trouve de temps en temps à s'employer aux Halles.

C'est ainsi que Jean Lecardeur, dont le devoir était de

remettre notre « insoumis » aux services des Étrangers de la Préfecture, c'est-à-dire aux Allemands, en fit son protégé.

– Il parle allemand, russe, toutes les langues de l'Est… Faudrait falsifier ses papiers… Il pourrait nous servir…

Oui, mais je ne puis improviser Parisien cet homme au parler encore trop hésitant : en France, il n'a guère fréquenté que des Juifs, des Polonais ou des manouches. En outre, sa stature ne lui permet pas de passer inaperçu. Nous lui avons trouvé une place d'homme de peine chez un entrepreneur de charpente, à Clamart. Et c'est bien ainsi. D'après Lecardeur, le Hongrois ressent un tel besoin de dépenser son énergie physique qu'il recherche, en dehors de son travail, et accomplit avec joie les corvées les plus pénibles. Je suis allé le voir deux fois : son intelligence évidente, son expérience des hommes, son indulgence patiente pour les personnes butées ou fanatiques m'étonnent agréablement. Pour lui permettre de perfectionner son français, je lui ai prêté la série des romans de Panaït Istrati : *Kyra Kyralina*, *l'Oncle Angel*… Il les dévore et a déjà accompli, en très peu de jours, des progrès stupéfiants.

LE VIEUX D'APRÈS MINUIT

Il pleuvait dans la rue. Toute la journée, une bruine persistante avait imprégné les vêtements, les visages, les murs même d'une sorte d'humeur glacée qui semblait suinter du dedans. Nous étions réunis, avec l'équipe des peintres, aux « Quatre-Fesses ».

Les uns et les autres languides et transis, nous avions commandé timidement, chacun pour soi, des consommations de piètre aloi : bibine ou vin blanc vert. Quand Olga, une brune aux cheveux très courts, un peu pot à tabac, se fut assurée qu'aucun d'entre nous n'était en mesure de faire des folies, elle dit : « C'est bien. Pour ce soir, vous êtes mes invités. » Aussi sec elle déboucha un litre de punch, qu'elle mit incontinent à chauffer à grand feu.

Le climat fut vite rétabli. Sur la pluie, nous avions tous notre mot à dire, et nous nous mîmes à palabrer. Dans le courant de la soirée, Gérard fit cadeau à Olga d'une de ses toiles qu'il portait avec lui.

Moi je donnai à Suzy, son amie, des gravures que j'avais là par hasard. Et Paquito – une nouvelle recrue – s'offrit pour, dès le lendemain matin, aller chercher le charbon dans la resserre, au fond de la cour. Ces manifestations de bonne volonté généreuse attendrirent à ce point Olga et sa compagne que les punches alternèrent avec un certain beaujolais, accompagné d'un casse-croûte improvisé.

Dehors, la pluie s'enhardissait. Devenue moins sournoise, elle tambourinait farouchement, et, parfois, une rafale hargneuse la couchait et la projetait dans la vitrine. Olga nous demanda un coup de main pour baisser le rideau et boucler la porte. Ainsi nous serions plus tranquilles. Qui pouvait-on attendre, si tard, avec un temps pareil ?

C'est alors qu'elle apparut sur le seuil, essoufflée d'avoir couru, ruisselante, son chapeau à la main. Très belle. Vraiment très belle. Elle donnait l'impression d'être tombée avec la pluie, et, en épongeant son visage, d'avaler des larmes d'enfant.

Son nom était Élisabeth. Elle attendait, sans trop d'impatience, que la pluie cessât pour partir. Elle nous dévisageait à tour de rôle. Elle s'étonnait probablement qu'après lui avoir demandé son nom personne d'entre nous n'ait éprouvé le besoin de lui poser d'autres questions.

C'était de crainte d'être déçus, de la découvrir stupide ou vraiment très impure. Elle nous suffisait telle quelle. Ses cheveux trempés, sa frimousse délavée lui conféraient des grâces d'ondine.

Olga lui avait pris, pour le mettre à sécher près du poêle, son méchant manteau.

La pluie redoublait, on l'entendait crépiter sur l'asphalte et sur les toits. Nous avions éteint la lumière visible de l'extérieur. Blottis dans la pénombre, serrés les uns auprès des autres, nous étions prêts à nous dire à mi-voix, chacun à notre tour, l'un des poèmes qui hantent nos mémoires.

À ce moment, des freins crissèrent devant la porte. Au rideau de fer, on frappa deux coups rapides – puis deux autres espacés. « C'est Edmond, fit Olga. Je vais lui ouvrir. »

Elle passa par le couloir.

– Alors quoi, pas moyen là-d'dans !…

Mon pote Edmond, flanqué de son inséparable Bucaille, se dandinait en s'ébrouant. Bien entendu, ils commandèrent à boire – pour tout l' monde, c'te bonne blague !

Nous aimions bien Edmond et Bucaille. Malgré cela, ils avaient rompu le charme naissant et nous étions déçus. Moi, je leur en voulais.

Ça ne rata pas. Après avoir lancé quelques bourdes de charretiers, pas trop salées tout de même, à cause de la présence d'Élisabeth, voilà nos deux compères qui sortent blocs et crayons et se mettent à faire leurs comptes. Au bout de deux minutes, ils criaient et s'injuriaient, à croire qu'ils allaient se bouffer le nez.

Edmond avait posé devant lui de vieux livres sauvés du pilon. Les copains et moi, nous nous mîmes à les compulser. La discussion entre les deux chiffonniers n'en finissait pas. Pour moi qui n'y entends goutte, je crois avoir compris que l'un reprochait à l'autre de lui avoir vendu du cuivre plus cher qu'au cours du jour. Ils finirent par se lancer des chiffres à la tête : « Cent quatre-vingts ! – Deux cent cinq ! » Alors, de derrière le poêle, de derrière nous autres, une petite voix aiguë et chevrotante, mais très calme : « Cent quatre-vingt-huit ! Ça a flanché de six francs depuis avant-hier. »

… J'ai eu tout le loisir de constater que les cheveux et la barbe du Vieux d'après Minuit étaient lissés et bien secs, comme s'il eût été étranger au temps qu'il faisait, ou qu'il fût surgi d'un souterrain dont nul ne connaissait l'issue.

Il demanda du lait chaud, nous regarda avec bonne humeur.

– Alors, les enfants.

Il désigna Élisabeth :

– Qui c'est, la petite ?

– Une amie, fit Gérard.

– Élisabeth, dit l'ondine, avec un sourire.

Le Vieux caressait sa barbe de son long geste familier.

– Élisabeth… Mmmmm… oui… c'est joli.

Sur le linteau extérieur, les ongles de la pluie tapaient le pas gymnastique.

– Où elle habite, la demoiselle ? demanda Edmond.

– Rue d'Ulm, au-dessus du Panthéon, chez ma tante…

– J'ai la camionnette. Pas la peine de vous mouiller les pinceaux. Dès cinq heures, on vous conduira. Jusque-là, vous n'avez plus qu'à prendre vos aises…

Edmond, Bucaille et Paquito entamèrent une partie de cartes.

Olga et Suzy somnolaient, enlacées.

Gérard découvrait une feuille de Canson et commença d'esquisser un portrait de la jeune fille.

Selon mon habitude, j'avais tendu à la ronde mon paquet de cigarettes. Le Vieux a remercié d'un sourire entendu, d'un sourire qui voulait dire : « Comment voulez-vous que *Moi*, je fume ?… »

Pourtant il boit du lait, et d'autres fois, du vin. Alors ?…

Rien à faire pour lui parler. Je sais qu'il ne répond jamais aux questions directes, surtout le concernant. Mais ce n'était pas une raison pour me trouver aussi timide, et peu entreprenant. Jusqu'ici je connaissais la peur – pas la crainte. Je me trouvais ainsi, muet et bébête, près du Vieux, et j'éprouvais l'absence complète de rayonnement, de projections de chaleur ou de tous autres effluves émanant de sa part. J'étais intimidé par une pierre mouvante. Le Vieux lisait en moi, et souriait. Il ne sait pas, il ne peut pas savoir ricaner. Ce fut lui qui rompit la glace.

– Qu'est-il advenu du Polonais qu'un jour vous avez amené rue de Bièvre ? Vous sembliez très inquiet sur son compte.

Je remarque qu'à moi il dit « vous ». D'habitude, à ce qu'il me semblait, il tutoyait tout le monde. Sa question me bouleverse. Combien de fois ai-je pensé à cette minute où j'ai senti la mort rôder et faire l'inventaire, comme chez elle. J'essaie de réagir : « Mais ça s'est passé pendant la journée. Vous n'étiez pas là. Comment pouvez-vous… »

Pour me faire taire, un geste de la main, et le même sourire entendu, qui cette fois signifiait ou à peu près : comment voulez-vous que je ne *sache* pas quelque chose ?

Je capitule. « … Le gars s'en est tiré. Il n'est plus en France. Il s'entraîne ailleurs, en attendant de rambiner au truc… » Et je fais : Bzzz… bzzz… en indiquant le plafond. Le Vieux me regarde fixement : « Pas de nouvelles de Danse-toujours ?… »

– Non. Parce que je ne *veux pas* en avoir. Je sais qu'il vit et ça me suffit. Pourquoi me demandez-vous cela ?

– Je ne sais pas lequel des deux aurait mieux fait de ne pas trop fréquenter l'autre… Mais vous étiez faits pour vous rencontrer.

Ces paroles furent dites d'un ton qui leur ôtait tout ce qu'on aurait pu y découvrir de méprisant ou d'injurieux. Elles reflétaient surtout un étrange regret. Les « pouvoirs » du Vieux d'après Minuit seraient-ils restreints à ce point ?

J'ai eu tout le temps de revivre l'instant terrible où, sentant Watsek *désigné*, j'employai toutes mes forces à tenter d'écarter de lui, au moins pour cette fois, le sort funeste. Comme d'autres eussent prié avec la plus « concentrée » des ferveurs.

Watsek en a réchappé : seul le jeune mitrailleur fut tué, il *fallait* deux cadavres, cette exigence était dans l'air, et la mort veut son compte. Lequel d'entre les autres… ?

Si j'apprends la mort de Danse-Toujours, même dans vingt ans, j'aurai l'impression d'y être pour quelque chose.

L'ondine était fatiguée, la lumière trop avare. Gérard rangea son dessin et décida de continuer une autre fois ; la jeune fille avait promis de revenir nous voir.

J'empruntai à Gérard une feuille de papier et un bout de

fusain. Je fis du Vieux, qui s'y prêta de bonne grâce, un dessin assez poussé, que je rangeai soigneusement dans le carton de la bande, en attendant de pouvoir le fixer. Me voir m'appliquer tant à reproduire ses traits, surtout à détailler l'une de ses mains, semblait mettre le Vieux en joie. Il ne dit pas pourquoi.

Nous fîmes du café. Cinq heures sonnèrent à Notre-Dame : tout le monde se leva. Dans le remous qui précéda et suivit les adieux, le Vieux s'était résorbé.

Le lendemain, j'achetai du fixatif Lefranc et empruntai à Gérard son vaporisateur, afin de pouvoir conserver le portrait du Vieux que j'estimais assez réussi. J'eus beau explorer le carton, je ne retrouvai pas mon dessin. À la fin, nous sortîmes, un à un, tous les documents rangés. Je reconnus ma feuille, posée bien à plat sur un morceau de nappe blanche. Le dessin était parfaitement effacé, comme si on l'eût passé à la mie de pain. Nous dûmes nettoyer le fond en toile du carton que salissait du fusain en poudre.

Élisabeth revint de temps en temps nous voir. Et puis ce fut une habitude. Très jeune, nouvellement arrivée de sa province. Pas d'autre famille que sa tante, prospectrice de vieux bouquins et documents rares.

Les fonds étaient bas : le « drapeau noir flottait sur la marmite » … La petite n'avait pas de métier, et certes pas une tête ni des mains de servante ou de fille de salle. Nous avions la volonté de l'aider.

Gérard finit par vendre quelques toiles. Paquito recevait de sa famille des subsides assez maigres, mais qui tombaient régulièrement. Séverin se débrouillait en falsifiant des passeports d'étrangers dont le permis de séjour en France était périmé. Pour cela, il se servait de mon propre matériel « fauxfaffes ». Pour moi, je mettais en commun tout ce que je gagnais, en plus de ce qui m'était alloué sur le budget du réseau. Pour tout le monde, la passe était meilleure. Entre-temps, nous avions « admis » Doudou Landier, né à Tahiti, un excellent peintre et sculpteur. Aussi Clément Dulaure, peintre en lettres, « fileur », faux-bois faux-marbre, qui croyait naturel, parce que de temps en temps il reproduisait une carte postale avec l'adresse d'un bon artisan, de s'intégrer à notre groupe. Beaucoup plus jeune que nous, et pas « dans la course », il devint très vite amoureux d'Élisabeth. Amoureux très pur, très transi, très romantique. Outre la cape à la Musset, il lui manquait le balcon, la guitare et la corde à nœuds.

Un jour, entre nous, on ourdit un complot. Dans la chambre de Doudou, qui était spacieuse, on ferait poser Élisabeth, quelques heures par jour : on la paierait, et ce serait bien le diable si l'un de nous ne parvenait pas à en tirer une composition négociable.

Affublée d'oripeaux plus ou moins bizarres, la petite posa avec une guitare, un enfant, un bandonéon, une jarre à huile où nous voulions voir une amphore.

Clément l'amoureux ne nous rejoignait que le soir.

Nos toiles, nos gouaches, nos dessins se sont éparpillés, au gré des négociants en métaux du quartier. Géga surtout fit un peu figure de mécène.

Une fois Élisabeth accepta sans difficulté de poser avec un sein découvert. C'est sans aucune arrière-pensée, et néanmoins avec beaucoup de délicatesse, que nous lui demandâmes de nous donner, chaque jour, quelques poses rapides de nu intégral. Pour lui montrer combien c'était naturel, commun, nécessaire et sans histoire, nous l'avions amenée un jour à la Grande-Chaumière.

Elle accepta, à la condition que nous garderions le secret le plus absolu. Et puis surtout, surtout : « Ne le dites pas à Clément ! Il en serait malade… »

Ah ! Ce corps, cette ligne, cette nacre ! Depuis deux mois, notre émotion rejoint l'antique.

CHAPITRE VIII

L'Angleterre. Cette presqu'île n'est reliée au continent que par le fond de la mer, à cause de la méfiance de ses habitants.

PIERRE MAC ORLAN

Londres, février-mars 1944

Il faut explorer le Londres guindé du temps de guerre, ville à dents serrées, ville à poings fermés, pour se rendre compte qu'en somme, Paris est un peu putain.

Chaque jour, chaque nuit, depuis quelques semaines, Londres saigne, et cache ses blessures avec une impressionnante dignité. Le *dont't show off* règne en maître. De temps à autre, un pétaradant *Doodle Bug* (un V-1) secoue la torpeur du ciel pâteux. Une seconde, parfois deux… trois au plus… de silence. On se figure le gros cigare aux ailerons de squale, qui s'arrête net, bascule, tournoie bêtement et tombe à la verticale. Déflagration. En général, c'est un immeuble entier qui vient d'être détruit.

Il semble que les équipes de secours de la « Civil Defense » obéissent à une très impérieuse consigne de pudeur et de silence. On n'observe jamais d'affolement. Dans cette ville impassible, c'est le détachement qui est panique.

J'ai le devoir de garder le secret sur ce qui se passe à Paris, et surtout au sujet de la mission qui me vaut ici un court séjour. Dans une caserne du Sud, au-delà de Morden, on a construit, en partie sur mes données, une maquette au millième – ce qui est immense – du camp de Brétigny. Les équipages appelés à labourer les pistes et détruire hangars et soutes à munitions de cette importante base de transit étudient minutieusement la topographie du terrain. Tous les deux jours nous parviennent – *secret emergency* – les indications précises d'emplacements des nouvelles pièces de « Flak ». Beau travail s'il en fut.

Je suis affublé d'une tenue bleue de lieutenant aviateur, bien que mon arme d'origine soit l'infanterie. Les milieux français d'ici sont lugubres. On y commente les événements sans que personne fasse preuve non seulement de hauteur de vues, mais du plus élémentaire sens de l'Histoire. À Patriotic School, dans Duke Street, où nous rassemblent des conférences sans intérêt, les gens de passage ne peuvent que s'effarer de l'extraordinaire médiocrité de ceux qui comptent bien devenir un jour des personnages. On s'écœure moins au Saint-James Club où les hommes voués à l'action dînent et choquent leurs pots de stout, jouent au bridge et omettent de parler d'autre chose que de météo, de littérature (oh ! policière…), de cuisine ou de femmes.

L'East End, Whitechapel en particulier, a perdu l'essentiel de son charme un peu perfide qui semble fait pour justifier Mac Orlan.

Chez le père Berlemont, dans Deen Street, on savoure quand même, certains soirs, une portion de gros rire et d'insouciance confiante, un peu bêtasse, qui fleure son boulevard ou ses bords de Seine. Mais c'est bien rare. Frith Street possède le « Mars », restaurant grec où se rassemble un sympathique groupe d'intellectuels de langue française. Aucun d'entre eux ne déclare briguer, dans le futur gouvernement de la France libérée, un poste supérieur à celui de sous-secrétaire d'État. Cette modestie est tout à fait à leur honneur. Mais j'aimerais voir leurs bouilles s'il leur fallait, à Saint-Michel ou aux abords d'une gare parisienne, passer au travers d'une rafle franco-gestapiste, avec les poches bourrées de documents explosifs…

Je nourrissais une idée fixe : celle de retrouver le docteur Garret. C'est fait. Le robuste vieillard est « Major » et donne, à

l'hôpital de West Norwood, des cours aux médecins et infir-
miers étrangers incorporés dans la Home Guard.

Il m'a reconnu tout de suite – après neuf ans ! – et manifesta
une joie qui me transporta d'aise. Il me demanda de quels loisirs je disposais, si j'étais passé récemment « dans le ciel » de
Paris. Il dut comprendre à ma réponse embarrassée que je
n'étais pas maître de mes paroles, quel que fût mon plaisir à
satisfaire sa curiosité. Garret ne me cacha pas son intention
d'accaparer tous mes instants disponibles.

J'ai accepté avec empressement : c'est en compagnie d'un
tel homme que l'on réussit les plus merveilleuses évasions.

Garret habite Harold Road, non loin du collège catholique
de Convent Hill qui récemment fut dévasté par une bombe
volante. Il vit seul dans une chambre exiguë transformée en
laboratoire de fortune – qui tient un peu du bric-à-brac, ce qui
n'est point commun en Angleterre. Mrs. Garret, médecin elle
aussi, dirige un service à l'hôpital de B..., ville du pays de
Galles, où le couple a fixé sa résidence normale.

En temps ordinaire, le docteur Garret ne s'occupe pas de thérapeutique. Ethnologue et biologiste, il donne aux profanes
l'impression de disperser ses activités dans des domaines étran-
gement divers. Pour qui suit ses travaux et connaît son œuvre,
tout correspond à la plus sereine des logiques.

Garret est d'origine écossaise. Il parle admirablement tous
les dialectes des Highlands, aussi le gallois, le gaélique, et les
différentes langues bretonnes. Mais il est absolument imperméable au français.

Il me met au courant de ses dernières recherches, que la
guerre interrompit en partie. Chaque année durant plusieurs
mois, il entreprit de sillonner, outre le sud de l'Angleterre,
l'Écosse, l'Irlande, l'île de Man et jusqu'aux Shetland, à la
recherche d'objets rares qui ont tous une destination particulière : les pratiques de magie, encore extraordinairement
vivaces, paraît-il, dans toutes ces provinces.

Il conserve avec lui, ici même, une partie de ses découvertes : calices d'étain martelé, vidrecomes ouvragés, bracelets d'os ou d'ivoire gravés de signes runiques ; marmites de toutes formes ; livres, parchemins, documents très anciens où des figures géométriques constellent des textes étrangers, certains en latin « sauce anglaise », d'autres gaéliques et même frisons.

Garret a l'ambition d'aménager, après la guerre, un musée consacré à la sorcellerie telle qu'elle fut et est encore pratiquée dans tout le nord-ouest de l'Europe.

Comme je m'étonnais du fait que Garret entachât de bizar-rerie systématique des soucis que je lui avais connus plus « positifs », le docteur se lança dans un long exposé où il affirma que les connaissances humaines étaient de nos jours ridiculement jugulées, que depuis des millénaires l'occultisme avait présidé aux plus extraordinaires manifestations de la science « révélée » aux hommes, et émit l'hypothèse que les civilisations géantes des Memphis et des Ninive, des Carthage et des Babylone n'étaient peut-être pas uniquement le fait de millions d'esclaves abrutis qu'encadrait une élite de gobe-lune.

Il soutint avec force que l'étude des phénomènes paranor-maux devait être poussée à fond, surtout pendant les époques où des troubles graves tels que la guerre présente boulever-saient la planète.

Une alerte a interrompu son monologue, qui ressemblait presque à une prédication.

Je ne crois vraiment pas avoir trahi la cause alliée en avouant à Garret que je venais de Paris et allais y rentrer sous peu. Lui n'est pas retourné en France depuis 1919. Il me demande si le mausolée élevé auprès de l'Arc de Triomphe existe toujours. Il m'accable de questions sur ma vieille ville, et en particulier sur le quartier Saint-Séverin qui semble l'inté-resser plus que les autres. Je suppose que c'est à cause de Huysmans. Je crois être allé au-delà de ses espérances en lui contant par le menu tous les événements insolites dont je fus témoin depuis quelques années. Il prit un très grand intérêt au récit de l'envoûtement de la maison de la rue de Bièvre par le

Gitan. Il me demanda de lui décrire avec les plus minutieux détails la statuette de bois découverte dans les caves du père Hubert.

– Voici vingt-cinq ans, me dit-il, que chaque été je remets mon voyage de noces aux calendes grecques. Je brûle de promener ma femme dans ce Paris à légendes. Je veux y bondir dès que ce sera possible.

– J'espère avoir la joie de vous y accueillir.

LA RUE DES MALÉFICES

Il m'avait parlé de Saint-Séverin : je saisis l'occasion.

– Qu'est devenu le document que vous m'avez montré autrefois : un plan de la Cité et du quartier de la Sorbonne, avec des indications en anglais ancien ?

– Il est à B... dans ma bibliothèque. C'est une des pièces les plus précieuses de mes collections.

– Vous souvenez-vous de cette rue Zacharie, qui sur votre plan portait le nom de « Witchcrafts Street » (rue des Maléfices) ?

– Oui, certes, je me rappelle votre étonnement, et l'attention que vous portiez à reconstituer l'histoire de cet ancien quartier. Avez-vous recueilli d'autres indications sur « Witchcrafts Street » ?

– Je sais que pendant seulement quelques années, elle s'est appelée rue des « Trois-Chandeliers », et, vers la fin du XIIIe siècle, rue de l' « Homme-qui-Chante ».

– Et savez-vous pourquoi ?

– Je crois que les « Trois-Chandeliers » commémoraient une cérémonie d'exorcisme. Le rite ancien voulait que, pour jeter le « Grand Anathème » et conjurer le pouvoir maléfique attaché à un homme ou à un objet, trois prêtres revêtus de leurs étoles d'apparat, après avoir récité les formules consacrées, jetassent avec force sur le sol trois chandeliers portant chacun trois cierges allumés. Les neuf flammes devaient s'éteindre en même temps. On aspergeait ensuite d'eau bénite le sol ou l'objet désormais libéré des influences démoniaques. Quant à l'appellation « Rue de l'Homme-qui-Chante », je ne sais ce qui la justifie et je le regrette bien, car il doit s'agir d'une très ancienne et probablement fort belle légende, aujourd'hui à jamais oubliée...

Garret rinçait des verres en souriant. D'un placard empli de livres et de revues, à la porte duquel pendaient un casque, une trousse-musette et un masque à gaz, il avait extrait un flacon de whisky.

– Installez-vous commodément. Êtes-vous « confortable » ainsi ? Je vais vous la conter, moi, votre légende. Je n'ai pas le droit de la transcrire, car elle appartient à la tradition orale transmise depuis le XVe siècle par les membres d'une secte initiatique extrêmement fermée à laquelle j'ai accepté d'appartenir, par curiosité plutôt que par besoin intellectuel. Avec mon autorisation expresse, il vous sera loisible, à vous étranger, de la consigner et d'en enrichir vos archives.

Stupéfait, j'allumai une pipe et attendis, « mouillant des deux esgourdes », comme eût dit Danse-Toujours.

– Tout d'abord, sachez – rappelez-vous plutôt – des faits historiques qu'en France l'on a fâcheusement tendance à oublier. C'est que Paris fut, durant de longues années, une capitale anglaise. C'est que lorsque « notre » roi (je me pris à sourire) Henri V fit, le premier décembre quatorze cent vingt, son entrée dans « votre » capitale... mais qu'est-ce donc qui vous fait rire ?

– Vous parlez de « ma » capitale, je veux bien, à condition de ne point prendre à mon compte ce qu'y fabriquaient mes compatriotes voici cinq cents ans. Mais « votre » roi Henri V... Où étaient vos propres ancêtres, à cette époque, docteur Garret ? Êtes-vous bien sûr qu'ils étaient placés sous son autorité, et, dans ce cas, que ce fût de leur plein gré ?

– C'est là le moindre de mes soucis... Je disais qu'Henri V, roi d'Angleterre, en entrant dans Paris, fut acclamé par la populace.

– Il suffit d'avoir tant soit peu le sens de la mystification pour faire acclamer n'importe qui par n'importe quelle foule. De nos jours...

– Permettez. Henri VI fut proclamé, à Saint-Denis, roi de France et d'Angleterre... Plus tard il fut, en grande liesse, sacré à Notre-Dame...

– En somme, vous réhabilitez la guerre de Cent Ans.

– Presque. Car elle a permis la plus profonde des interpénétrations entre nos peuples, et les plus fructueux échanges intellectuels.

– C'est ça... les Français sont « britannisés » sans le savoir.

– Et les Anglais, depuis cette époque, ont beaucoup plus que vous ne le croyez assimilé leur expérience continentale. Mais voilà où je voulais en venir. L'Anglais est un être essentiellement mystique. Et inquiet, parce que scrupuleux. Par conséquent tourné vers tout ce qui pourrait être interprété comme une manifestation supra-humaine, qu'il s'agisse d'une légende à signification ésotérique – nous y voici – ou d'un événement à valeur d'intersigne. N'oubliez pas que tous les corps constitués à Paris : Parlement, clergé, Université surtout, étaient favorables aux Anglais à l'époque dont je vous parle...

– Parbleu !...

– ... Et que votre Université exerçait ici une telle influence qu'elle attira l'élite des futurs membres de nos facultés. Or, les Anglais, Écossais et Irlandais qui séjournaient aux alentours de votre Quartier Latin ont dû subir à ce point le charme de Paris qu'ils ont permis de reconstituer le plus émouvant florilège de contes, légendes et fabliaux attachés à ses pierres. Voici donc, transmise de bouche à oreille par les descendants d'un officier gallois qui l'avait recueillie sur place, l'histoire de l' « Homme-qui-Chante ».

Un homme allait mourir. Il le savait. Il était au-delà de la souffrance, à l'extrême limite de toute faiblesse. Ses derniers pas étaient comptés. Aussi ses derniers instants et ses ultimes désirs. Il avait déjà, d'une vaste pensée silencieuse et profonde où se mêlaient l'amour des humbles et le pardon aux méchants, pris congé des vivants, qu'il ignorerait désormais.

Il lui restait à dire l'adieu aux choses inertes, témoins muets et familiers d'une vie aride, monotone et sans joie. L'homme avait trop présumé de ses forces. Car, si les gens affairés qui le croisaient dans la rue Sac-à-Lie faisaient moins que jamais cas de sa présence, les choses qui l'aimaient – et ne le lui avaient jamais dit, peut-être s'en apercevaient-elles trop tard – répugnaient à le voir s'en aller pour toujours. Elles tentaient de le retenir, désespérément.

L'homme qui allait mourir avait cru posséder encore, mais tout juste, la vigueur nécessaire pour descendre sa rue, depuis Saint-Séverin, l'église sous le porche de laquelle il avait tant mendié, et atteindre les berges de la Seine – les quais alors étaient en pente douce.

C'était le crépuscule. Harassé, l'homme en marchant s'appuyait aux murs. Des gens s'interpellaient, des enfants couraient et criaient, menaient grand tapage. Et les sons trop violents dansaient en couleurs mouvantes devant les yeux de l'homme, qui pensa s'effondrer.

À l'endroit où la rue s'étranglait, une lanterne suspendue au-dessus d'un tas de détritus cligna vers l'homme et lui renvoya comme une balle brûlante un morceau du soleil couchant. Et l'homme fut blessé par cette lumière, et la pourpre et l'or qui s'accrochaient aux angles des toits meurtrissaient ses prunelles, et l'adieu gonflé de regrets sourds que lui jetaient les pierres, les enseignes, les marmousets dansants et grimaçants des poteaux corniers torturaient son pauvre cœur. Au comble de l'épuisement, l'homme allait s'affaler là comme une outre vide. Mais la femme le retint.

Elle aussi avait les yeux des gens qui vont mourir. Elle remontait la rue avec la même lenteur que l'homme tentait de joindre, sur le bord du fleuve, l'arbre qu'il avait choisi pour se coucher auprès et y rendre l'âme, face aux étoiles. La femme avait rebroussé chemin; sous le bras de l'homme elle avait passé, pour le soutenir, une main glacée. Alors, à mesure que le couple de moribonds déjà étranger à toute vie terrestre accomplissait ce qui lui restait de chemin, la nuit, au lieu de descendre, surgissait de terre.

La nuit montait, comme une encre vivante, des ombres, des pierres, des recoins obscurs. Et tandis qu'une nuit opaque et dense, surgie d'en dessous, mangeait la ville, les forces de la femme s'affirmaient, et s'assurait son étreinte : elle tenait l'homme embrassé, et vigoureusement le porta jusqu'auprès de l'arbre fatal, sur la berge où ils s'étendirent, alors que la nuit avait gagné le ciel et poché les yeux des étoiles. Nul ne sut au juste la nature du contrat qui lia ces deux êtres.

Mais le lendemain, on ne trouva pas, sous l'arbre, de cadavres.

On ne sut jamais qui était la femme, ni ce qu'elle est devenue.

Quant à l'homme, soudain empli d'un regain de vie où éclatait sa joie robuste, il chantait dans la rue. Il chantait d'une voix haute et claire et chaude, d'une voix qui portait en soi toute la lumière du monde.

Mais il était devenu aveugle.

CHAPITRE IX

Paris, mai 1944

C'est dimanche. Il fait très beau.

J'ai quitté l'Angleterre jeudi à minuit, et me voici musardant quai de la Tournelle, pipe Dunhill au bec, les mains dans les poches spacieuses d'un *raincoat* encore imprégné des brumes de la Tamise.

Lorsque je croise un Allemand, ou plus simplement des gens-qui-ne-savent-pas, j'ai l'impression enfantine de leur avoir fait une bonne farce, et intérieurement je rigole.

Bigre! Cet Oberleutnant doit être un dur. Bien que fantassin il porte sa croix de fer attachée au col. Il a déployé tout un attirail de peintre, et paisiblement brosse une toile – pas mauvaise, pas mauvaise : l'enfilade des ponts, avec au premier plan des péniches ventrues, immobiles depuis des mois, qui rongent leur frein.

Il traite ça en imagier, avec des couleurs trop affirmées qui sentent leur I.G. Farben. Il doit être bavarois. Ce romantique aux longues mains fines, insensible aux irritations ardoisées qui flottent au large de l'île, ignorera toujours quelle subtile douceur clignote sur ce bras de Seine.

Dans ma poche, je fais une boulette avec un ticket de bus londonien très imprudemment conservé. D'une pichenette je l'envoie dans la flotte, avec un énorme rire intérieur.

Les bouquinistes, pour l'habitué des quais, sont devenus des figures tellement familières, par leurs silhouettes, leurs voix, leurs petites habitudes – le choix de leur marchandise et la manière de disposer leurs étalages –, qu'ils font naître des exigences sourdes, aussi tenaces qu'ignorées.

Que l'un d'entre eux déménage, déplace ses boîtes, son éventaire d'une centaine de mètres; voilà rompu tout un patient équilibre; la rive entière est à « repenser ». À plus forte raison s'il passe les ponts et s'expatrie de l'autre côté de la rivière; c'est alors un bouleversement comparable à celui que provoquerait le transport à Montmartre, en une nuit, de la Sainte-Chapelle.

J'ai beaucoup d'amis bouquinistes. En particulier, sur la rive droite, les Fallet père et fils, Borel-Rosny, romancier à ses heures. Mais sur la rive gauche – l'Élue –, autant dire tous.

Pierre-Luc Lheureux vend des livres pour assurer sa maté-rielle : mais il est poète – bien loin, d'ailleurs, de se trouver seul dans son cas. Il tient ses « assises » – un banc fait vis-à-vis à ses boîtes – au coin du pont de l'Archevêché. Casqué de jais et soucieux d'une certaine élégance vestimentaire, il lui arrive d'exprimer des professions de foi qui reflètent le plus intransi-geant pacifisme. Il me gratifie, d'aussi loin qu'il m'aperçoit, d'un large sourire : et ce n'est pas se contenter de peu qu'être sensible à cela.

« Gouzier de hault aloi desdaigneulx de bibine », Pierre-Luc partage mon goût – prononcé, compte m'en sera tenu et je le veux bien –, pour le Cabernet servi à point, c'est-à-dire presque glacé. Aussi, lorsqu'un arrivage est signalé dans une « crémerie » des environs, avons-nous coutume d'y éprouver ensemble la qualité du nectar. Parfois, nos pas nous portent vers l'île Saint-Louis; mais le plus souvent nous passons Notre-Dame et fonçons chez Desmolières, rue des Ursins. Pour ce, il faut traverser le Pont-au-Double.

Là, le spectacle vaut la peine. Il suffit d'un peu de soleil.

Les clochards mendiants, assis, debout, couchés ou affalés,

sont légion, malgré la chasse que leur livre une police soucieuse de conserver à la ville un visage de kermesse à la Breughel. Bossu, manchot, borgne ou cul-de-jatte, soit : mais rasé de frais, pomponné et point ivre. Ta misère ne doit pas être prise au sérieux plus que celle, fardée et perruquée, des figurants de l'Opéra dans *Boris Godounov*. À vrai dire, pour qui connaît bien nos bonshommes – ils n'en méritent pas moins d'intérêt – les « poulets » du cru, souvent débonnaires, ont *un peu raison* cette fois. Du moins lorsqu'ils se montrent un tantinet avares de leur naïveté.

Car, si le temps n'est plus où « rifodés » et « malingreux » substituaient à leurs membres valides ceux, affreusement maquillés ou désarticulés, prélevés aux pendus, la tradition subsiste d'offrir au passant tant méprisé un spectacle à ce point désolant que faire l'aumône devient un réflexe.

Il existe, à ma connaissance, deux *écoles d'attitude* où les néophytes de la « manche », dûment admis à *pilonner* sur un emplacement bien précis dont ils ont acquis, souvent fort cher, le droit de jouissance, prennent des leçons de leurs aînés. Lesquels sont d'admirables artistes et font montre d'un extraordinaire sens psychologique. Je soupçonne ceux d'entre les « maîtres » qu'il me fut donné de voir à l'œuvre, d'être anciens comédiens ferrés en l'art du mime.

Ce sont des « caïds ». Ils exigent de l'élève qu'il soit à jeun, qu'il porte une attention soutenue aux conseils et observations à lui dispensés ; qu'il fasse preuve à l'égard du maître d'une absolue soumission. Les deux « écoles » se réclament d'ailleurs de techniques différentes ; il est facile de discerner les tenants de l'une et de l'autre.

Les « patrons » sont, au demeurant, fort bons amis : ils ne se font pas concurrence.

« Ma Pipe », d'Aubervilliers, est grand et très barbu. Sous sa pèlerine, qu'il sait draper avec art, il porte en bandoulière une guitare dont nul ne l'entendit jamais tirer le moindre son. Il « laisse dire » de lui qu'il fut autrefois, ou bien un très grand violoniste qu'un accident priva de l'usage de sa main gauche, ou bien un ténor en renom de qui la voix fut cassée lors d'un naufrage, ou de l'accomplissement de je ne sais quel acte de dévouement : tout dépend de l'imagination du narrateur, lequel n'est jamais l'intéressé. Celui-ci ne répond jamais aux questions. Il affecte des airs de pucelle prise en faute quand on le photographie, et en grand seigneur empoche la galette. Le « pigeon » lui dit monsieur et a envie de s'excuser. Il m'avoua un jour avoir calqué son personnage sur celui de Vitalis, un des héros de *Sans Famille*, d'Hector Malot. « Le plus énorme, disait-il en se tapant sur les cuisses, c'est que je n'ai jamais su chanter, que je ne connais pas une note de musique... J'ai été maquereau toute ma putain de vie ! »

(Là aussi, il mentait, je le sais : mais c'est à lui-même que cette fois il voulait donner le change...)

Ma Pipe observe minutieusement son nouveau disciple. Il suppute, d'après les maigreurs ou imperfections du visage, les infirmités, mutilations, blessures ou malformations corporelles du sujet, le parti qu'il pourra en tirer. Et il lui impose deux postures, trois au plus : l'une accotée – contre un pilier, un mur, une grille de square –, l'autre assise à même le sol. L'élève est alors à la torture. Ma Pipe tourne autour : il règle des détails qui ont tous leur importance.

L'œuvre de Callot lui est familière ; mais, en contemplant ce qu'il parvient à obtenir de ses « poulains », le pathétique de leurs attitudes me force d'évoquer les primitifs. Je pense aux Mantegna dépouillés, figés, angoissants de silencieuse souffrance. Une fois la pose conçue, fixée, réglée dans ses moindres aspects, l'élève doit revenir plusieurs jours de suite, se mettre en place et s'astreindre à garder, sous l'œil du maître qui l'observe, une immobilité absolue jusqu'à ce qu'il sache s'ankyloser lui-même. À ce moment seulement il est « sortable », et digne de ne point déprécier un emplacement qui constitue une rente assurée.

« Les quarante sous du "client" quotidien, qui passe à la

même heure d'un bout à l'autre de l'année, valent mieux que les cent balles toujours possibles du pèlerin de rencontre, proclame Ma Pipe. J'exige de mes types qu'ils gardent des poses de statues, le client qui leur a donné une fois *ne doit plus pouvoir faire autrement.* »

Ma Pipe est *contre* les exhibitions de moignons ou de membres squelettiques : « On ne doit pas, dit-il, forcer le dégoût. » En ceci, il n'est pas d'accord avec Moitouseul son compère. Celui-ci « professe » à Nanterre. Il dresse beaucoup de femmes, alors que Ma Pipe n'en veut pas. Aux gens qu'il prend en main, Moitouseul commande d'adopter l'air idiot plus que nature : les yeux fixes, la bouche entrouverte. Les personnages de Moitouseul sont ambulants et animés, à l'encontre de ceux de Ma Pipe. Ils doivent presque tous simuler – s'ils n'en sont déjà atteints – une maladie nerveuse : affecter un frémissement continuel d'un membre, du visage, voire de tout le corps, des convulsions spasmodiques : mais c'est le regard qui fait le principal. Le mendigot attaque le client en marche, et de face. Il s'arrête pile sous son nez : il le fixe avec une hagarde insistance, en tendant une main qui tremble. La victime, se voyant barrer le chemin, n'a plus qu'à explorer son gousset : malheur à elle si elle tente, d'un geste sans brusquerie, d'écarter doucement l'importun. Celui-ci se casse la figure – il sait tomber en souplesse – et ameute les truands des alentours, pour lesquels c'est un devoir et une joie de crier au scandale... C'est ainsi que se gardent les bonnes traditions. Le Moyen Âge connaissait les « Sabouleux », innocents acrobates qui mâchaient de la *saponaire* – notre « herbe à mousse ». La bave qu'ils produisaient simulait le haut-mal. Et les épileptiques pour rire se livraient à des contorsions qui n'émouvaient personne. On mesurait l'obole à la hauteur des sauts de carpe...

LE DORMEUR
DU PONT-AU-DOUBLE

Ainsi donc, en ce souriant dimanche où l'incertitude du lendemain ne semblait guère assombrir les visages, Pierre-Luc et moi nous passions le Pont-au-Double, après avoir contemplé la rangée des cloches affalés, cuvant leur vin bleu.

Au coin du pont, sur son pliant, sa canne entre les jambes, se tenait le Dormeur. Depuis des années, j'avais remarqué cet être immobile ; mais confusément au début, sans y prêter autrement attention. Lui ne mendie pas, ne « pose » pas : il dort, c'est tout.

Le pardessus qu'il porte en toute saison est élimé, mais soigneusement brossé. Un béret le coiffe. Ses souliers tiennent aux semelles, qui sont d'une épaisseur décente. Il dort.

Il n'est point laid, son visage ne porte point les stigmates de vices ou de maladies indélébiles : il dort calmement, posément, du matin au soir – quand il ne pleut pas. Je ne me suis jamais trouvé là pour le voir s'installer ou déménager : j'ignore sa voix, sa démarche, la couleur de ses prunelles : je ne sais de lui que son sommeil.

Il ne m'était jamais arrivé, non plus, de parler de lui à quiconque. Aujourd'hui cependant, j'ai dit à Pierre-Luc : « Comme c'est étrange. Lorsqu'on passe à proximité de tous ces miséreux somnolents, on ressent leur présence, on *sait* qu'une vie tenace existe, lovée dans ces corps qui croupissent. J'éprouve une sensation tout autre auprès de cet homme qui dort : il me fait l'effet d'être très loin, lui ou *quelque chose* de lui. C'est comme s'il était creux, vide et que ce vide – saurai-je le dire ? – *aspire* ce qui se passe à l'extérieur. Il me serait très pénible de stationner longtemps ici. J'ai l'impression d'y laisser un peu de ma propre substance… »

Pierre-Luc me regarda drôlement :

– Il y a de ça… Il y a de ça, fit-il.

– Mais encore… qui est cet homme ?

– Je croyais que tu le connaissais. C'est Lancelin. Alors, on va toujours chez Desmolières ?

Je constatai avec surprise que Pierre-Luc, assez prolixe d'habitude, n'éprouvait aucun plaisir à ce qu'on l'entretienne du Dormeur, bien au contraire. Ceci ne fit que m'intriguer davantage. J'insistai.

– Il a vécu des années en Afrique, puis en Amérique du Sud. Certains le disent chimiste, d'autres ancien missionnaire. Je ne sais au juste. Il a contracté dans quelque contrée malsaine une maladie terrible qui l'a laissé à moitié paralysé : ses mouvements sont très lents. Il dort tout le temps. Mais son cerveau est intact. Heureusement qu'il y a son frère…

– Ah ! Il a un frère ?

– Un frère jumeau qui le soigne, le fait manger, le couche, comme une infirmière son malade. C'est lui qui l'amène ici vers le milieu de la matinée, et vient le chercher à la nuit tombante.

– C'est bien, ça… Mais qu'est-ce qu'il fait, son frère ?

– Ils « travaillent » ensemble…

– Pourquoi te moques-tu ?

– En aucune manière. Mais je préfère t'expliquer ça une autre fois. Je ne sais pas pourquoi, il m'est très pénible, aujourd'hui, de te parler de ce malheureux.

Il suffisait justement que nous en ayons parlé une fois pour que les circonstances s'en mêlent, et nous obligent à revenir sur la question. Hier, Pierre-Luc et moi nous accomplissions le même périple. Le Dormeur, comme s'il n'avait pas bougé depuis la veille, était à son poste. Mais cette fois, il était l'objet de la risée des passants. Trois farceurs – des étudiants probablement – avaient disposé à ses pieds une pancarte : SOURD-MUET DE NAISSANCE, et un vieux phono sur lequel ils faisaient moudre une ancienne rengaine : *C'est la femme aux bijoux – Celle qui rend fou – C'est une enjôleu-se…*

C'est vrai que l'effet était comique. Nos lascars se marraient
– pas méchamment le moins du monde. Mais ceci déplut fort
à Pierre-Luc. Il entra dans une rage dont je ne l'aurais jamais
cru capable, balança dans la Seine phono et pancarte, et prit à
partie les trois lurons qui s'éloignèrent, contrariés et un peu
honteux.

– Tu ne veux toujours pas me dire ce qu'il fait avec son
frère ?

– Va faire un tour, un de ces dimanches, aux Puces de
Bicêtre. Et maintenant, dis, tu veux bien qu'on parle d'autre
chose ?

C'est tout ce que j'ai pu en tirer.

Mauvaises nouvelles. Deux de nos agents, partis à vélo porter à la frontière suisse des documents d'une importance
considérable, ont été arrêtés sur la route, entre Dijon et Lyon.
Aucune autre indication ne nous est parvenue que cette certitude : ils sont présentement entre les mains des Allemands. Il
faut absolument doubler la mission et envoyer, coûte que
coûte, quelqu'un d'autre. Par ailleurs, nous sommes sans nouvelles de notre sous-réseau de Bordeaux. La Gestapo opère des
ravages. Et nous n'avons jamais eu tant de messages à transmettre, ni plus urgents. Il en sera ainsi jusqu'à la fin, que les
plus gonflés d'entre nous espèrent prochaine. La paix ou la
vraie bagarre. Mais plus de cette existence sournoise pour
laquelle nous ne sommes pas faits.

J'ai loué, en plein centre de Paris, près du Châtelet, un
appartement au sixième étage, sous le toit. Un toit où il m'est
possible d'accéder sans sortir de chez moi, et d'étendre en
toute quiétude une antenne de dix mètres et plus si nécessaire !

D'ici, chaque soir à cinq heures, les radios accrochent
Londres et transmettent pendant dix minutes. En plus des frigo-
rifiques des Halles, il y a tant dans ce quartier de monte-charge,
de machines et d'appareils électriques que les perturbations

continuelles rendent extrêmement délicates les détections gonio. Mais je me méfie des coups durs toujours possibles, et le moment est venu de faire un tour du côté des « planques » que m'avait indiquées Danse-Toujours.

DANSE-TOUJOURS

J'ai commencé par le lieu le plus proche de mon nouveau domicile : le « Gobelet d'Argent », rue du Cygne, coin rue Pierre-Lescot.

Un petit bistrot de curieuse apparence, qui mord en triangle sur un renfoncement. La devanture, que l'on voulut néogothique, est ornée de moulures diversement tarabiscotées. Au comptoir il y a des poules. Aussi deux types peu engageants qui jouent aux dés.

Pastis, que l'on me sert dans une tasse, pour faire croire que les agents des fraudes ne sont au courant de rien.

Une fille mamelue, flairant le client possible, me lance une œillade lourde de sens et de rimmel. J'accuse réception en offrant une cigarette. Je fais « non » d'un sourire blasé. Et, selon les consignes de Danse-Toujours :

– Est-ce qu'on peut voir Solange ?

– Laquelle ? dit la fille. Solange la nouvelle ou Solange l'ancienne ? La grande ou la petite ?

– Je ne les connais pas... c'est une commission de la part d'un ami. La nouvelle... il y a longtemps qu'elle est là ?

– Oh ! non... Elle est sortie du ballon y'a trois semaines...

– Alors, je crois que c'est plutôt l'autre. Prenez quéqu' chose ?...

Ses nichons gainés de satin noir tremblent comme de la gelée. Elle attire à elle le bec-de-cane et gueule dans la rue vide :

– Mimile !...

Une voix nonchalante tombe des étages

– Ouais...

– Va m' chercher Solange, et grouille !

– Merde ! J'y vais…

Entre un Allemand. La fille se fait chatte. Chatte angora, à cause de la cape d'opossum. Elle dit, chavirée, croulante sur son tabouret trop étroit pour ses larges fesses : « Filou ! » Le Fritz lui jette un regard inoxydable. Il explose : «*Weg da! Weg!…* » Furieux, outré, il fout le camp sans même vider son demi.

La fille s'indigne :

– Vous parlez d'un tordu ! Ma parole, c'est tous des tantes… Si ça continue de pas dérouiller, j'vais r'tourner en maison.

Il faut donner dix balles, pour qu'il mette les bouts, au type en gilet de larbin qui a amené Solange. Elle est très, très jolie. Un Saxe. Elle me tend une main fine en m'interrogeant de ses grands yeux clairs qui n'ont pas besoin de maquillage. Je fais, à mi-voix :

– Danse-Toujours…

– Ah bon ! Venez avec moi.

Sa voix n'est pas éraillée le moins du monde. Ça, une poule ? Comprends pas. Elle marche rapidement, moi sur ses talons, s'engouffre dans un hôtel, rue Pierre-Lescot, monte quatre à quatre, crie devant le bureau vitré, à l'entresol :

– C'est Solange ! Je vais au huit…

– Alors, comment ça s'est passé ?

– Quoi donc ?

– Avec le Corse ?

– Je n'en sais trop rien. Je ne suis pas curieux…

Elle s'étonne :

– Mais vous… comment c'est votre nom ?

Je donne le pseudo convenu. Elle semble exulter :

– Ben chouette alors ! Ce qu'il a pu nous parler de vous ! Ah, pour ça, vous pouvez vous vanter d'avoir un pote, un vrai de vrai ! Alors, qu'est-ce qu'on peut faire pour vous ?

– Tout de suite, rien. J'étais venu comme ça, pour prendre contact… S'il y a du pétard, il se peut que je sois forcé de radiner à n'importe quelle heure, sans prévenir. Et à ce moment-là, j'aurai besoin… exactement de tout.

– C'est pas grave, on a vu pire. Z'êtes sous votre nom ?

– Oui.

– Z'avez pas de « sapements » dans le civil ?

– Non.

– Alors c'est dans la poche.

Nous avons parlé à bâtons rompus de la guerre, du débarquement qui se fait attendre, et de Danse-Toujours, de lui surtout, pour qui Solange témoigne la plus touchante admiration.

– Des mecs comme ça, on n'en fait plus depuis l'autre guerre. Les jeunots d'à présent… des lavettes, j'te dis.

Ça y est. Nous nous tutoyons. La glace est brisée. Eh bien ! j'en ai appris des choses.

– Oui, c'est par Pierrot la Bricole qu'on a eu des nouvelles. Sacchi n'avait pas été régulier. Danse-Toujours l'avait rossé dans un bistre…

– Je sais, j'étais présent.

– …et il l'avait fait triquard de la Montagne, et du quartier par ici – enfin partout où ils auraient pu se rencontrer. L'autre, la petite vache, il a voulu donner la bande à la Rousse avant de se tirer. Il a essayé deux fois : la première, tout le monde était envolé. Mais, au second coup, les flics avaient laissé des mouches sur place : ils ont coxé Brizou…

– Ah ! Brizou est arrêté.

– Brizou joseph, oui. Et il en a pour un moment. Il est déjà drôlement chargé. Danse-Toujours était furibard.

» Il a eu tôt fait de se procurer l'adresse de l'autre : il s'était planqué dans une villa le long de la route, près de Melun. Danse-Toujours et Pierrot sont allés lui rendre visite un beau matin. Le Sacchi se savait foutu. Il n'a pas ouvert. Ils sont passés par-dessus la grille et ont trouvé mon Corse qui téléphonait aux gendarmes. Ah ! Ça n'a pas fait un pli. Crrrrrouic ! Crac !

et crac ! La gorge et les deux esgourdes. Ils se sont barrés par le jardin comme les cognes arrivaient de l'autre côté. Ils ont réussi à les semer, ils ont marché à travers champs, ils ont fauché des frusques dans des granges. Déguisés en bouseux, ils sont allés à pied prendre le train à Mormant. Tu parles d'une trotte !

– Et les... les oreilles ? Que sont-elles devenues ?

– Danse-Toujours voulait garder les deux comme fétiches. C'était son idée fixe. Mais il en a paumé une en décarrant. C'était pas le moment de revenir sur ses pas...

– Je ne sais pas, je ne veux pas savoir où est Danse-Toujours en ce moment. Mais si tu as l'occasion de lui faire parvenir des nouvelles, dis-lui de ne pas la garder, dis-le-lui de ma part.

– Pas garder quoi ? L'esgourde ?

– Oui. L'esgourde.

Je lui raconte la scène chez Klager, la Bièvre, la pommade, l'odeur. Elle me regarde d'un air de reproche :

– Puisque tu te prétends son ami, c'était à ce moment-là qu'il fallait tuer le Corse...

– Rien ne dit que ça aurait arrangé les choses. Et tu devrais comprendre qu'il y a des gens qui ne s'appartiennent pas...

Solange m'a demandé si Danse-Toujours m'avait mis au courant du circuit « idéal » – les lieux complices – composé par lui à travers les rues de Paris. Je lui décris mon enthousiasme, la nuit où mon nouvel ami m'avait exposé ses idées au sujet des événements cycliques et des lieux prédestinés. Solange se pâmait :

– Ah ! pour un fortiche, il est champion. Tu vois, c'est à cause de lui que j'ai adopté cette piaule. Il avait bien repéré l'endroit, comme ça, sans connaître. Il est venu avec de vieux, vieux journaux tout jaunis où on parlait de la maison dans l'ancien temps. Je crois même qu'il a demandé des tuyaux à un architecte.

» Il a dit : « C'est bien le huit qu'il me faut. » Il s'est fait présenter le patron, il l'a baratiné. Il a payé un an d'avance, un an ! Ils ont installé l'ancien locataire à côté, et maintenant c'est moi que v'là là.

L'immeuble n'est pas jeune. Les parois sont épaisses. Les portes massives présentent d'anciens guichets grillagés. Une énorme poutre barre le plafond.

– Et tu as remarqué, dans cette piaule, quelque chose de particulier ?

Elle pose la main sur mon bras. En confidence :

– Écoute, mon pote. La plupart des clients que je monte – maintenant j'ai presque seulement des habitués – c'est même pas pour tirer leur chique. C'est pour que je les écoute : ils viennent, et même de loin, pour me raconter leur vie, en long, en large, en gros et en détail, et me faire profiter de tout ce qu'ils ont sur la patate. Alors je leur donne des conseils, quand je suis sûre de ne pas me gourer. Presque tous ils aiment se faire consoler. Qu'est-ce que je fais ? Je les cajole... Ils sont gentils, tu peux pas savoir. Et cons... Mais moi je suis une sentimentale. Plus ils sont cons plus que je les aime. On m' changera pas...

Elle avait la larme à l'œil.

– Et Danse-Toujours, en somme, il te... protège ?

– Oh ! J' suis pas maquée avec... C'est mon pote, mon vrai, mon pas remplaçable. Suffit qu'on le sache : personne me cherchera d'histoires...

– Dis-moi. C'est toi ou la chambre qui les dispose aux confidences, tes clients ?

– Les deux. Ailleurs ça leur fait pas le même effet. À moi non plus. Danse-Toujours m'avait bien dit : « Ici tu en entendras de toutes les couleurs. Mais on pourra pas te bourrer la caisse. » Et c'est bien vrai : y'a des tapés qui voudraient se faire passer pour leur patron, pour quelqu'un qui a réussi mieux qu'eux.

Remarque que ça n'a pas d'importance. Eh bien, rien à faire pour déconner entre ces quatre murs. Ils se déballonnent. Quand je verrai Danse-toujours, je lui demanderai des détails sur ce qui s'est passé ici dans le temps. Maintenant ça m'intéresse. Il m'avait parlé d'un Russe avec une fille...

Parbleu! J'y suis. Je savais que c'était rue Pierre-Lescot, mais j'ignorais que ce fût dans cet hôtel, et probablement dans cette pièce. Avril 1814. L'Empire en était aux spasmes précurseurs de sa fin prochaine. Quelques « sotnias » de Cosaques, des régiments prussiens, entrés dans la capitale par la barrière de Clichy, bivouaquèrent un jour et une nuit sur les Champs-Élysées. Après une morne parade, à l'issue de laquelle, si l'on en croit les historiographes du temps, le « haut gratin » parisien manqua de certaine dignité[1], on donna quartier libre aux troupes, qu'il fallut répartir entre différents secteurs. Les officiers cantonnèrent au Palais-Royal, les hommes étaient parqués dans le quartier de la Grande-Truanderie. La rue Pierre-Lescot, eut-on coutume de dire à l'époque, coûta à l'armée russe autant qu'une bataille.

Une malheureuse fille séduite, imprima plus tard le « Constitutionnel », *et tombée, par suite de l'abandon de son séducteur, dans l'abîme de la prostitution.*

... échut à un sous-officier cosaque dans le partage d'une nuit. Parmi les bijoux que son vainqueur faisait, en vrai barbare, reluire à ses yeux, elle reconnut un médaillon de famille, que son frère, sergent dans la Garde, portait toujours sur son cœur. Pour le dépouiller, il fallait le tuer. La fille était ainsi obligée de se livrer au meurtrier de son frère.

---

1. De Bordier... les vainqueurs rougissaient de tant de bassesse... des comtesses jetèrent des lauriers aux Kalmouks et montèrent en croupe derrière des Cosaques... »
De Vaulabelle : « Les saturnales de la rue et de la place publique, ce jour-là, appartinrent aux dames riches et titrées. »

La résistance était impossible, mais non pas la vengeance. Tandis que le Cosaque assouvi sommeillait, Judith prit un des pistolets d'Holopherne, et lui brûla la cervelle. Le lendemain, elle fit l'aveu complet des motifs qui l'avaient guidée. La police française, obligée d'incarcérer la coupable, et de prévenir les représentants du tsar, substitua à la prisonnière, au cours de la nuit, une pauvresse morte à l'Hôtel-Dieu. Un bon point !

Et Judith poursuivit en d'autres lieux sa carrière d'hétaïre désespérée.

Solange tenait à ce que nous passions ensemble une partie de la soirée. Mais je n'avais pas le temps. Elle m'a dit lorsque nous nous quittâmes : « Si par hasard, dans ton boulot, tu as affaire à un type pas catholique, un gars dont tu te méfies, amène-le-moi, je te le déshabillerai comme les autres. Tu sais, je suis garce, quand je veux m'y mettre. » Je l'ai embrassée de grand cœur. C'est bien la première fois que ça m'arrive avec une pute.

J'ai longuement réfléchi à la proposition de Solange. Je voudrais savoir ce que Heisserer (alias Lagarde) a dans le ventre. L'autre jour, il m'a déniché aux Quatre-Fesses, où je me croyais bien tranquille. Il fallait estampiller sa carte d'alimentation fausse, comme s'il eût touché à la mairie ses tickets du trimestre. Car la police vérifie même cela.

Mais j'ai l'impression qu'il ne s'agissait que d'un prétexte. Heisserer m'a confié que, se trouvant actuellement sans emploi fixe, il était disposé à me rendre, en cas de besoin, quelques services. Il voyagerait si nécessaire.

Il me faut des agents de liaison pour Paris : nos meilleurs cyclistes sont partis vers le Midi ou la Normandie. J'ai donné quelque argent à Heisserer – qui ne semblait pas en avoir tellement besoin, au fait… et l'ai mis entre les mains des secrétaires

de la Centrale, en lui promettant de l'incorporer « officiellement » plus tard, s'il donnait satisfaction – et à condition que
le boulot lui plaise. C'est maintenant seulement que j'ai des
doutes – en vérité très vagues – au sujet de ce type.

C'était facile comme tout. Hier nous avons dîné à quatre,
avec Heisserer, Solange et Paulette mon ancienne voisine.
Nous nous sommes quittés à onze heures trente – juste le
temps de réintégrer nos respectives pénates. Heisserer habite
loin : il sembla ravi que Solange l'ait entraîné avec elle, sous
prétexte de lui découvrir une piaule dans un quartier plus
« civilisé ». Sans nul doute ils ont couché ensemble.

LE DORMEUR
DU PONT-AU-DOUBLE

Dimanche soir

Comme Pierre-Luc m'y avait incité, je suis allé ce matin
baguenauder aux « Puces » de Bicêtre.

Des loqueteux encore plus misérables que dans le centre de
la ville, pour la plupart très vieux, y pataugent parmi des amas
chaotiques de ferraille, de vaisselles ébréchées, de nippes flétries, d'objets de toutes sortes dont on a oublié depuis longtemps la destination première. Je m'appliquais à reconstituer
un rouet breton dont j'avais acheté çà et là, à des marchands
différents, les pièces détachées. Parmi les « chineurs », les brocanteurs et les chiffonniers affairés, deux hommes marchaient,
très lentement. Le Dormeur du Pont-au-Double et son frère,
vêtu et coiffé de même, et qui lui ressemble de prodigieuse
façon. Je les suivis. Bien m'en prit ; car ils se sont dirigés vers
la gargote où j'avais entreposé mes emplettes. Ils s'assirent. On
servit au Dormeur un grand bol de tapioca au lait, que son
frère valide lui fit boire à la cuiller. De temps en temps, il
essuyait les lèvres du paralytique, arrangeait le col de sa chemise. C'était émouvant et très pénible. Après le tapioca, le
Dormeur but quelques gorgées de vin.

– Ça va mieux maintenant, dit-il d'une voix morte, avec un sourire qui faisait mal.

Des gens attristés contemplaient cela. Tous avaient l'air d'attendre quelque chose. Je les entendais dire :

– Comme c'est malheureux ! Un si brave homme !

Comment cette carcasse à demi inhabitée, bien incapable de nuire ou d'être utile à quoi que ce soit, pouvait-elle se forger une telle réputation ?... Je n'ai pas tardé à l'apprendre. Le frère – on l'appelle M. Frédéric –, débarrassa la table du bol, des verres et y posa un carnet. Et le défilé commença.

Un homme en cotte bleue vint s'asseoir entre les deux Lancelin : il dégrafa le haut de son vêtement, remonta sa chemise et découvrit sa hanche :

– C'est ici que ça me tient, dit-il.

– Comment cela vous est-il arrivé ? demanda M. Frédéric.

– En soulevant une gueuse de fonte. Je m'y suis mal pris : la position n'était pas bonne. J'ai dû attraper un tour de reins.

– Refaites le mouvement.

L'homme se leva, mima le geste de quelqu'un qui arrache du sol une chose très lourde.

– C'est mou. Refaites-le en force.

Le patient s'exécuta, mais n'alla pas jusqu'au bout : il grimaçait de douleur.

– Je vois ce que c'est.

M. Frédéric dénuda davantage la hanche et une partie des reins. Il fit asseoir l'homme devant le Dormeur. De celui-ci, il saisit les mains et les plaça sur la partie douloureuse du corps du malade. Vingt personnes, dans un silence absolu, observaient la scène. Le patron était passé devant le comptoir pour n'en rien perdre. Le Dormeur, dont le visage, à l'encontre de ce que l'on pourrait croire, témoigne d'une vive intelligence, avait l'air de réfléchir profondément. Un long moment, il resta ainsi. Et puis son frère dit :

– C'est bien. C'est suffisant.

M. Frédéric prit son carnet.

– Votre nom ? dit-il au malade.

– Portal. Xavier Portal.

– Bon. Pas avant mardi matin…

– Pas possible demain ? Vraiment pas possible ?

– Non. Le lundi et le jeudi, nous avons Chopitel toute la journée…

– Comment va-t-il, au fait ? demanda le patron.

– Mieux. On le sortira de là. Mais avec beaucoup de mal et de patience. À qui le tour ?

Ce fut une femme enceinte, qui se plaignait de douleurs dans les côtes. On appliqua les mains du Dormeur pardessus ses vêtements.

– Mardi après-midi, décida M. Frédéric en écrivant sur son carnet.

Les gens faisaient la queue : des rhumatismes, des migraines persistantes. Un asthmatique. M. Frédéric posait chaque fois des questions à ce point pertinentes qu'on eût dit d'un médecin. Et il couvrait son carnet d'annotations qui ressemblaient à des rendez-vous, jusqu'à la semaine prochaine. Il y avait encore du monde.

– Avec la meilleure volonté, c'est bouclé pour huit jours, fit-il.

Une femme geignait.

– Et mon lumbago, vous ne pourrez pas *me le dormir* ce coup-ci ?

… Je n'y comprenais rien. C'est la première fois que j'entends employer le verbe « dormir » au transitif. J'en étais à me demander de quelle manière engager la parlote avec l'une des personnes présentes, et lui payer le coup afin d'avoir la clé de l'énigme, quand j'aperçus Armand Lassenay.

J'ai fait sa connaissance voici deux ans. Il était artificier et s'occupait de déminage. Il possédait alors quatre membres et deux yeux, comme tout le monde. Maintenant, c'est un demi-homme. Un obus mal désamorcé lui a dévasté le côté droit. Qu'il soit vivant est un miracle. Il est devenu camelot : il vend, sur les marchés, du coricide et des pierres à briquet.

Nous humons un piot.

– C'est le Dormeur qui vous intrigue ? Le fait est qu'il y a de quoi. Son procédé est très curieux, mais fort simple en soi. Comme vous l'avez constaté, il applique les mains sur la partie à soigner. Juste quelques instants. À ce moment-là, il ne soulage pas encore. Il appelle cela se « brancher ». Il dit qu'il ressent les mêmes malaises, les mêmes symptômes, éventuellement les mêmes douleurs que le patient. Mais juste pendant le temps de l'imposition. Alors, il *range* le souvenir de ce qu'il a éprouvé, comme on place un livre sur un rayon. Et il passe à quelqu'un d'autre. Quand le moment est venu de soigner tel ou tel cas, il n'a qu'à s'en souvenir et y penser en dormant. Y penser, bien entendu, d'une *certaine manière*... Chaque fois, l'« opération » terminée, son frère vient le rappeler à l'ordre. Il le réveille et le « branche » sur le cas suivant.

– En l'absence du malade ?

– Oui. Celui-ci pourrait être à cinq cents kilomètres que ça n'aurait pas d'importance.

– Et il soigne tout ?

– Non. Il ne sait pas réduire les fractures, ni arrêter une maladie infectieuse en plein développement. Mais il est remarquable pour les rhumatismes, et tout ce qui touche le système nerveux. Aussi quand le malade est très faible, lorsque l'organisme déficient se « défend » mal, se faire *dormir* vous donne un fameux coup de fouet. J'en sais quelque chose ; sans lui, je pourrais à peine faire mouvoir le bras et la jambe qui me restent.

– Et... il prend cher ?

– Il ne demande jamais rien. Il accepte les menus services qu'on veut bien lui rendre, sous forme de casse-croûte, de charbon l'hiver, de vieux vêtements... Ces deux frères-là sont des bienfaiteurs du pauvre monde. Ils pourraient vivre comme des rois...

– Ils n'ont jamais été inquiétés ?

– Il ferait beau voir ça... Même les toubibs se font soigner par eux, ou les appellent pour leurs propres clients.

C'est le grand amour avec Solange. Je l'ai promenée dans son quartier de derrière les Halles, qu'elle connaît mal. Je lui ai conté les histoires de la *Truie qui File*, de la *Traverse Philis*, du Cul-de-Sac Corydon. J'ai évoqué pour elle le carrefour de la Coudrette, le mât de cocagne de la rue aux Oües, le *Panier fleuri*...

Elle m'a dit :

– Tu me plais, tu sais. Tellement qu'avec toi je pourrais jamais baiser.

– Et sur une île déserte ?

– Même avec le temps, j'arriverais pas à prendre mon pied. Je penserais trop que c'est dommage.

– Et mon type, Heiss... Je veux dire Lagarde, qu'en penses-tu ?

– Ah ! Il m'a dans la peau. Il vient me voir tous les soirs. Moi, ça ne me plaît qu'à moitié. C'est pour toi que je fais ça.

– Tu as des soupçons ?

– Je ne saurais pas te dire. Pas encore. Il est vraiment duraille à décortiquer. Mais j'y arriverai bien. Il m'a déjà dit que les Allemands allaient sortir bientôt une arme secrète. Quelque chose de tsoin-tsoin. On dirait qu'il n'attend que ça. Faut que tu me donnes une adresse ou un téléphone, pour que je puisse te prévenir s'il y a du neuf.

Cet Heisserer me turlupine. J'ai été vraiment trop léger, trop confiant, pour une fois. Je ne peux plus le congédier maintenant. Avec ça, il est, paraît-il, impeccable dans le service. Intelligent, et pas froid aux yeux. À la gare de l'Est, il a traversé un barrage de flics en leur montrant une carte « bidon » de la Défense passive.

Je vais prévenir les copains que, tout de même, il faut ouvrir l'œil.

CHAPITRE X

16 juin 44

J'ai mal. Les éclats de la grenade teutonne qui, en juin 1940, me coucha pour le compte, se sont réveillés. Ils se baladent dans mon côté, dans ma hanche, dans mon cou. Ils me chatouillent, me piquent, m'égratignent, m'élancent, et parfois me terrassent en des crises de douleurs spasmodiques absolument intolérables. Rien à faire contre cela que des piqûres de morphine, ce que je veux éviter à tout prix.

Depuis neuf jours – depuis le drame – je n'ai rien avalé de solide. Je vis sur les nerfs. J'empeste l'eau de Javel, le crésyl, le formol, tous les désinfectants qui me tombent sous la main. J'ai beau passer mon temps à m'en frotter le corps, je suis poursuivi par cette odeur de cadavre frais, de sang tiède, de tripes fumantes. C'est abominable. Il est heureux que je ne m'appartienne plus. Je me serais suicidé. Et puis, je dis : « Il est heureux... » Qui sait ?...

Solange s'était précipitée chez moi, affolée, un matin à neuf heures. J'étais déjà parti. Mon vieux camarade Bourgoin se trouvait là, qui codait les messages pour le soir.

– Faut le prévenir tout de suite, tout de suite : faut avertir tout le monde. Votre Alsaco, c'est un Chleuh, une gestapette, une donneuse! Maintenant qu'il a l'adresse d'ici, de la Centrale et de vos « boîtes à lettres », il veut faire piquer tout le système à la fois, et s'en charger lui-même pour palper la grosse prime. Vous parlez d'une salope !...

Ils m'ont cherché partout où j'aurais pu être, tandis que j'observais le déchargement de bombes au phosphore et leur transfert depuis la voie ferrée jusqu'à « mon » camp. Bourgoin avait raflé tout ce qui devait être mis à l'abri : plans, textes et codes. Les codes surtout. Mais il avait laissé le revolver caché dans une guitare sans fond suspendue au mur.

Je suis arrivé vers quatre heures à la gare d'Austerlitz. Bourgoin m'y attendait : Solange surveillait la station de la place Saint-Michel.

Pour déménager la Centrale, l'opération avait été relativement facile. Ils avaient fait monter un gamin à l'étage supérieur, pour tirer une sonnette et s'en aller en s'excusant de s'être trompé. Le gosse avait repéré un cireur qui s'entêtait à faire reluire le parquet du palier, juste devant la porte de notre bureau. Dans la loge, un gros type qui fumait des cigares était assis près de la porte et immobilisait la concierge.

Nos gars, après avoir minutieusement calculé leur coup, sont entrés dans l'immeuble adjacent, ont terrorisé un ahuri de pianiste qui roupillait et n'a rien compris à les voir utiliser les pioches réglementaires de la Défense passive pour défoncer le mur de sa chambre. Sans encombre, ils ont pu sauver le sac de courrier, les documents, l'argent et même les deux machines à écrire.

Mais en ce qui me concerne, c'était beaucoup moins drôle. J'avais devant moi cinquante minutes pour avertir les radios qui devaient arriver un peu avant cinq heures. Bourgoin s'est posté en bas, à la terrasse du café. Je suis monté à quatre heures trente. Debrive, déjà sur le toit, déployait l'antenne. Je lui fis signe de s'asseoir entre deux cheminées et d'attendre les événements. À tout hasard, je lui passai une de mes deux grenades en bakélite qui ressemblent à des étuis de savon à barbe.

Je conservai sur moi, pour tous vêtements, un slip et une robe de chambre. Je déployai mon chevalet de peintre du dimanche, éparpillai mes tubes de couleur. Après avoir englué ma palette de camelote fraîche, je me mis à continuer de torcher une pénible nature morte que jamais je ne terminerai. Tant pis pour la postérité.

Cinq heures moins dix. On frappe : c'était Heisserer.

Il semblait gai, tout pimpant. Il apportait une demi-bouteille de fine. J'ai dit :

– C'est malheureux qu'ici il n'y ait pas de glace.

J'allai chercher des verres et une carafe, et fis couler l'eau.

Heisserer vantait ses exploits.

– Ça fait trois fois que l'on m'arrête dans la rue, une fois dans le métro, et à chaque coup je réussis à n'être pas fouillé. Je crois avoir donné mes preuves. Mais, au cas où je serais pris, j'aimerais bien être incorporé officiellement. Ça pourrait servir. Pour plus tard.

Je fais :

– Tout à fait d'accord. Vous avez un stylo ?

Et je lui tends une formule de questionnaire signalétique.

– Vous serez R J 1682. (C'est mon propre indicatif).

Installé près de la fenêtre, il écrivait tranquillement.

Du toit pendait une ficelle que je devais tirer en cas d'alerte. Debrive, assis au-dessus de ma tête, en tenait l'autre bout.

Je me dirigeai vers l'angle opposé de la pièce, et soulevai la guitare. Heisserer, sans lever les yeux, allumait une cigarette.

– Heisserer.

Il se leva d'une détente. Ses yeux se dilatèrent d'incroyable façon. Mon barillet 92, bien appuyé contre ma hanche, avait seul la parole. Je dis cependant :

– Tu as quinze secondes. Si tu es sage. Regarde Notre-Dame.

Il savait que tout était désormais inutile. Le moindre geste lui eût supprimé ce sursis.

Notre-Dame est dans le fond : très près, il y a la tour

Saint-Jacques. On aperçoit, entre deux pignons, la cime d'un marronnier.

Je visai les reins.

Ce n'est pas moi, c'est une machine, un automate, un robot commandé à distance qui s'approcha de ce dépôt de vie entamée, douloureusement écroulé sur le plancher mal ciré assoiffé de son sang, et le foudroya d'une balle dans l'oreille.

Les deux Fridolins qui me rendirent visite un quart d'heure plus tard ne savaient au juste ce qu'ils venaient foutre. Leurs copains fouillaient l'immeuble, eux en faisaient autant. Ils s'étaient réparti la tâche, étage par étage. Je les ai retenus un moment. En entrant, ils ont enjambé un linoléum roulé qui barrait la porte de la grande pièce. Dedans, il y avait Heisserer. Comme j'avais de la peinture aux doigts, je leur ai demandé de prendre eux-mêmes mes papiers, dans la poche intérieure de mon veston. J'ai débouché la fine et les ai invités à trinquer. L'un d'eux s'approcha de la fenêtre et me dit :

– Vous n'avez pas entendu deux coups de feu ?

– Si, bien sûr. Ça venait de l'escalier. Je ne sais pas comment sont faites vos mitraillettes, mais je crois qu'il faut faire attention en les maniant. Qu'est-ce qui se passe donc par ici ?

Ils ont fait un geste évasif, le Gefreiter m'a demandé combien j'avais de voisins à l'étage – je n'en sais encore rien – et voulait que je les accompagne pour leur servir d'interprète. J'ai répondu que ça m'embêtait, que je n'étais pas policier et me souciais peu de me faire mal voir dans cette maison où j'étais nouveau locataire. Ils sont convenus que j'avais raison.

Ils ont omis d'explorer le toit.

J'ai su qu'au rez-de-chaussée ils conférèrent longuement avec l'officier qui les commandait : ils ne s'expliquaient pas la disparition de leur indicateur.

Eux partis, Debrive a pu descendre du chéneau de zinc où il était juché. Nous avons fouillé le cadavre. Le salopard n'était même pas membre du S.D., mais seulement accrédité avenue Foch ; il ne possédait qu'un *Dienstausweis*. Il n'était pas armé. Même les Allemands s'en méfiaient. Il n'avait sur lui que six cents francs. Nous en avons mis cinq au bout pour acheter un panier d'osier et une valise en carton de mauvaise qualité. J'ai congédié Debrive. Bien qu'il ait sifflé le restant de la fine, il vomissait tripes et boyaux. Il a emporté les vêtements et les souliers du mort, avec la consigne de les détruire.

J'ai cependant pris autrefois des cours d'anatomie, de dissection même – et j'étais terriblement lucide. Eh bien, je me suis comporté comme un enfant très maladroit. Au lieu de désarticuler proprement mon macchabée au bassin et aux épaules, je me suis mis en devoir de le couper à la taille comme on scie un tronc d'arbre. Je croyais que c'était tout simple. La boucherie, l'emballage et le nettoyage ont duré toute la nuit. La tête détachée, pensive, un œil à demi fermé, me regardait m'occuper du reste. Je l'avais dressée dans un plat de cuivre acheté à Bicêtre.

Le haut du corps, qui gonfle un peu la valise, est déposé à la consigne de la gare Montparnasse. Le bas à Austerlitz. On verra bien.

> *Il faut se méfier des morts frais*
> *Du fantôme à la patte blanche*
> *Et de la clarté de ces lampes…*

écrivait, en 1940, Luc Bérimont dans *Domaine de la nuit*.

J'ai toujours manifesté la plus grande répugnance à approcher, à toucher un cadavre neuf. Pour moi, c'est quelque chose d'inconvenant, d'inutile. C'est hostile, sournois, dangereux. La « présence » est beaucoup plus forte, beaucoup plus sensible une heure après la mort qu'une heure avant. Je n'ai pas observé cela avec Heisserer.

Il était entièrement absent de sa tête, de ses mains, de sa chair pantelante. Il s'était fui tout de suite, soulagé, libéré de sa vie absurde.

Les copains ont beau me représenter l'« exécution » de
Heisserer comme un exploit remarquable, tenter de me persuader qu'elle évita tout un enchaînement de désastres, mon
obsession, ma honte, mon chagrin sont au-delà, au-dessus du
jugement des hommes. Je n'ai pas à réfléchir, à calculer, à
peser mes droits et mes devoirs pour me découvrir coupable
d'attentat contre la nature humaine elle-même. Je ne devais
pas participer à cette lutte, m'embourber dans cette fange. Je
suis assailli par des remords de mélodrame : je pense aux vieux
parents attendant leur lettre hebdomadaire. C'est ridicule,
bien sûr. Mais aucun argument, aucune logique ne m'apaisera.

C'est le geste par lui-même qui est infâme. J'aurais dû laisser à d'autres le soin de l'accomplir. Ce qui est excusable pour
n'importe qui ne peut plus, à moi, être pardonné.

Le lendemain soir, je suis allé retrouver Solange. La fatigue,
l'émotion rétroactive, le dégoût m'avaient vaincu.

Je me suis jeté tout habillé sur son lit. Elle s'est assise auprès
de moi sur une chaise basse, et m'a pris la main.

– Tu vois, sa dernière nuit il l'a passée ici, allongé là où tu
es couché. Il n'a presque pas dormi. Il rêvait tout haut, il faisait des projets. Il disait qu'il aurait bientôt beaucoup
d'argent, et que plus tard il s'en irait en Amérique du Sud,
qu'il m'emmènerait si je voulais bien le suivre. Et puis, il fallait bien que *tout* ça agisse… (d'un geste des deux mains, elle
situe les murs et le plafond). Au matin, il a vidé son sac, il a
tout déballé. Après il s'est assoupi une heure. Quand il est
parti, il était inquiet, il ne se rappelait plus bien tout ce qu'il
avait pu me raconter. Je lui ai dit : « Quand tu t'es mis à ron-
fler, on se trouvait ensemble au Brésil… » Ça l'a rassuré. Faudrait pas que ça te travaille tellement. Que tu l'aies buté, je
sais bien que c'est pas marrant, mais c'est Paris qui s'est
vengé. Pense à Danse-Toujours.

LE DORMEUR
DU PONT-AU-DOUBLE

Juillet

Mes douleurs, de plus en plus aiguës, ne me quittaient plus. En désespoir de cause, j'ai eu recours au Dormeur, auprès de qui je me suis fait recommander par Lassenay l'artificier. Le frère a palpé mon torse, m'a posé des questions à ce point pertinentes que je le soupçonne d'avoir poursuivi de très sérieuses études médicales.

Il m'a dit aussi, en touchant son front :

– Là-dedans, ça n'a pas l'air de tourner bien rond. Vous devez être très surmené.

S'il savait...

Il a fait imposer les mains du Dormeur sur mon côté douloureux, et sur ma tête. J'en serai dimanche à la troisième séance. J'éprouve avec étonnement les réels bienfaits de cette thérapeutique mystérieuse. Il était grand temps de recouvrer ma forme : nous sommes surchargés de travail.

Septembre

Ouf! Les Allemands sont partis. Sans trop de dégâts, et c'est miracle. Me voici à la fois journaliste et officier – en tenue, enfin –, remobilisé à la Sécurité militaire. Chaque soir, au canard, je suis de corvée de dithyrambe. On m'a chargé plus particulièrement de découper en épiques feuilletons les épisodes de la libération de Paris.

Si j'écrivais ce que j'en pense *vraiment*, je me ferais écharper. J'ai vu ramasser, dans les Halles, le cadavre d'un gosse en culottes courtes, quinze ans tout au plus. Il s'était élancé à l'assaut d'un camion fritz qui arborait un drapeau blanc. L'enfant était armé d'un pistolet 5,5 à crosse de nacre : accessoire de sac de dame 1924. Les vrais criminels n'étaient pas dans le camion.

Les nègres des plantations ont envahi mon vieux quartier. Ils se montrent bons bougres à jeun, terribles quand ils sont saouls.

Léopoldie et sa copine, Alice, rattrapent le temps perdu. Elles s'en donnent à cœur joie. Chaque nuit, à une porte de Paris, elles s'introduisent en fraude dans l'enceinte d'un parc-auto, et sous les camions font l'amour avec les Noirs. Elles « travaillent » tellement qu'elles en attrapent des durillons aux fesses et aux omoplates. Elles paient le coup à tout le monde. Pépé-la-Lope regrette le départ des anciens occupants : les Ricains n'apprécient pas ses charmes. L'un d'eux lui a dit qu'il sentait trop mauvais. Depuis il se parfume à la violette, ce qui a déterminé les Pignol à le foutre à la porte. Il empestait la boutique.

À la Maubert, les pires gouapes ont profité des moments d'accalmie pour se faire photographier sur les barricades, déguisés en corsaires, dans des poses pétant l'héroïsme.

Je fais piètre figure avec mon uniforme : j'arbore mon grade normal de lieutenant. Ici tout le monde est au moins commandant. Seuls les moins de vingt ans ne sont que capitaines.

Les flics – qu'il nous faut maintenant glorifier – ont même appréhendé, rue Monge, deux « colonels-chefs » à six ficelles. L'un était arménien.

J'ai constaté que les lieux-phosphore, dans le vieux Paris, sont les mêmes depuis le Moyen Âge. Les premières barricades qui ont surgi de terre ne correspondaient qu'à de très vagues buts stratégiques : rue de l'Arbre-Sec, par exemple. Mais c'est là, c'est rue Pernelle, rue du Fouarre, rue de la Huchette, au Petit-Pont, que la Ville prit feu, fidèle en cela à ses séculaires habitudes.

Mes bohèmes, plus sages, se sont calfeutrés au premier étage des *Quatre-Fesses*, où Élisabeth leur préparait la tambouille. Aucun changement n'est intervenu dans leurs vies, sauf pour Théophile qui est rentré dans les ordres. Il veut partir en Afrique noire comme missionnaire.

Décembre

Marius Labadou, dit le « Commandant », était un rigolo quinquagénaire, peintre en bâtiment de son état, et amateur de beaujolais bien fruité.

Marius Labadou, durant l'entre-deux-guerres, appartint au corps glorieux des sous-officiers rengagés qui portèrent, sous différentes latitudes, à des populations insuffisamment évoluées, le message de la Doulce France et affirmèrent, à grands coups de chaussette à clous, l'universel rayonnement de notre culture.

Marius Labadou réintègre ses foyers avec le grade d'adjudant-chef de réserve.

Marius Labadou, que l'état-major, pressé sans doute par d'autres soucis, avait négligé de consulter avant de solliciter l'armistice de juin 1940, écumait de rage au spectacle des hordes teutonnes défilant dans nos murs. Aussi Marius Labadou fut-il l'un des premiers à fonder un organisme de résistance dans Paris occupé. Il s'y prit de prudente manière : réunit un groupe de cinq ou six œnophiles hitlérophobes –, des gens sûrs. Et les arrière-salles discrètes de la rue de la Huchette connurent, quatre ans durant, la fidèle présence de figures éminemment patriotiques : Doudou le Doux Bedeau, Lucien Domaom et son copain Collard dit Nounours, d'autres encore, et Fralicot dit les Éparges, à cause de sa très authentique odyssée quatorze-dix-huitième. Sous l'autorité enthousiaste mais circonspecte de Marius Labadou, ces braves gens tenaient un conciliabule quotidien, au cours duquel ils se mettaient mutuellement au courant des rumeurs parvenues à leurs oreilles dans la journée. On épiloguait ensuite. On séchait avec allégresse les flacons qui se raréfiaient – encore un que les Allemands n'auront pas ! – ... Domaom, qui tenait à tirer des conclusions définitives, attrapait par le bouton de sa veste chacun de ses copains, l'un après l'autre : « Alors, d'homme à homme, dis-moi que tu ne désespères pas ? » ... d'où son surnom. C'est en partie grâce au groupe Labadou que les plus réjouissants bobards prirent corps, coururent Paris et gagnèrent la province avec une rapidité de guerre-éclair.

C'était là l'essentiel de l'activité du groupe. Je me souviens du jour où parvint en France la nouvelle de l'issue, longtemps indécise, et qui fut désastreuse pour les Allemands, d'un formidable combat de blindés, quelque part sur le front russe. La Progaganda Staffel avait ordonné que la presse insistât sur l'envergure des moyens mis en œuvre de part et d'autre. Le journal *Aujourd'hui* parut avec ce titre, sur six colonnes :

LA BATAILLE FUT GIGANTESQUE...

... et tout le monde, sur la rive gauche, de fredonner la suite du classique *De Profundis :*

> *Tous les morpions moururent presque*
> *À l'exception des plus trapus*
> *Qui s'accrochèrent aux poils du...*

(Desnos avait collaboré à la mise en page.) Ah ! elle a bien ri, cette fois-là, la bande à Labadou... En somme, si l'activité de cette équipe était à peu près nulle et ne porta jamais le moindre préjudice aux troupes de l'Axe, du moins nos braves soiffards étaient-ils animés d'excellentes intentions. Je n'avais pas caché à Labadou les possibilités qui m'étaient offertes de communiquer avec Londres. Il me demanda d'y transmettre la nouvelle de l'existence du groupe du « Chat qui Pêche ». Et pourquoi pas ? Je fis un rapport au B.C.R.A. et la guerre continua.

Pendant les batailles de rues, Labadou et son équipe se gardèrent bien de mettre le nez dehors pour d'autres besoins que ceux de leur ravitaillement, en pinard surtout. « On a autre chose à faire », affirmaient-ils d'un air entendu. La discipline étant la force principale des pires pagaïes, chacun trouvait ça normal. Alors, dès que tout fut à peu près calmé, que l'on eut par-ci par-là zigouillé quelques malheureux bougres pour des raisons tout autres que tricolores, que l'on eut mis à l'honneur l'admirable phalange policière tant haïe la veille, que putains et Noirs du MiddleWest, à coups de concessions mutuelles, eurent inventé un curieux idiome anglo-tudesque, les services de paperasserie gaullo-alliés s'installèrent à la place des services de paperasserie wehrmachto-gestapistes.

Marius Labadou se « fit reconnaître », lui et son groupe. Un colonel qui a fait la guerre dans les bureaux – et abris – londoniens, et un sous-off rengagé qui avec abnégation veilla sur le moral des bistrots de la Huchette, c'est fait pour se comprendre.

De plein droit, Marius Labadou fut promu commandant, Fralicot et Domaom capitaines, les autres lieutenants à deux ficelles. On ne sait pas où ils dégottèrent les tenues rutilantes et hautement fantaisistes dont ils s'affublèrent sur-le-champ. Goering eût pâli devant leurs pectoraux. Ils ne décuitèrent pas d'une grande semaine. Marius Labadou avait fière allure dans son uniforme – et c'est ce qui le perdit.

Il était veuf. Depuis plusieurs années, il vivait maritalement avec une dame d'âge mûr, Mme Félicienne. Celle-ci, d'un abord plutôt rogue, était une ménagère extrêmement soigneuse. Son intérieur, un deux-pièces cuisine, fourmillait d'objets sans valeur, glanés çà et là au cours des promenades dominicales, le long des quais, ou dans les fêtes foraines. Et les cygnes de porcelaine, les tasses japonaises, les mièvres sujets de cuivre jaune, astiqués, fourbis, patinés, brillaient d'un éclat attendrissant. Mais Mme Félicienne semblait vouer à cette quincaillerie, aux coussins brodés à pompons, aux vases à fleurs, un amour qu'elle refusait aux gens. Fort économe, elle gérait en maîtresse femme le budget du ménage, et voyait d'un mauvais œil son « homme » s'éterniser en compagnie de ses amis.

Pour elle, la Libération devait marquer la fin d'une existence relâchée qu'elle avait en horreur. Quant à Labadou, grisé par son succès d'estime inespéré, il ne l'entendait pas de cette oreille : peu pressé de reprendre ses pinceaux, il préférait déambuler en uniforme, flanqué d'un ou deux acolytes, et faire s'extasier tout le quartier au récit de faits d'armes aussi époustouflants qu'imaginaires.

C'est ainsi qu'il conquit le cœur de Louisette, ancien modèle devenue barmaid. Assez jolie quoique fripée avant l'âge, Louisette sut transformer le bon ange qui veillait sur Marius en démon de midi. Notre commandant négligeait ses activités professionnelles. Las d'entendre chaque jour récriminer Mme Félicienne, il profita d'une scène pour transporter incontinent sa légère valise et ses chemises de rechange chez Louisette, infiniment plus jeune et désirable... Le nouveau couple s'était installé à quelque cent mètres du foyer délaissé. Mais telles sont les mœurs du quartier que nul n'y trouva à redire. Le train-train journalier reprit. Mme Félicienne rongeait son frein. Elle affectait de faire bonne figure à sa rivale ; mais ceux qui la connaissaient affirmaient qu'il ne fallait pas trop s'y fier. D'autant moins que Marius recevait une retraite, et que, bon an mal an, ça mettait du beurre dans les épinards...

Entre-temps, Marius Labadou perdit quelque peu sa superbe. Il avait contracté un chaud et froid qu'il négligea de soigner. Il se voûtait, toussotait sans arrêt. Sa nouvelle maîtresse veillait sur lui de son mieux ; mais il buvait vraiment trop.

Jusqu'au matin sale où, par un mauvais froid qui n'en finissait pas, Marius, brûlant de fièvre, dut être transporté à l'Hôtel-Dieu où l'on diagnostiqua une broncho-pneumonie double.

Le soir même, les amis du malade se réunirent au café du *Chat qui Pêche*. Deux clans s'étaient formés parmi eux : les partisans de Mme Félicienne, du respect des habitudes consacrées, autant dire des « bonnes mœurs » ; et ceux qui voyaient en Louisette une « troisième jeunesse » possible pour Marius.

Mme Félicienne et Louisette arrivèrent, chacune de son côté. Louisette semblait accablée de chagrin. Sa rivale, au contraire, avait l'œil ferme et la tête froide. L'on tint conseil. Domaom suggéra :

— Nous ne pouvons plus intervenir dans la manière dont Marius sera soigné… Nous n'avons qu'une seule chance de hâter sa guérison : voir les frères Lancelin, et le faire « dormir ».

Mme Félicienne se montra réticente. Mais on n'eut pas de peine à lui représenter que rien de sérieux ne pouvait s'opposer à ce que le Dormeur « pensât », pendant deux heures chaque jour, à l'homme à sauver.

— C'est comme une prière pour un défunt, avait dit Fralicot. Si ça ne lui fait pas de bien, ça ne lui fait toujours pas de mal.

Cet argument l'emporta.

La soirée se prolongea. Chacun racontait, en les enjolivant de son mieux, les histoires de guérisons « miraculeuses » opérées par le Dormeur et son frère. C'était tout juste s'ils ne ressuscitaient pas les morts. Mais Mme Félicienne suivait son idée.

— Et après, une fois sorti, il ne sera guère valide… Qu'est-ce qu'il fera, et chez qui, hein, chez qui qu'il rentrera ?…

Louisette se taisait. Les autres, gênés, hochaient la tête.

— Ça c'est ses oignons, dit Collard l'Ancien. On est ses amis, on est vos potes à vous deux aussi… Ça ne nous regarde pas. Arrangez-vous en famille…

Domaom intervint :

— Vous avez toutes les deux la volonté de le voir sortir de là, pas vrai ? Eh bien, faut faire comme à la guerre : une alliance dans un but de. Pour l'instant, vous êtes de combine. Enfin, Fralicot, d'homme à homme…

— T'en connais un rayon, toi, acquiesça Fralicot.

Sous les regards humides de la confrérie, les deux hommes s'embrassèrent.

– Je voudrais bien savoir quelle vacherie elle mijote, fit une voix.

Le dévouement de Mme Félicienne dépassa toute attente. Dès le petit matin, elle avait bondi dans le quartier des frères Lancelin, découvert leur domicile. Elle dut les supplier : elle fit tant et si bien qu'à l'ouverture des salles au public, les Lancelin étaient au chevet de Marius. Il paraissait très bas. Le Dormeur imposa les mains sur son torse : longuement, si longuement que l'autre murmura :

– Arrêtez, ça me fatigue…

En sortant, Frédéric Lancelin, qui soutenait son frère, dit à Mme Félicienne :

– Vous savez, on fera le maximum, mais ce sera difficile…

– Faites tout ce que vous pourrez. Moi, de mon côté, je m'occuperai de vos affaires… D'abord, vous prendrez vos repas chez moi.

Et l'on vit Louisette rincer la lessive pour Mme Félicienne, laquelle, pendant ce temps-là, fricotait des petits plats. Elle fit, avec grand soin, manger le Dormeur.

– Il faut vraiment que ce soit vous pour que je laisse faire, avait dit Frédéric, réellement ému. Depuis qu'il est paralysé, c'est toujours moi qui le soigne…

Le premier jour, Marius fut « dormi » consciencieusement pendant plusieurs heures.

Tout le monde, au *Chat qui Pêche*, était venu aux nouvelles. Marius paraissait mieux. La fièvre n'était point tombée ; mais il respirait plus à fond, parlait sans trop de fatigue. Le regard s'était éclairci. Et chacun se réjouissait. Mais, alors que Mme Félicienne semblait surtout s'extasier sur les vertus du Dormeur, Louisette ne pouvait dissimuler sa joie. On guérirait Marius ! Elle rayonnait.

Ceci déplut fort à Mme Félicienne, qui eut tôt fait de remettre sa rivale à sa place :

– Tu as voulu me prendre mon homme. Tu vois ce que ça a donné. Eh bien ! tu vas me le rendre. J'ai des droits sur lui. D'abord, c'est toujours chez moi son domicile légal. Il n'a pas fait son changement. Non, mais tu crois des fois que je vais te laisser comme ça bouffer sa retraite ?

– Je m'en fous pas mal de son fric, fit Louisette.

Collard, cela se voyait, n'aimait guère Félicienne. Il hasarda :

– En tout cas, s'il passe l'arme à gauche, pour l'oseille, faut pas y compter… Vous serez jamais que sa concubine… pas sa veuve…

– Ça se discute. Y'a eu des procès dans des cas comme ça. La loi n'est pas la même qu'avant, déclara avec autorité Félicienne, un peu décontenancée tout de même.

Fralicot, dit les Éparges, avait quelques raisons d'être renseigné :

– Eh bien ! moi, j'en suis bien moins sûr que vous…

Félicienne parut songeuse. Son regard se durcit. Elle fixa méchamment Louisette.

– De toute façon, je t'aurai au tournant, ma garce, fit-elle entre ses dents.

Félicienne ne fréquentait que très peu chez Pignol. Par hasard, elle s'y trouva, alors que le docteur Troquemène, venu donner ses soins à un locataire, était présent.

– Prenez quelque chose, docteur ?

– Non, merci. Je ne bois jamais.

– Dites, pourriez pas me dire… Je ne sais pas ce que j'ai depuis deux jours, je roupille tout le temps.

– Faites comme moi, buvez moins.

– Je vous jure que ce n'est pas le cas…

Le toubib, négligeant de répondre, partit en haussant les épaules. Suzanne, l'hôtelière du *Sommerard*, était là.

– Ah ! ce bonhomme, ce qu'il est pas aimable… Je demanderai ce soir au petit Claude qui loge chez moi. Il fait sa médecine…

– Ah ben ! toi, t'es chouette. En fin de soirée, je viendrai te dire un petit bonjour.

Le lendemain, le malade semblait hors de danger. Et toute l'équipe, confiante en les vertus des deux traitements conjugués – celui des internes et celui du Dormeur – buvait à la santé de Marius et à son prompt retour. Mais il y eut une ombre au tableau. Arrivèrent les frères Lancelin, l'un soutenant l'autre. Le Dormeur semblait beaucoup plus faible que de coutume. Frédéric, manifestement inquiet, le fit asseoir comme s'il eût été fait d'une substance extraordinairement fragile. Le Dormeur tremblait un peu. Il marmonna en hoquetant :

– Je-ne-sais-pas-ce-qui-m'arrive… Je-n'ai-pas-pu-dormir… pas-du… du tout.

– C'est une catastrophe, se lamentait Frédéric. Pour lui et pour nos malades…

– Le mieux est qu'il se repose chez moi, dit Félicienne. Je vais bien le soigner. Nous le veillerons s'il le faut.

Les jours suivants, l'état de Marius empira gravement. Mais l'attention de tous – sauf de Louisette – fut quelque peu détournée sur le cas du paralytique. Le Dormeur ne dormait plus, ne *pouvait* plus dormir ! Ni de jour ni de nuit. Il se plaignait de palpitations cardiaques. Il n'était plus que l'ombre de lui-même.

Félicienne le forçait d'avaler des bouillies.

– Il faut tout de même qu'il se soutienne…

Louisette proposait de l'aider.

– Non, non, je m'en débrouille mieux toute seule, se défendait l'autre, hargneusement.

Lorsque, à l'Hôtel-Dieu, on lui annonça la mort de Marius, Félicienne sanglota sans une larme. Frédéric était resté chez elle, à veiller sur son frère, qui étouffait ou presque. Il attendait le retour des femmes pour aller quérir un médecin –, un vrai. Peut-être une piqûre d'un quelconque antispasmodique pourrait-elle soulager le Dormeur sans sommeil, au comble de l'épuisement.

Pour chercher un verre d'eau, du sucre, une cuiller, Frédéric était allé dans la cuisine. Il y avait ouvert un tiroir.

Quand les deux femmes rentrèrent, Félicienne dit :

– C'est fini.

Elle pleurnichait.

– C'est fini, répéta Louisette, cireuse, prostrée.

Félicienne alla farfouiller dans la pièce voisine. Frédéric en profita pour faire signe à Louisette qu'il avait quelque chose à lui dire. Il sortit de sa poche quatre tubes métalliques – trois vides et l'autre à demi entamé. De l'ORTÉDRINE. Louisette ne comprit pas tout de suite. Frédéric montra son frère :

– C'était pour l'empêcher de dormir. Elle aurait pu le tuer *aussi*.

Louisette s'évanouit.

Le bruit du scandale qui s'ensuivit ameuta le quartier. Nul n'y comprenait grand-chose. On mit sur le compte du désespoir la crise de fureur passagère qui s'était emparée de Louisette et l'avait fait injurier sa rivale avec une invraisemblable violence. Elle avait voulu frapper l'autre : Frédéric la retenait. On entendit aussi des propos incohérents où les mots « assassinat », « criminelle », revenaient parmi des sanglots et des râles de fureur.

Frédéric Lancelin fit montre d'une maîtrise de soi et d'une autorité remarquables. Après avoir calmé Louisette, il lui demanda de l'aider à reconduire son frère. Ce qu'elle fit, comme douchée. On leur trouva une voiture.

Le lendemain, Félicienne et Louisette se rencontraient au *Chat qui Pêche*. On craignit un moment une nouvelle dispute.

À l'étonnement général, ce fut Louisette qui s'excusa :

– Je ne sais pas ce qui m'a prise… Je ne me souviens pas très bien… Tu sais, je n'ai pas la tête tellement solide…

Et, pour la seconde fois, Félicienne et Louisette se réconcilièrent. Ou firent semblant.

Les copains du quartier, au grand complet, accompagnèrent à Thiais le convoi de Marius Labadou.

On prit des nouvelles du Dormeur : il avait recouvré le sommeil et se tenait sur le pont, tout comme avant. Il avait repris ses « consultations ». Mais c'est Félicienne qui se mit à flancher. Elle pleurait souvent sans rime ni raison, se saoulait et piquait des crises de cafard :

– Qu'est-ce que j'ai fait là ?... qu'est-ce que j'ai fait là ?...

Les voisines la consolaient et la remontaient chez elle. Louisette devint sa plus fidèle amie. Un jour elle lui dit :

– Tu deviens neurasthénique. Je crois que toi aussi tu devrais te faire « dormir ».

Félicienne refusait avec horreur. Mais elle n'avait plus de volonté. Louisette insistait, longuement, patiemment, sûrement. C'est sur la nuque, les yeux et les oreilles de Félicienne que le Dormeur, cette fois, imposa les mains. Frédéric surveilla l'opération avec un air dur que personne ne lui connaissait.

Félicienne vient d'entrer à Sainte-Anne. Elle y est jusqu'à la fin de ses jours – qui ne se prolongeront guère. Elle végète, elle croupit, inconsciente, dans un état de léthargie à peu près permanent. Et cela vaut mieux ainsi : dès qu'elle se réveille, des cauchemars, des hallucinations lui font pousser des cris épouvantables.

Je continue d'aller voir Pierre-Luc, mon ami des quais ; mais, lorsque nous devons passer devant le Dormeur, je ne sais ce qui me force d'accomplir un large détour.

CHAPITRE XI

Un historiographe est une sorte de détective à la poursuite du fait, proche ou lointain, qui apporte à une séquelle d'événements en apparence étrangers les uns aux autres, leur trait d'union, leur justification, leur logique.

Vous n'imaginez pas quelles joies profondes réserve ce métier. C'est comme si, dans chaque incunable dévoré de vers et d'ennui, dans chaque grimoire muet, dans chaque recueil de chroniques oubliées, veillait un lutin malicieux qui, au bon moment, en clignant de l'œil, vous décerne votre récompense, sous forme d'un nouvel émerveillement.

MARIONNETTES ET MAGIES

Tout le monde, à la Maubert, à la Montagne, a connu ce bohème un peu farfelu qui, voici quelques années, sculptait des guignols, les faisait « habiller » et les vendait chez Mayette et chez Vaubaillon.

Notre homme se cantonnait dans la confection de marionnettes « à gaine », c'est-à-dire sans jambes, leur robe gantant la main à l'opérateur.

Il les modelait, les maquillait, les coiffait, les « finissait » avec amour. Dans les bistrots, il ne dissimulait pas son plaisir

à les animer. Il improvisait des scènes d'un comique affligeant
– à la mesure de son auditoire. Mais peu lui importait, pourvu
que les éclats d'un rire impersonnel – du « rire franc » dont
parle Heine – fissent tinter ses oreilles.

Je conçus quelque intérêt pour le sculpteur- marionnettiste :
à tel point qu'il m'inspira des pièces pour guignols. (Il est doux
et reposant, de temps à autre, de « fabriquer » du folklore.) Je
« pondis » incontinent cinq farces sur le mode lyonnais. Vaubaillon et Billaudot les publièrent. Grâce à mon fantaisiste, je
fis la connaissance de son principal client : M. Mayette.

La cinquantaine. Patron, depuis longtemps, d'une excellente affaire, prestidigitateur et illusionniste de son métier ini-
tial. Mais avant tout un homme affable et bon, loin d'être
dépourvu de culture, et surtout imprégné de cette sensibilité à
fleur de peau qui ne trompe pas. Où je veux en venir ? Au fait
que M. Mayette se soit installé *là* et non ailleurs. C'est toujours
la même chose.

Le bohème cessa brusquement de fabriquer ses poupées,
alors que les commandes affluaient. Cependant, son industrie,
pour artisanale qu'elle fût, s'avérait florissante.

– J'en ai marre, me dit-il un jour. Je fignole trop mes personnages. Ça ne nourrit pas son homme.

– Rajustez vos prix !

– Si ce n'était que cela...

J'eus garde d'insister. Une autre fois, il m'avoua qu'il
« aimait trop » ses créations – il ne sculptait jamais deux têtes
identiques –, et que, bien qu'il en eût produit des centaines,
c'était pour lui une sorte d'arrachement chaque fois qu'il se
séparait de l'un de ses « enfants ».

– Je ne sais pas dans quelles mains elles tombent... C'est
donner de la confiture aux cochons.

Enfin, il accoucha du fin mot, ce qui, à l'époque, ne
m'avança guère.

– Vous savez, la chose sculptée, *surtout quand elle est polychrome*, c'est fait pour rester immobile. Ces visages, ces moi-

tiés de corps que vous animez, c'est plus vivant que nature : *ça peut devenir dangereux pour ceux qui les comprennent trop bien*. De l'énergie en conserve, personne ne sait prévoir ce que ça donne quand ça se libère…

Il se mit à peindre des fresques dans les cafés – et puis je le perdis de vue.

Plus tard, je compulsai nombre de documents anciens ayant trait à l'histoire du quartier. J'y appris, entre moult autres choses, qu'à proximité immédiate de la maison Mayette, autour du passage du Clos-Bruneau (en 1248 : la rue *Judas*) s'était fixée une communauté d'Orientaux (Gitans ou Juifs…) lesquels, depuis le pré-Moyen Âge, s'adonnaient à la confection des *poupées articulées*.

Dans mon précieux petit Privat d'Anglemont, on lit ceci, page 33 :

> *Nous avions rencontré les musiciens errants, les joueurs d'orgue, les montreurs de singes et d'animaux vivants : – il y a là des maisons qui sont de véritables ménageries –, les impresarii de marionnettes y établissent leurs quartiers généraux.*
>
> *Ceux-ci ont importé toute une industrie dans la rue du Clos-Bruneau. Ils y font vivre toute une population, population curieuse, douce, bonne, presque artiste, qui rappelle de loin certains personnages des contes fantastiques d'Hoffmann. Elle est toute employée à la fabrication des fantoccini. Il y a d'abord le sculpteur en bois (sic) qui fait les têtes. Il est à la fois peintre et perruquier. Il travaille dans le commun et dans le soigné. Il vend ses têtes jeunes, dans le soigné, de 2 à 4 francs : celles de vieillards à barbe et cheveux blancs, de 10 à 15 francs : une perruque simple, 12 sous : avec agréments et frisure, pour femme ou pour chevalier Louis XIII, 2 francs.*
>
> *À côté de lui se trouve l'habilleuse qui fait les costumes ; on lui fournit les étoffes ; lorsqu'elle travaille pour*

un spectacle bien établi, comme celui de M. Morin, rue Jean-de-Beauvais, elle gagne 2 francs par jour, sans se donner trop de mal. *Puis viennent les cordonnières, celles qui font les souliers de satin pour les marionnettes danseuses et les bottes chamois pour les chevaliers. Les souliers se vendent 4 sous la paire, les bottes 15 sous. Enfin, le véritable magicien de ce monde, celui qui* ensecrète *le bouisbouis.* Ensecréter un bouis-bouis *consiste à lui attacher tous les fils qui doivent servir à le faire mouvoir sur le théâtre : c'est ce qui doit compléter l'illusion. Il faut une certaine science pour bien ensecréter, car celui qui est chargé de faire danser la marionnette ne doit jamais pouvoir se tromper et ne prendre jamais un fil pour un autre, faire remuer un bras pour une jambe : la disposition de l'ensecrètement doit être telle, qu'en voyant les fils détachés, celui qui a l'habitude de ces exercices doit dire : celui-ci sert aux bras, celui-là aux jambes...*

Bon. Et ce furent les hasards d'un voyage en Suisse, où son souvenir est toujours vivace, qui me permirent de retracer l'aventure de Brioché.

Jean Brioché, vers l'an 1650, était un fameux arracheur de dents. L'hiver, il opérait sur le Ponf-Neuf, et parcourait la province durant la belle saison.

Sur le pont, charlatans de tout poil, artisans, petits marchands, mendiants et baladins se pressaient en foule, tandis que s'attroupaient les badauds devant les tréteaux prestigieux de Mondor et de Tabarin. Sur une sorte d'échafaud tout pavoisé d'affiches multicolores, Brioché attirait ses clients qu'il délivrait sans trop de douceur de leurs chicots cariés. Les patients, livrés ainsi aux quolibets – ou à l'admiration – d'un public échauffé, restaient aussi stoïques que leur permettait la douloureuse opération. Brioché, que le populaire baptisa « Dépaveur de Rues de la Gueule », déférait à la coutume du temps en organisant, avant chaque séance publique d' « extraction », une parade bruyante et colorée. Ainsi l'idée lui était-elle venue de faire danser des poupées sous le nez des badauds.

Le matin du 24 décembre 1649, un homme basané s'arrêta longuement devant l'estrade où Brioché animait ses pantins. Patient, il attendit la fin de la séance. Puis il aborda Brioché, lui fit compliment de son adresse et lui proposa de confectionner, *pour lui seul*, des marionnettes beaucoup plus belles à l'effigie des héros de la farce italienne : Polichinelle, Pantalon, Arlequin... Aussi des personnages d'inspiration religieuse, qui pourraient lui permettre de représenter des « mystères ».

Brioché suivit l'homme jusqu'à son atelier – au Clos-Bruneau. L'autre lui montra des échantillons de ses productions. Séduit, Brioché passa commande de toute une série de personnages. On convint d'un prix, à solder plus tard, au fur et à mesure des recettes : une date limite fut fixée – un an jour pour jour après la conclusion du marché.

Il était stipulé que les marionnettes, au cas où elles n'auraient pas été payées à temps, redeviendraient la propriété de celui qui leur avait donné le jour. Brioché versa un acompte. Tope là !

La livraison des fantoches fut effectuée dans les délais convenus. Les poupées étaient tellement belles, leur manipulation si aisée que Brioché, laissant là davier et fauteuil de tortures, devint son propre « manager », instruisit des aides et s'adonna exclusivement à monter des spectacles de marionnettes. Bien lui en prit : en très peu de temps il fit fortune.

L'homme basané vint le voir et lui réclama une partie de son dû.

Avare, Brioché lui paya en rechignant la première tranche convenue sur le prix global.

L'artisan lui signifia qu'il remettait à ses propres poupées le soin de veiller à ce que ses engagements fussent tenus. Brioché haussa les épaules...

Il gagna la province, où il fit recette au-delà de ses espérances. On le signala un peu partout en Bourgogne, puis en Savoie. Il négligeait son créancier…

Le jour précis fixé pour l'ultime échéance – Noël 1650 – Brioché et sa compagnie passaient la frontière d'Helvétie.

À Soleure, il donna une représentation en présence d'une assemblée nombreuse et choisie. Les Suisses ignoraient les marionnettes : ils s'émerveillèrent des cabrioles accomplies par les personnages du premier ballet. Trois violoneux jouaient derrière le décor, tandis que des poupées « musiciennes » raclaient sur scène des instruments de la Sainte-Farce. Mais ce n'était là qu'un préambule.

Dans l'enthousiasme général, le rideau se leva sur la pièce annoncée : *la Damnation de Polichinelle* [1].

Alors se produisit cette chose stupéfiante : *les poupées soudain ignorèrent leur maître !* Elles nouèrent, elles mêlèrent, elles brisèrent les ficelles qui devaient commander leurs moindres mouvements : libérées, déchaînées, elles se mirent à tournoyer, gambader, se chamailler, se battre, sans que rien ni personne pût les calmer…

Les spectateurs déclarèrent que « de mesmoire d'homme, on n'avoit entendu parler dans le pays d'êtres aussi mignards, aussi agiles et babillards qu'iceux ». L'assistance s'effraya : on cria au maléfice. On déclara que les poupées n'étaient autres qu'une troupe de lutins aux ordres d'un démon…

Les archers helvètes garrottèrent Brioché et le traînèrent devant le juge, escortés d'une populace vociférante. Le magistrat voulut voir les pièces du procès : on lui apporta le théâtre et les lutins de bois, « auxquels il ne touchait qu'en frémissant » : et Brioché fut condamné à être brûlé vif avec son attirail.

Cette sentence allait être exécutée, lorsque survint un nommé Dumont, capitaine des gardes suisses au service du roi de France : curieux de voir le magicien français, il reconnut le mal-

1. Qui semble être une curieuse transposition du *Faust* de Marlowe.

heureux Brioché qui l'avait tant fait rire à Paris. Il se rendit en toute hâte chez le juge : après avoir fait suspendre d'un jour l'arrêt, il lui expliqua l'affaire, lui fit comprendre le mécanisme des marionnettes et obtint l'ordre de mettre Brioché en liberté.

Ce qui ne fut guère facile : car ceux d'entre les témoins du procès qui avaient assisté à la représentation tenaient bon et continuaient de hurler au sortilège. Longtemps la population de Soleure resta divisée sur ce point.

Brioché regagna Paris en toute hâte. Il n'eut de cesse qu'il se fût précipité au Clos-Bruneau et eût soldé, rubis sur l'ongle, sa dette à l'enchanteur – je voulais écrire : à l'artisan.

Depuis, sa célébrité ne fit que s'accroître. Il se produisit souvent devant la Cour.

Ainsi se forgent les légendes... Je ne sais quelle part de fiction se mêle à l'histoire de Brioché : toujours est-il qu'en Suisse sont conservés des documents d'époque qui attestent les circonstances du procès, et tout ce qui vient d'être rapporté.

Je voudrais bien rencontrer à nouveau le bohème qui m'avait dit : *La chose sculptée, polychrome, c'est fait pour rester immobile... Les réactions de l'énergie en conserve sont imprévisibles...*

J'ai appris que Gabriele d'Annunzio acquit, à la fin du siècle dernier, quelques-unes des poupées de Brioché. Les plus belles. Elles sont actuellement la propriété du poète et dramaturge Guillot de Saix, l'« Enfant à Barbe blanche ».

LE VIEUX D'APRÈS MINUIT

Gérard est en progrès. Séverin aussi. Ils ont très heureusement influencé Paquito, qui évolue de la plus sympathique manière. Tous trois ont organisé, rue de Seine, une exposition de leurs œuvres. Mes confrères de la presse y sont allés de leurs commentaires complaisants. Depuis, leurs toiles se vendent tant bien que mal. Les copains « marchands de tout », Géga en tête, leur donnent un sérieux coup de pouce. Une relative aisance règne au sein du groupe. Mais il y a une ombre au tableau. Cette ombre se nomme Élisabeth, de qui nous venons de fêter les dix-huit ans.

Ils en sont tous plus ou moins amoureux. Pour moi, mon sentiment serait plutôt paternel. Mais j'en suis jaloux autant que les autres.

En octobre dernier, un légionnaire en vadrouille est venu atterrir aux Quatre-Fesses, un beau soir. Je me trouvais là. Je m'étais vêtu en civil. Le légionnaire voulait absolument fraterniser avec tout le monde. Dans la journée, il était déjà venu entreprendre Olga. Pas vilain type, dans le genre anguleux : beau parleur – ah ! ça oui ! – il lui avait fait bonne impression. Le soir il s'est conduit d'agréable façon et a acheté deux dessins à Paquito. Sans méfiance, nous avions trouvé naturel de l'inviter à notre table. Il préféra se placer dans le coin, de façon à n'être pas vu de l'extérieur : des copains à lui pouvaient passer, le repérer – et ils ne l'intéressaient pas.

Les yeux au loin, il parla de l'Afrique, de Saïgon, de Shanghai, du Tonkin où il s'était battu...

Il n'eut pour la petite qu'un regard poli et distrait, en lui disant au revoir. À elle, il semblait ne faire ni chaud ni froid. Mais elle minauda quand Clément voulut, comme chaque nuit, l'accompagner jusqu'à sa porte. Et nous sentions Clément très malheureux.

Le légionnaire revint tous les soirs suivants : chaque fois, il apportait un jambonneau « pour qu'on se le farcisse en potes », disait-il. Il dépensait beaucoup. « L'argent... Pour ce que j'en ai à foutre... » Il racontait, d'une voix égale et pénétrante, ses aventures d'Algérie, de Tunisie, d'Indochine où l'avait surpris l'invasion japonaise. Mais il avait, disait-il, « pris le maquis » – tout comme un simple Cévenol.

Il décrivait les interminables traversées dans la torpeur des entreponts. Le cafard. Les copains, leurs vies, leurs histoires. Et puis, à onze heures trente :

– Polop, j'ai la perme que jusqu'à minuit.

– Où rentres-tu. ?

– Vincennes. Salut.

Et il se hâtait vers le métro. Une fois, un habitué, Dédé, possesseur d'une voiture, lui proposa de l'accompagner. Il accepta. Vingt minutes après Dédé était de retour.

– Déjà... depuis le fort de Vincennes ?

– Pensez-vous... Je l'ai conduit à un hôtel, rue de la Convention.

Edmond était présent. Il maugréait :

– Je ne sais pas ce qu'il vous a fait à vous autres, mais sa frime ne me revient guère...

Le lendemain le légionnaire dit qu'il pouvait s'attarder. Un accordéoniste de passage avait peuplé une partie de la soirée. C'est seulement vers minuit que nous fûmes vraiment entre nous. Edmond, qui de plus en plus se plaît en notre compagnie, était assis auprès d'Élisabeth. Il l'entourait de prévenances gauches et touchantes.

Le légionnaire s'était lancé dans la relation compliquée d'une expédition au Tonkin, agrémentée de parachutages, d'embuscades, de plat-ventre dans les rizières... On lui demanda des détails sur la façon dont il était parvenu à se faire rapatrier. Là, il bafouilla un peu, se reprit et se mit à embrocher, à étrangler ou égorger des Japonais. Il en était bien à son douzième lorsqu'un gloussement se fit entendre, et la petite voix bien connue : « Hi ! Hi ! C'est pas vrai !... »

Le Vieux, lové dans son coin de banquette, riait, sarcastique, cette fois, sûr de lui, avec le souci bien évident de mettre au défi l'imposteur. Celui-ci, blême, se leva. Il rageait :

– Comment ! On ose...

– Mais oui, on ose ! Mais oui, J'OSE ! cria le Vieux. Tu mens comme on respire. L'Indochine, tu n'y as jamais foutu les

pieds. L'Afrique non plus. Tu sors de taule ! Va te coucher…
Va donc…

On crut que le Képi-Blanc, hors de lui, allait se précipiter
sur le Vieux. Mais Edmond se leva à son tour :

– Écoute, mon petit pote. Eux autres, c'est peut-être des
poètes, mais pas moi. Ton baratin, c'est pas bon pour
nozigues. Fous le camp tout de suite. Tu veux peut-être que je
te reconduise… *jusqu'au fort de Vincennes ?*

L'autre prit ses cliques et ses claques et partit sans un mot.
Nous restions interdits, sans savoir protester. Élisabeth semblait pétrifiée. Clément exultait.

Je m'étais bien promis d'observer le Vieux au moment où
l'on se séparerait. Pourquoi fallut-il qu'à cette minute
Edmond me prît à part pour me dire – je ne sais même plus
quoi ?… Tout le monde s'occupait d'autre chose : le temps de
se retourner – plus de Vieux.

Pendant une période, Élisabeth recevait des lettres que la
concierge de sa tante lui remettait en « main propre ». Elle
était toute changée, lointaine, distante, cachottière, et souvent,
après les poses, disparaissait plusieurs heures. Quelqu'un nous
dit qu'un type l'attendait au métro Jussieu. Nous nous en
assurâmes : c'était le légionnaire, mais cette fois, en civil. Nous
convînmes, pour ne point causer à Clément de peine inutile, de
le laisser ignorer ces rencontres. Une fois, Élisabeth découcha.
Sa tante, affolée, nous réveilla à l'aube : nous lui jurâmes que
la petite avait passé avec nous une nuit blanche, à l'occasion
d'une « soirée artistique » qui s'était prolongée.

Une bouche, un visage peuvent mentir. Mais pas le corps
d'Élisabeth. Ce jour-là, dès qu'elle nous apparut nue, nous
nous aperçûmes qu'Élisabeth avait été déflorée.

Un imperceptible affaissement des seins – le sillon supérieur
avait disparu – des plages, sur le ventre, où la lumière s'accro-
chait au lieu de s'écraser, le cerne plus lourd, moins aérien des
hanches qu'une sorte – oui, c'est bien ça – une sorte de honte
avait envahies, pétries, mortifiées, rien de tout cela ne pouvait

nous échapper. Une très amère rancœur nous poignait. Nos regards devaient être chargés de reproches ou de pitié : la petite ne les supporta pas plus de cinq minutes. Elle se couvrit brusquement d'un rideau et se mit à sangloter. Nous n'insistâmes point.

Le temps passe... J'ai conservé des esquisses d' « avant ». En vérité, depuis ce jour-là, nous travaillons avec moins de goût.

Élisabeth continue de rencontrer « son type ». Nous ne lui en parlons jamais. Et Clément, qui attend sa chance, continue de faire le joli cœur...

ZOLTAN
LE MAÎTRE À SE SOUVENIR

À la Sécurité militaire, ma mission essentielle est de retrouver les traces de ceux de nos camarades arrêtés ici et déportés dans l'Est.

On m'a doté d'une ordonnance. Un jeune soldat classé service auxiliaire, qui voulait s'engager dans l'armée Leclerc. Pauvre garçon ! On a dû incorporer par pitié cet être misérable, désolé, désemparé, échappé par je ne sais quel miracle à la rafle allemande qui écuma sa rue.

Père, mère, frère aîné – des Juifs polonais – déportés et exterminés, nous le savons maintenant. Ce semi-arriéré – une méningite a laissé des traces – est affligé d'une scoliose qui lui interdit tout effort physique. Son visage au menton très effacé, aux yeux à fleur de tête, fait penser d'abord à un oiseau, puis à un poisson – enfin à un lapin. Pour comble, son état civil même en fait un objet de risée. Il est l'homonyme exact de ce qu'il est convenu d'appeler une « haute personnalité politique ». Ici, je le nommerai Simon Baum, pour ne froisser personne.

L'unique souci des militaires qui ont incorporé Baum était de lui assurer pendant les quelques mois de son engagement une vie matérielle acceptable. Peut-être aussi de le sauver de funestes accès de désespoir. On me sait perméable à certains sentiments de pitié gratuite. Et j'ai hérité ce minus.

Il m'énerve. Je lui interdis véhémentement de s'occuper de mes souliers ou de mes vêtements, et de fureter parmi mes objets personnels. Une secrétaire classe mes dossiers où il n'a pas à mettre le nez. Son inutilité lui pèse. Soldat, il eût voulu se battre et conquérir l'Alsace comme les gosses de Montmartre se disputent les fondrières. Je l'envoie faire des courses impossibles ou lui passe des revues qu'il compulse sagement, blotti sur un banc dans un bout de couloir. Enfin, bientôt j'en serai à peu près débarrassé.

Zoltan Hazaï a retrouvé ma trace. Suivi d'un gendarme soupçonneux, il a pénétré dans mon bureau. J'étais content de le revoir.

– Quelles nouvelles ?

– Je suis maintenant tranquille... je travaille pour mon compte : raboteur de parquets. Enfin je peux me dépenser à mon aise. Ah ! J'en mets un coup...

– Et à part cela ?

– Je voudrais être naturalisé le plus tôt possible. J'aurais besoin d'une attestation...

– Qu'à cela ne tienne.

Mon Hongrois parle maintenant un français rocailleux, mais fort correct. Il me dit s'être fixé du côté du faubourg Saint-Antoine – le quartier d'origine de Simon Baum. Ceci m'est venu brusquement à l'esprit et me donne une idée.

Je délivre à Zoltan un document affirmant qu'à ma connaissance il n'a point perpétré d'assassinat, coulé aucun sous-marin allié, livré à la Gestapo aucun parachutiste. Et puis :

– Dites-moi... Vous n'auriez pas besoin d'un aide ? Un jeune homme qui porterait vos outils, ferait vos courses... un pauvre type, pas méchant...

– C'est à voir… Pourquoi pas ?

Je lui ai expliqué le cas de Simon Baum.

– Ce n'est pas seulement parce que j'en suis importuné… Il faut lui donner l'illusion de servir à quelque chose.

– D'accord.

J'ai appelé Simon. Il me regardait de ses grands bons yeux.

– Voici un ami : il est de ton quartier… Il te faut un peu de mouvement, d'exercice… Je te confie à lui. Je renouvellerai tes permissions tous les deux jours. Tu toucheras ici ton linge, ton prêt et ton tabac.

Simon, passif, a accepté.

Enfin me voici délivré de cette hantise d'entendre Simon entrer furtivement chez moi, toutes les heures, interroger de sa voix à peine muée : Qu'effe quiffaut que ch'faffe ? et se voir rabrouer, souvent avec une impatience que je me reprochais aussitôt. S'il eût été l'innocente bête malheureuse à quoi il ressemble, je l'eusse comblé de douceurs. Mais c'est un être humain, que diable ! Et à ce titre, il m'exaspère. Il est venu chercher sa perme, son prêt, ses chemises lavées. Je lui ai donné plusieurs « rations K » et tout le tabac qui m'est tombé sous la main. Il se montre craintif et effacé, comme à l'habitude.

– Alors ? le Hongrois.

– Oh ! Il est gentil, très gentil avec moi… (Il prononce « Vhentil ».) M'apprend à faire des choses…

– Mais quoi ?

– C'est moi que vh'ramasse les copeaux, vh'les mets dans des sacs…

– Il ne te fait pas boire, au moins ?

– Oh ! non… pis moi, vh'en ai vhamais envie… (Il m'appelle : mon vieu-tenant.)

J'eus quelque mal à reconstituer la scène.

Zoltan, recroquevillé, rabotait en ahanant le plancher d'une pièce vide. Son torse mouvant suait sous le soleil généreux.

Auprès de lui, à quatre pattes et torse nu également, se trouvait Simon. Zoltan se lève, s'ébroue et va boire un coup... Simon reste accroupi : il ramasse les copeaux comme un enfant le sable sec qui empêchera ses pâtés de coller au sol. Un geste malheureux, trop rapide de la main gauche : une longue écharde pénètre profondément entre pouce et paume. Douleur aiguë. Il tombe en syncope.

Zoltan s'aperçoit de quelque chose d'insolite et s'approche, lentement, à pas de canard, comme il a coutume de le faire lorsque rôde un danger imprécis. Il va quérir une chaise, assied dessus mon Simon comateux. Casserole d'eau froide et paires de claques répétées. Zoltan fixe l'autre, intensément : T'es un homme, oui ou non ? T'es un homme ? Simon ouvre grands ses yeux, reste hébété. Zoltan saisit la main blessée, repère l'endroit où était entrée l'écharde : bondit chez la concierge, en revient tenant une pince à épiler. Avec adresse mais sans douceur, il extrait le mince filet de bois. Désormais jovial, il pose ses mains sur les épaules de Simon, qu'il fixe avec insistance : « Allons, du courage, tu entends ? Du courage, mauviette ! »

Les paupières s'abaissèrent à demi : Simon restait silencieux, immobile, et d'apparence, inconscient. Zoltan l'avait hypnotisé sans s'en apercevoir. Ici, le Hongrois commit une faute grave. Au lieu de réveiller son « sujet » par des passes verticales, de bas en haut – de l'estomac vers le front, en s'écartant, à partir des yeux –, à défaut de cela, au lieu de me téléphoner, il se saisit d'une serviette trempée d'eau froide et se mit à gifler à tour de bras le malheureux garçon qui se prit à hurler et se débattre, en proie à une effroyable crise de nerfs.

Il fut plusieurs jours à se remettre, couché dans le lit de Zoltan navré qui le soignait comme une nourrice pataude et maladroite.

J'allai voir Simon tous les soirs. Il me fut facile de le plonger dans le sommeil hypnotique, dont je le libérai aussitôt : mais toutes mes tentatives pour le réveiller *complètement* furent vaines. Il resta, depuis ce jour, sous la coupe, sous la sujétion absolue du Hongrois. Celui-ci conçut de cette aventure un véritable remords – et j'avoue être encore torturé par ma propre part de responsabilité dans l'affaire.

Simon rétabli, du moins apparemment, continua de suivre Zoltan, mais non plus comme un aide ou un commis. Le Hongrois n'était plus le « patron », mais le « maître » de ce chien trop fidèle et trop soumis qui ne le quittait pas d'une semelle. Sa dure journée de labeur accomplie, Zoltan éprouvait le besoin de se libérer quelques heures – ne serait-ce qu'afin de courtiser certaine marchande de citrons (ou d'aubergines, selon la saison). Pour cela, il se voyait dans l'obligation d'enfermer Simon entre quatre murs et de l'endormir purement et simplement, avant de boucler la porte et de s'esquiver...

Au début, Zoltan supporta mal cette présence trottinante qui devinait ses pensées et prévenait tous ses gestes. Et puis il s'y accoutuma. Et, entre ces deux êtres si différents s'établit un courant d'amitié impossible à situer sur un autre plan que suprapsychique.

Le travail pressait. On appréciait Zoltan pour de multiples raisons. Beaucoup de ménages exilés réintègrent enfin Paris, et désirent remettre à neuf leur chez-soi. Ils se le recommandaient entre eux. Le pécule de Zoltan s'arrondissait : il pensait s'établir maître artisan. « Je songerais bien à me marier, me dit-il un jour, s'il n'y avait pas ce gosse. » Le gosse, c'est-à-dire Simon...

De même que nombre de personnes bilingues parlent plus volontiers anglais aux animaux, chevaux ou chiens, Zoltan, lorsqu'il était pressé, parlait russe à Simon. De plus, lorsque la tâche à accomplir s'avérait dure et longue, c'est-à-dire à la mesure de son trop-plein de vigueur, il *pensait* en russe. Souvenir des rudes années passées à Odessa.

– Là au moins, je me régalais, aimait-il à dire en gonflant ses biceps.

Simon n'avait jamais appris un traître mot de russe : à part son français rudimentaire, il ne savait – fort vaguement – que quelques phrases yiddish entendues autrefois prononcer par ses parents.

Au début, par plaisanterie, il s'entraîna à prononcer – mal – à l'adresse de son maître : *Zdravstvouitié, gospodine!* (Bonjour, monsieur!) ou : *Spassibo!* (merci!) – rien d'autre.

Le mois dernier, par un après-midi étouffant, Simon, alourdi, sommeillait sur un divan, dans une pièce voisine de celle où travaillait Zoltan. Celui-ci soudain dressa l'oreille. On parlait russe à côté de lui. On disait : *Ya oumiraiou ot jajdy. Sievodna tak jarko. Davaïtié pit'!* (Je meurs de soif. Il fait si chaud aujourd'hui. Donnez-moi à boire!)

Zoltan, au comble de la surprise, s'était levé, avait fouillé du regard l'entrée et la pièce attenante. Nul doute, il était seul avec Simon endormi. Il lui dit, sans le réveiller : Ty *govorich po rousski?* (Tu parles russe?) Et Simon répondit, d'une voix plus assurée qu'à l'état de veille, et sans bafouiller le moins du monde : *Vot vopross! Nieoujeli vy nie znaietié? Ya vsiegda govoril po rousski.* (Quelle question! Ne le saviez-vous pas? Le russe, je l'ai toujours parlé.)

Je fus vite mis au courant du phénomène, que j'ai plusieurs fois contrôlé depuis. Je questionnai Zoltan. Il m'avoua prendre plaisir à endormir Simon toutes les fois qu'il désirait conquérir quelques instants de solitude. Alors « il *lui pensait russe*, disait-il, parce qu'il était plus à l'aise dans cette langue, et qu'il avait l'impression de projeter plus fortement sa volonté ».

Il se piqua au jeu, et Simon l'éprouvé, l'inintelligent, le minus, se mit à parler couramment le russe, en quelques semaines, sans grammaire, sans livre aucun, sans carnet de notes.

Nous en sommes là.

LE VIEUX D'APRÈS MINUIT

Octobre

Ce matin, Gérard est venu me réveiller à grand fracas. Il brandissait un journal.

– Surtout qu'Élisabeth ne voie pas ça !... Va la trouver, occupe-la pendant la journée, fais n'importe quoi...

En première page, sur deux colonnes, avec un titre fracassant, on annonçait l'arrestation du « légionnaire ». Une photo le montrait, avantageux, souriant, menottes aux poignets. Voleur, assassin, escroc et marlou. Tout pour plaire.

Je bondis chez la petite. Je la trouvai dans la loge de la concierge. Elle lisait une lettre. Elle était toute blanche. Elle tremblait. Elle me dit seulement :

– Vous savez ?

– Oui. Je sais.

C'est un paquet de désespoir, un petit oiseau frileux et meurtri, que j'ai traîné devant les cimaises du Salon d'Automne.

La petite a fini par nous mettre dans la confidence, Séverin et moi. Désemparée, elle nous a demandé de but en blanc de lui découvrir une faiseuse d'anges qui la ferait avorter. À la Maubert, on appelle cela « tricoter le moujingue », en souvenir d'une matrone qui, dans les « vatères » de chez Guignard, se servait d'une longue aiguille pour se livrer à cette opération. Nous ne parvînmes pas à faire entendre raison à Élisabeth. Nous lui avions proposé un voyage, une planque, un séjour en province, chez quelqu'un de nos parents, jusqu'à sa délivrance. Sa tante ni Clément n'en sauraient rien. Peine perdue. Butée, elle nous avait mis le marché en main. C'était ça ou le suicide. Je laisse à penser notre embarras.

Il était très tard. Nous ne nous parlions pas. Élisabeth, accablée, avait caché son visage dans ses mains. Clément la croyait malade et ne savait que faire. Olga voulut que nous dînions. Nous n'avions pas faim.

Entra Marina, quelque peu pompette, accompagnée de la mère Batifol, elle aussi dans le brouillard. Elles se chamaillaient. Elles voulurent des cognacs.

– Moi ié té lé dirai si tou es cocue, ié té lé dirai tout de souite.

Elles s'assirent. L'Espagnole tira ses cartes. Elle les disposa en triangle, les recouvrit, retourna des piques, des cœurs et des valets. Elle eut un rire mauvais.

– Ié té l'avais bien dit ! Cocue jusqu'à la garde, qué tu es ! Il ne fait qué té rendre la monnaie dé ta pièce… Est-ce qu'il le sait, hein, qué lé Jeannot n'est pas de lui ? (C'était le petit Batifol, dix ans à peine.)

La Batifol, devenue furibonde, voulut gifler la sorcière. Olga intervint et les sépara, d'une poigne solide. Alors s'éleva, depuis le coin habituel, la voix du Vieux :

– Marina, va-t'en ! Tu es saoule.

– Et perqué que m'en irais ? Resterai si ça mé plaît.

– Marina, va-t'en ! Tu portes malheur aux enfants.

– Y'a pas d'enfants ici.

Alors, son long index braqué vers Élisabeth, prostrée, le Vieux proféra :

– Si, le petit qu'elle a dans le ventre.

Élisabeth se dressa, hagarde, les poings aux tempes. C'est un cri de louve qu'elle poussa. Elle atteignit la porte et courut dans la nuit.

Nous n'aurions jamais cru le Vieux capable de bondir ainsi sur ses petites jambes torses. Il jeta son bâton et se lança à la poursuite de la fille : cette fois nous l'avons vu sortir.

Cavalcade à l'aveuglette dans les rues visqueuses vers la Seine.

Du bas de la rue du Petit-Pont, nous entendîmes deux plouf rapprochés. Clément eut la présence d'esprit de tambouriner chez Félix qu'il réveilla, de téléphoner aux pompiers, et tout de suite après à la police. Ah ! Ce ne fut pas long. En trois minutes le canot de la Fluviale était là. Des gaillards entraînés et prêts à tout repêchèrent Élisabeth qui se débattait entre deux eaux. Entre-temps arrivèrent pompiers et flics terrestres. Rien ne manquait à la fête. On braqua un projecteur : mais le Vieux resta introuvable.

Vers cinq heures, nous retournâmes aux *Quatre-Fesses*, mettre Olga au courant des événements et la rassurer sur le sort de la petite. Olga s'affairait auprès de son amie, qui ne semblait pas dans son assiette et nous jeta (à nous !)... un regard effrayé.

– Que se passe-t-il ? Ça l'a impressionnée à ce point ?

– C'est pas tellement la petite... c'est le bâton...

Son bâton avait rebondi sur le carrelage avec un bruit sonore, lorsque le Vieux l'avait jeté pour se précipiter à la poursuite d'Élisabeth. En le ramassant Suzy s'était dit : comme il est lourd. Elle l'avait posé sur la banquette. Ensuite, comme les deux femmes commençaient de passer le torchon, Suzy saisit à nouveau le long bâton pour le porter vers le fond de la pièce. En marchant, elle éprouva que l'objet était devenu léger, léger, à ce point qu'elle se retourna pour faire part de sa surprise à Olga. À ce moment, le bâton lui fondit littéralement entre les mains.

C'est arrivé voici déjà plusieurs jours. Suzy n'est pas encore remise. Il ne faut pas parler de ça devant elle : ça la fait blêmir et trembler comme une feuille.

Le lendemain de sa noyade manquée, nous sommes allés rendre visite à Élisabeth. Elle demanda des nouvelles du Vieux.

– Il a dû couler à pic...

– Ça ne m'étonne qu'à moitié, fit-elle.

Elle resta un moment silencieuse. Et puis elle mit les mains sur son ventre et décida de garder l'enfant.

J'ai dit à Boucher, l'inspecteur attaché au commissariat de la rue Dante :

– Et le Vieux ? Pas de nouvelles ?

Il haussa les épaules :

– Dans votre quartier de cinglés, on a assez de boulot comme ça… S'il fallait qu'on se mette aussi à rechercher les fantômes…

L'enfant s'appellera Patrice si c'est un garçon, Ghislaine dans le cas contraire. Clément n'attend que sa naissance pour le reconnaître – et épouser sa maman.

CHAPITRE XII

1946

Il est un personnage pour qui les noyés de Seine représentent un véritable patrimoine. Il s'agit de Poloche le pêcheur d'écrevisses.

Tout petit, les mains près des genoux, chimpanzé sans menton, Poloche habite, quai de la Tournelle, une chambre minuscule encombrée d'objets bizarres provenant exclusivement des opérations de dragage et de récurage accomplies dans le lit du fleuve. Un jour récent, il m'avisa sur le quai et m'aborda avec toutes les marques d'une violente indignation.

– Vous qui connaissez les huiles de la Préfectance (!), faut m'aider. Faut m' donner un coup d'main !...

– D'accord. Bien que mes « pouvoirs » ne soient guère étendus... Il s'agit de quoi ?...

– C'est toujours les petits qui en pâtissent, dans c' pays d' putains. Voulez-vous que j' vous dise ? On ruine le p'tit commerce, on veut not' mort. Y'en aura pus qu' pour les gros !

– Toujours d'accord. Mais que puis-je y faire ?

– Venez avec moi.

Poloche m'emmène sur les berges, après m'avoir « forcé » (terme pudique) d'écluser un muscadet à la Bouteille d'Or. D'un index tremblant, il désigne l'eau, limoneuse en cet endroit.

– Regardez !

– Eh bien ? C'est de l'eau…

– C't'idée ! C'est un tourbillon, *mon* tourbillon, làoùsque j' pose mes nasses depuis l'autre guerre. Personne ne m'avait fait de misères jusqu'à maintenant. Et toutes les saisons, les écrevisses que j' ramasse, je les vends à la Bouteille, à la Tour d'Argent… J'en ai même vendu à la Tour Eiffel ! Et au Vel d'Hiv', tous les ans, pour les Six Jours… Tout d' même, j' faisais d' mal à personne…

– Et qui vous empêche de continuer ?

– Écoutez bien. Paraît que l' tourbillon, ça gêne la circulation : ça fait dériver les péniches, ça menace la pile du pont. Foutaises ! N'empêche qu'il y a un rapport de la Fluviale à la Préfecture, ils ont envoyé ici des gars des Ponts et Chaussées, des zeauzéforêts, est-ce que j' sais ?… Et maintenant, on veut me l' démolir, mon tourbillon, ma maison de commerce… Comprenez que tous les macchabs, dès qu'ils sont assez légers pour descendre le courant – pas assez gonflés pour flotter –, qu'ils viennent de Bercy, de Charenton, de beaucoup plus loin, c'est ici même qu'ils « atterrissent ».

» Ils restent là des trois, quatre jours… après, pffuit !… Ils foutent le camp d'eux-mêmes… C'est pour ça que l' coin est toujours propre. Mais plus d' tourbillon, plus d' macchabs, et plus d' macchabs, plus d'écrevisses ! Malheur ! À mon âge, ils vont m'envoyer pêcher mes bestioles où ça ? À Billancourt ?

» Ou alors, qu'on m' donne une retraite… Vraiment, z' avez pas une combine pour arranger l' truc ? On ferait un d' ces gueuletons… Ce jour-là, j' vous en promets une bourriche, et des vivantes, parole de Poloche !

Presque tous manchots, borgnes, boiteux et béquillards. C'est à cloche-rêve qu'ils marchent dans la vie.

Chez eux, et selon eux, on ne disparaît que pour être immédiatement remplacé : réincarnation en permanence. Ils sont plus solidaires des morts que des vivants, et leur comportement en fait les héritiers des arcanes du plus lointain paganisme.

Le respect de la Mort par elle-même, comme la déférence due à la chose morte, leur échappe absolument. Mais ils s'écartent d'un agonisant, et évitent soigneusement le contact et même la proximité d'un mort « trop jeune », c'est-à-dire dont le décès remonte à moins de vingt-quatre heures.

L'un d'entre eux, un Oriental, né à Mossoul, en Perse, m'expliqua les pratiques auxquelles une certaine secte se livrait dans son pays, afin de s'assurer des chances qu'avait un mort de rejoindre la sphère des élus. On couche le cadavre à terre : entre ses dents, on place un morceau de pain. On amène un chien que le mort n'ait point connu. Si la bête s'éloigne, le mort est maudit. Si elle le flaire, un temps de purgatoire lui est assigné, temps que ses proches peuvent écourter par des prières. Si le chien va jusqu'à monter sur le cadavre pour se saisir du morceau de pain, alors l'âme du défunt est en paradis, et cela donne lieu à de grandes réjouissances.

C'est vrai que les chiens – pas tous, mais beaucoup – sont sensibles à certains effluves encore mystérieux.

Le dernier hiver emporta le Vieux Berger. Celui-ci avait quatre-vingt-quatre ans quand je l'ai connu. Grand et barbu, droit comme un arbre. Il avait su lire mais ne se souvenait plus : à quoi bon ? Par contre, il savait les noms de centaines d'étoiles, qu'il désignait sans jamais se tromper. Les étapes de sa vie étaient jalonnées par les disparitions de ses chiens successifs. Devenu biffin comme tout le monde, il portait avec soi la joie tranquille des patriarches. Une fois il me dit : « Dans les plaines de Beauce et du Perche, où pendant soixante et onze années j'ai mené paître mes troupeaux, il arrivait que la nuit mes chiens hurlassent à la mort. Je savais alors qui, dans les hameaux proches, était malade ou très âgé, et je ne m'étonnais point du fait que mes chiens aient fait preuve d'un instinct prémonitoire jamais en défaut. Or, à quatre reprises, étagées sur de longues années, mes chiens ont hurlé alors qu'à plusieurs lieues à la ronde il n'existait, que je sache, quiconque en danger de mort immédiate. Chaque fois ce sont de jeunes gens qui ont péri, victimes d'accidents fortuits : un cheval qui s'emballe, un incendie de grange, un fardier qui bascule... – et le Berger ajouta : La Mort et le Néant, ça ne signifie pas la même chose... La mort est une force puissante, moins mauvaise qu'on ne croit. Elle s'annonce comme une amie aux gens qui n'ont pas peur d'elle. Quand elle s'abat quelque part, il lui faut faire son ouvrage, et tout de suite.

« Moi je ne puis plus m'étonner de rien. On apprend beaucoup, vous savez, entre la terre et les étoiles... »

Une tenace légende veut que, lorsqu'un personnage dont on sait que son corps ne sera réclamé par personne s'éteint par trop lentement sur un lit de l'Assistance publique, on lui applique les bienfaits de l'euthanasie. Promis à la cuve de formol et à la salle de dissection, déjà débité vivant par professeurs et carabins, notre moribond recevra la douce, la reposante ampoule qui l'expédiera *ad patres*. Vrai ou faux ? Je n'en sais rien. Toujours est-il que nos cloches, s'ils apprécient à sa juste valeur un séjour, même prolongé, surtout en hiver, dans une salle chauffée où la matérielle ne fait pas l'objet d'un problème quotidien, hésitent à se laisser hospitaliser lorsqu'ils sentent leur fin proche. La « mauvaise piqûre » inspire au truand plus d'horreur, d'indignation et de dégoût que la répugnante sorte de trépas promise aux condamnés de cours d'assises. À leurs yeux, ceux-ci ont commis l'irréparable, l'impardonnable crime de s'être laissé prendre, et d'avoir par là justifié l'existence de MM. les Rouages du mécanisme tant abhorré : celui de la police et de la justice répressive.

Au demeurant, les truands savent se défendre contre ceux des leurs qui provoquent et narguent la camarde avec trop d'inconscience ou de désinvolture. L'histoire de Maurice nous en apprend long à ce sujet.

Maurice n'est autre que le fils, « naturel » comme il se doit, de la Goulue, la fameuse danseuse de French-Cancan fin de siècle. Rappelez-vous : le Moulin-Rouge, Valentin-le-Désossé... Maurice se donne pour être le fruit des amours coupables de sa mère et d'Édouard VII d'Angleterre. À l'appui de ses dircs, il lui arrive d'exhiber des documents pour le moins troublants. De leur examen, il ressort que le vieil homme eut une jeunesse dorée, grâce aux libéralités de Sa Majesté Britannique. Celle-ci prélevait sur la cassette royale de très confortables mensualités à l'intention de l'inavouable rejeton. De tout ceci Maurice ne conserve que deux souvenirs : un merveilleux tatouage, œuvre d'Henri de Toulouse-Lautrec, qui orne sa poitrine : le portrait en buste de la Goulue. Et un profil – le sien – qui ressemble de façon hallucinante aux *pence* frappés à l'effigie du père putatif. C'est d'ailleurs un fait incontesté que le souverain, de paillarde mémoire, entretint avec la célèbre chaloupeuse une liaison de longue durée, tant à Londres qu'à Paris (le couple se retrouvait rue Montorgueil, au premier étage du « Rocher de Cancale », dans un appartement décoré par Gavarni). Maurice sombra dans la cloche pendant l'entre-deux-guerres. Il est présentement hébergé au dépôt de mendicité de Nanterre, où selon toute vraisemblance s'achèveront ses jours. C'est devenu une lamentable épave.

Il profite de ses jours de sortie pour hanter encore la Maubert – je l'ai connu chez Pignol – et naguère portait volontiers ses pas dans le quartier du Croissant où il avait des attaches.

Là, il buvait le coup avec les typos, les rotativistes et les transporteurs de presse.

Il provoqua de mémorables scandales. Mais l'histoire qui n'est pas près de s'effacer est celle de la « mort » de Craquette.

La susnommée, fille des rues, invraisemblablement laide et sale, était devenue, dès après la Libération, la bonne amie de Maurice. Le couple picaresque était admirablement assorti. Maurice profitait largement des générosités de sa compagne, à qui il arrivait parfois, surtout la nuit, de « séduire » un ivrogne. Un jour, un Noir de l'armée américaine accepta de « monter » avec la Craquette. Au lieu de lui témoigner ses exotiques ardeurs, le Noir se mit à bourrer Craquette de coups de poing, dans l'intention bien évidente de l'assommer et de la détrousser. La fille hurla, le Noir prit peur et s'enfuit. Maurice accouru trouva Craquette évanouie. Le « fils de roi » ne perdit point de temps : il annonça dans tout le quartier la mort subite de sa compagne, et sollicita de tous quelque participation aux frais des obsèques, qu'il voulait décentes. Chacun y alla de son obole. Le soir, une Craquette bleue de coups, enflée, larmoyante, les yeux à demi fermés, fit son apparition, alors que Maurice, l'âme légère, cuvait dans un bistrot voisin les très nombreuses pintes dont il avait arrosé un substantiel gueuleton.

Les habituels commensaux de Maurice tinrent conseil. Ils « récupérèrent » le coupable, lui firent avouer sa faute et lui reprochèrent d'avoir provoqué dans l'esprit des gens, en annonçant faussement la mort de Craquette, ce décrochement, cette projection de pitié, cette pensée « que l'on n'a qu'une fois ». Pour « conjurer le mauvais sort », trois ou quatre loqueteux battirent le secteur et sollicitèrent des mêmes gens une obole d'égale importance à celle destinée à l' « enterrement ». L'argent fut, cette fois, versé à Craquette, laquelle, sans rancune, saoula son homme.

Quelque temps après, usée, brûlée, délabrée, elle s'éteignit. Et depuis ce jour, Maurice, définitivement « triquard », se vit bannir à tout jamais de la rue du Croissant qu'il avait profanée.

DANSE-TOUJOURS

Non, Fernand Fabre n'aurait jamais dû me faire ça. Il commença par me persuader que l'affaire de Danse-Toujours ne l'intéressait plus. D'ailleurs, il venait d'être muté à la Sécurité du Territoire. Il ne s'occupait plus que des étrangers louches, en tout cas jamais en ma compagnie. Quel soulagement !

J'avais appris qu'à plusieurs reprises, il était arrivé à Fernand d'explorer la rue de la Montagne sans chercher à me rencontrer. Il s'était montré surtout dans les endroits où je l'avais déjà amené. Affable et gai, ne rechignant jamais à offrir un verre, il avait vite fait d'apprivoiser les autochtones. Il engageait volontiers la converse avec eux, et, très adroitement, s'était enquis des habitudes de Danse-toujours.

Une fois, un étudiant lui dit combien il était étonné du fait que cet homme fruste professât un tel goût pour François Villon, de qui il collectionnait les éditions et les livres à lui consacrés. Ils en avaient parlé toute une soirée. Fernand Fabre trouva ça épatant. À ce point qu'il prit des notes.

Dès que je fus informé de tout cela, je déclarai à mon ami le policier une guerre sourde. À mon tour, je me mis à relancer tous les gens de connaissance, à leur décrire Fernand comme un « poulet », un sale poulet, un impitoyable faux jeton. Presque toujours, je m'entendais répondre : « Bah ! Tout ça c'est des salades. Il a l'air d'un bon zigue, ce type. Même qu'il a fait sauter la contredanse à Jojo-la-Cravate. Et puis, poulet ou pas, qu'est-ce que ça peut nous foutre ?... » C'était désespérant. Enfin je rencontrai Fernand. Lui battre froid était maladroit. Le questionner également. Je préférai laisser venir.

Nous fîmes un tour par l'Estrapade, et tout naturellement nous nous retrouvâmes place de la Contrescarpe. De là, nous descendîmes la Mouffe. En passant devant le théâtre Mouffetard, juste en face du Vieux-Chêne, je remarquai une affiche :

LES MARIONNETTES
de Karel Kapek

– Ça doit être bon, leur spectacle, fit Fernand. Et puis, j'ai lu dans le journal qu'à la fin de chaque séance, le directeur d'ici – je crois que c'est un peintre – récite du Villon, quand il se trouve parmi le public des têtes qui lui plaisent.

Du Villon. Mon sang n'avait fait qu'un tour. Mais j'avais flairé le piège et m'étais empressé de parler d'autre chose.

Parler d'autre chose... Plus rien ne pouvait être conjuré.
Les rôles de chacun étaient distribués – exactement comme
aux marionnettes. Les jeux étaient faits, le mécanisme déclenché de telle sorte que tenter d'en suspendre la marche était
prétention aussi absurde que vouloir remonter le temps.

Un public patient attendait en silence que les trois coups
retentissent. Étudiants et intellectuels pauvres, ou qui affectaient de l'être, occupaient la moitié des travées. Enfin la
lumière s'éteignit et deux projecteurs éclairèrent seuls le début
du spectacle : un ballet folklorique slovaque. Dans la coulisse,
quelqu'un jouait du piano. Sur un fond de décor champêtre,
six poupées, qui se faisaient face deux à deux, tournaient en
cadence, trépignaient, se saluaient avec des grâces naïves. Et
brusquement ce fut l'obscurité totale : panne de courant. On
découvrit des bougies. Les gens convinrent d'aller faire un tour
avant que la lumière revînt. On se sentait un peu en famille.
Mais la panne s'éternisa. Au bout d'un quart d'heure, le directeur de la salle, Adrien, et quelques-uns de ses aides se mirent
en devoir de rassembler les spectateurs égaillés dans la rue.
Adrien avait disposé, de chaque côté de la petite scène, une
lampe à pétrole. L'éclairage un peu verdâtre plaquait de
flaques blafardes les visages des gens que l'ombre violente
découpait sans pitié. Le drame, ce soir-là, était couleur de
tisane.
Fernand Fabre s'intéressait à la fresque qui couvrait le mur.
Je l'entraînai à l'autre bout de la salle. Tout auprès de lui,
j'avais reconnu Danse-Toujours. Mais Fernand ne s'était
aperçu de rien.
– Nous ne pouvons pas donner dans ces conditions le spectacle en son entier, annonça Adrien. Vos billets seront bons
pour toutes les autres séances. Mais vous ne serez pas venus
pour rien. Cette pénombre nous permet de vous offrir une
scène d'après Villon.

Les rideaux s'écartèrent, laissant discerner quatre marionnettes hallucinantes qui se balançaient à un gibet. Et Adrien, de sa voix de basse profonde, commença de réciter :

> *Frères humains qui après nous vivez*
> *N'ayez les cuers contre nous endurciz*
> *Car si pitié de nous pauvres avez*
> *Dieu en aura plus tost de vous mercy*

… À mesure que résonnaient les strophes, la poupée du premier plan, plus grande que les autres, et que l'on avait fort habilement montée, se délabrait, perdait un pied, puis l'autre, puis une main, un bras, une cuisse, jusqu'à ce que complètement démembrée, elle n'offrît plus qu'un torse squelettique, et une face hideuse dont un oiseau de cauchemar venait picorer les orbites.

> *… Plus becquetez d'oilseaux que dès à couldre…*
> *De notre mal personne ne s'en rie :*
> *Mais priez Dieu que tous nous vueille absouldre !*

Après cette séance écourtée, opérateurs et public se retrouvèrent sur le trottoir.

De l'autre côté de la rue – la panne de lumière se prolongeait –, clignotaient les bougies allumées en hâte par le patron du Vieux-Chêne.

C'est là que tout naturellement la plupart des gens se retrouvèrent. J'étais auprès de Fernand, que je tentai d'emmener vers le fond. Je surveillais la porte. Danse-Toujours entra, l'imbécile. Et, juste derrière lui, deux gaillards que je ne connaissais pas, et qui n'avaient guère des têtes à s'intéresser aux marionnettes de Karel Kapek. Danse-Toujours – quel crétin ! – me repéra dans cette camomille fumeuse, s'approcha de moi, me secoua les mains avec effusion. Il avisa Fernand, que je lui avais présenté naguère, et lui tendit une paluche que l'autre ne prit pas tout de suite, occupé qu'il était – hum ! – à farfouiller dans ses poches.

– Pas de monnaie ? T'en fais pas, je paie la tournée, fit Danse-Toujours, selon son habitude.

Lui aussi explora son gilet, bourré de petits billets et de piécettes. La première chose qu'il posa sur le comptoir fut une oreille humaine desséchée, comme tannée – une oreille droite.

Fernand sourit

– Tiens, comme on se retrouve.

À côté de l'oreille droite, il posa sa sœur, la gauche, moins bien conservée que l'autre : elle gondolait un peu.

Les deux gaillards s'étaient rapprochés.

– C'est le jeu, dit Danse-Toujours en tendant les poignets.

– Tu as le temps, fit Fernand. Bois ton godet, bois…

Nous bourrâmes de sandwiches les poches de Danse-Toujours. J'empruntai au patron deux mouchoirs et une couverture. Personne n'aperçut les menottes. En passant la porte, Danse-Toujours proféra ces deux mots : « Enfin libre !… » Probablement les derniers que j'entendrai de lui. La traction démarra, silencieuse.

ZOLTAN
LE MAÎTRE À SE SOUVENIR

Un jour, j'avais emmené Zoltan et Simon déjeuner dans un restaurant juif de la rue des Écouffes. J'aime ce quartier nostalgique, pétri de crasse, d'Orient, de barbes et de légendes.

C'était pendant les mois où les rescapés des « Camps de la Mort » nous arrivaient par fournées, avant de regagner les pays de leur choix.

Autour de nous, des gens incroyablement maigres, le visage à jamais empreint d'une tristesse définitive et qui paraissait séculaire, étaient affalés « dignement », si nous pouvons accepter ce paradoxe. Une femme autrefois belle – un matricule de cinq chiffres tatoué sur l'avant-bras –, leur servait des nourritures molles qu'ils avalaient lentement, avec difficulté.

Nous étions attablés. Un mauvais silence pesait. J'avais

honte – et Zoltan aussi – de donner à ces gens le spectacle de notre santé, de notre insouciance.

Simon, assis auprès de moi, semblait absorbé, peut-être intimidé. Son visage ne trahit guère les sentiments qui l'animent – ou plutôt, l'« immobilisent ».

À la gauche de Simon se tenait une jeune fille maigrichonne, fripée, coiffée d'un châle. Avec précaution et d'infinies difficultés, elle tentait de croquer une minuscule portion d'œufs de saumon.

Ses mains étaient translucides. Sous son cou battaient des ficelles. Zoltan avait remarqué cette statue de la plus affreuse détresse. Simon, lui, ne s'occupait de rien.

Repas juif banal : poisson farci à la mie de pain, bœuf bouilli relevé de raifort. Le pot de raifort était près de la jeune fille. Zoltan demande à Simon de le lui passer. Maladroit, Simon le renverse.

– Excusez-moi…

– *Pojalouïsta* (Je vous en prie…), fit sa voisine, avec un sourire pâle et triste.

Simon nous regarda, tout fier. Lui aussi souriait. Nous n'avions pas vu cela depuis bien longtemps.

Une conversation, cahotée d'abord, puis plus suivie, s'engagea en russe entre Simon et la jeune fille. Elle se nommait Ida Bleivas, originaire d'un village perdu à la frontière russo-lithuanienne. Libérée, juste à temps, d'un camp dévasté par le typhus, elle faisait partie d'un convoi de « personnes déplacées » en partance pour l'État nouveau né d'Israël. Elle semblait épuisée. Nous l'aperçûmes, dans l'arrière-boutique, qui rajustait son châle devant une glace. Ses cheveux étaient coupés ras. Enfin Simon avait découvert une misère à sa mesure : il était heureux.

Chaque soir, Simon vint retrouver son amie. Il était devenu presque coquet. Il lui offrait le thé, lui prenait la main et l'emmenait flâner parmi les rues du ghetto tant écumé. Ils se parlaient peu : ces deux âmes meurtries n'avaient plus grand-chose à se confier que leur mutuelle présence.

Zoltan se félicitait avec moi de la tournure que prenaient les choses : enfin pouvait-on entrevoir, pour « notre » Simon, la perspective d'un avenir à peu près normal.

Simon se désolait du départ prochain de la jeune Ida ; mais entre-temps, des difficultés se soulevaient en Israël où l'on ne voyait pas sans effroi aborder des milliers d'immigrants, affamés et sans force. Et le séjour à Paris d'Ida Bleivas se prolongeait.

Un jour, elle avait dit à Simon qu'elle eût aimé l'entendre parler yiddish. Ce diable de Zoltan savait peu ou prou cette langue : et le voilà qui se met à répéter sur Simon l'expérience précédente : en moins de deux semaines, il lui inculqua, non point de quoi se débrouiller, mais parler presque couramment.

Simon était transformé : l'esprit et les gestes plus vifs, parfois même des élans de gaieté franche. Lorsqu'il parlait français, son défaut de prononciation avait presque disparu.

Un soir qu'ensemble nous prenions le frais, Simon nous déclara qu'après tout il se foutait pas mal de la nationalité française, qu'il voulait lier sa vie à celle de la petite et la suivre en Israël. Je considérai cette décision comme sa seule planche de salut et l'approuvai chaudement. Mais, à ma grande surprise, Zoltan se rembrunit.

Depuis cet instant, j'assistai à un invraisemblable phénomène : une intense jalousie, née d'au-delà de très impossibles attirances physiques, tenaillait Zoltan. Celui qu'il appelait son « animal encombrant » avait suscité chez lui un tel attachement que l'idée de leur séparation le rendait malade. Tous mes efforts pour le calmer, lui faire entendre raison, furent peine perdue.

Un jour, il eut, en ma présence, ce mot atroce : « J'ôterai de sa cervelle tout ce que j'y ai mis… »

Un ordre de mission imprévu et soudain m'expédia en Allemagne, pour six semaines. En mon absence, les permissions permanentes de Simon ne pouvaient être renouvelées. Mais il devait, normalement, avoir quartier libre chaque soir.

Je sus à mon retour que Simon s'était mis à bafouiller, puis à baver un peu.

Il entra au Val-de-Grâce. Bientôt il se révéla incapable de prononcer quoi que ce soit d'intelligible, *même en français.*

Jusqu'au jour où une crise d'épilepsie le terrassa. Il fut immédiatement réformé.

Un jour, Ida Bleivas, réveillée dès l'aube par des « responsables » je ne sais de quel organisme, disposa d'une heure pour rassembler son pauvre bagage et se joindre à un convoi qui gagnait Marseille – comme première destination.

De Zoltan, aucune nouvelle : sa propriétaire dut fracturer la serrure. On trouva sa chambre rangée, avec ses vêtements et ses outils de travail…

Où retrouver Zoltan, sinon à la Mouffe ?

C'est ce qui m'est arrivé, après plusieurs mois. Terriblement vieilli, amaigri, il me dit seulement : « C'est pire que si j'avais commis un crime… Je ne sais pas si je me rachèterai un jour. J'essaie, cependant. »

Il ne rabotait plus de parquets. Pour un verre de vin, pour un casse-croûte, souvent pour rien, il enseignait le russe à des étudiants généreux et « engagés » … Qu'on me comprenne bien. Il leur fit accomplir de si rapides progrès que « quelqu'un de très correct, avec des lunettes et un léger accent » se passionna pour sa méthode et insista vivement pour l'emmener en voyage. On ne sut me préciser où.

Il est, dans tous les ghettos du monde, des colporteurs qui vendent des pépins de citrouilles, ou de pastèques – je ne sais au juste. Les Juifs mâchent cela comme d'autres des noisettes.

Vers Belleville, vers la République, existent des cinémas où l'on projette souvent des films yiddish d'avant-guerre : *Idl mit'n Fidl*, le *Roi Lear d'Israël*, le *Dibbouk*…

À l'entrée, un être minable vend – ou tente de vendre – des pépins. Il en grignote sans arrêt : de plus en plus il ressemble à un rongeur.

Il ne sait pas parler : à peine si, des sons surgis de sa gorge nouée, l'on distingue deux syllabes : I-da… I-da…

CHAPITRE XIII

*... la question est précisément de
savoir si le passé a cessé d'exister, ou
s'il a cessé d'être utile...*

BERGSON

1947

Je tente de récapituler, de repenser Paris. Les convulsions qui secouaient le monde semblent, aux yeux des entêtés à courte vue qui les ravalent à l'échelle humaine, s'être atténuées pour une longue période. Je n'en crois rien. Nulle part je ne retrouve, dans ma ville tant explorée, tant interrogée, tant pénétrée, cet assoupissement, cette quiétude lasse, symptômes d'une paix durable. Les gens sont fatigués, c'est vrai. Fatigués et déçus. De tout ils ont marre. Pas la ville. Elle continue de frémir. De même qu'il existe, au grand dam des industriels, d'énormes quantités de matériel de guerre non encore détruit – et que l'on met précieusement en conserve –, il y a sous les pavés de la révolte en puissance. Il faut s'attendre absolument à tout.

Les événements dont il m'a plu de fixer le souvenir ne sont que les plus spectaculaires manifestations de forces que l'on veut « obscures », par peur, par ignorance, par routinière bêtise. Mais c'est maintenant un fait incontestable que les moindres paroles, les gestes les plus anodins, prennent en certains lieux et à certaines heures une importance, un poids inusités, et suscitent des prolongements qui en dépassent de beaucoup l'intention.

Il est bon, il est doux de découvrir, dans Paris, une oasis de calme – elles sont rares –, et d'y venir parfois, au retour des rues hargneuses, s'y plonger comme en un lac tiède et tranquille.

Telle est la place Dauphine. On se sent un peu prisonnier dans ce triangle ombragé, semi-provincial, où tous les habitants se connaissent par leur nom, et ne savent se saluer sans sourire.

J'y affectionne en particulier l'épicerie-buvette de Suzanne. Elle et son mari règnent sur quelques mètres carrés de boutique où, dans un espace étonnamment restreint, trouvent moyen de se tolérer légumes secs et cuits, conserves, litres de vins fins – et le minuscule comptoir de bois derrière quoi règne M. Suzanne, c'est-à-dire le père François. Aux heures réputées apéritives, une humanité on ne peut plus éclectique envahit la place. Cela va des incolores petites bonnes – qui se parent ici du titre de « gouvernantes » – à certaines célébrités de la magistrature assise, lesquelles ne dédaignent point de choquer – tout debout – leurs verres contre ceux de quidams miteux et fripés (le Dépôt est tout proche), voire de trinquer aussi avec les geôliers et gardiens de l' « Administration pénitentiaire ».

C'est là que j'ai rencontré, un jour « pas comme les autres », quelqu'un de mes anciens amis. Le souci de la composition d'un ouvrage documentaire voulait que je fusse allé musarder dans les parages des Blancs-Manteaux. Au coin des rues Sainte-Croix et Aubriot existe un petit café vétuste sur quoi veille une Vierge indulgente et débonnaire, comme le sont tous les bondieux, christs et saints naïfs érigés par le peuple des « homes et femes laboureurs », et pour leur « personnel usaige ». Je me proposais de retracer les événements dont avait pu être témoin notre sympathique caboulot, et d'évoquer les personnages qui sans doute s'y étaient abreuvés au cours des âges abolis.

À coup sûr, au XIIIe siècle, époque à laquelle l'actuelle rue Aubriot portait le nom de « Rue à Singes », l'un des plus intéressants et pittoresques notables du quartier était le sieur

Michel de Soucques. Celui-ci, avant que de se trouver possesseur de biens importants, avait dû être plus ou moins comédien ambulant ou montreur d'animaux : car il consacra le
restant de sa vie à aider les uns et héberger les autres. Les
bêtes de provenance exotique devaient, lorsque l'on craignait
certaines épidémies, être placées en quarantaine avant que
leurs propriétaires obtinssent le droit de les exhiber « ès voyes
de la bonne ville ». Le sieur Michel recueillait ainsi les animaux que leurs montreurs ne pouvaient, faute de moyens,
garder dans l'isolement sans qu'ils les aidassent à gagner leur
pain. Sa demeure, la « Maison des Singes », a donné son nom
à la rue. Un passage tout proche a conservé cette appellation.

Les ours, les papegeais (perroquets) donnaient lieu à la per-
ception d'un droit d'entrée que l'on acquittait au passage du
Petit-Châtelet, devant le Petit-Pont. Quant aux singes, les
« Establissements des mestiers de Paris, par Étienne Boilève,
Prévost de cette ville », indiquent ceci :

« Li Singes au Marchant doit quatre deniers, se il pour
vendre le porte : et se li Singes est à home qui l'ait acheté
pour son déduit, si es quites, et se li Singes est au joueur, jouer
en doit devant le paagier, et par son jeu doit estre quite de
toute la chose qu'il achète à son usage : et aussi tost li jongleur
sont quites par un ver de chanson. »

Ce qui revient à dire que le montreur de bêtes, au lieu
d'acquitter les quatre deniers d'octroi réclamés au marchand,
paiera son dû en chansons et cabrioles. D'où provient notre
locution : « Payer en Monnaie de Singe ».

LES BOESMIENS ET PARIS

C'est l'esprit empli d'idées souriantes qu'après avoir couvert un agréable périple, je regagnai tout naturellement les
bords de la Seine et passai le premier pont.

C'était le soir. Chez Suzanne, les habitués, comme à l'accoutumée, devisaient calmement en sirotant d'inoffensives pelures

d'oignon. L'homme qui entra était grand, osseux et brun, coiffé d'un chapeau à larges bords et le corps couvert d'une longue pèlerine kaki, probablement d'origine militaire.

Nous étions tous déjà intrigués par cette incursion : on ne découvre jamais, chez Suzanne, à une telle heure, de têtes étrangères.

L'homme s'approcha du comptoir et demanda un anis. Pour payer et porter le verre à ses lèvres, il ne se servit que de sa main droite. Un autre verre. Un autre encore. Où donc avais-je vu cette tête-là ? On entrevoyait, sous la pèlerine, le col d'une chemise à larges carreaux. Cela, le chapeau et le regard lointain situaient à peu près mon personnage : il devait travailler dans un cirque.

L'homme avise de petits sacs de macarons pendus au mur. Il les désigne, dit à Suzanne : « Combien ? »

Toujours de sa seule main droite, il déchire le sac, écrase sur le comptoir un des macarons, et, après l'avoir goûté, va introduire dans sa houppelande, hermétiquement boutonnée, une toute petite bouchée du gâteau. Une main surgit, une main minuscule et gantée de laine, qui happe la friandise. Sous la pèlerine, on entend grignoter.

Auprès de moi, dans le fond de la boutique, était assise, sur l'unique chaise possible, la mère Angélique, une Bretonne un peu simplette. Dans l'île, d'où les fausses naïvetés sont bannies, elle fait des ménages et des courses.

Angélique m'avait tiré par la manche, elle montrait la main qui agrippait les morceaux de macaron : « Qu'est-ce que c'est ?… »

Nous étions bien dix ou douze qui nous posions la même question muette. L'homme alors défait trois boutons, et juche sur ses épaules un petit vieillard barbu, moustachu – c'était de l'ouate –, avec des yeux noirs qui tournaient en tous sens : un nez long et recourbé, des gants, des bottillons à la poulaine, une culotte noire tricotée, un caraco rouge avec une longue capuche.

La perfection de ce grimage nous émerveilla. Ainsi la tâche de cet homme était d'apprivoiser son singe, avec d'infinies douceurs, à tel point que la bête acceptait de supporter cet accoutrement – qui ne semblait en rien la gêner – et surtout ce nez de carton-pâte et ce masque de fond de teint.

L'heure, la lumière timide, le calme, l'atmosphère détendue qui régnaient ce jour-là s'étaient ligués pour nous transplanter, en quelques secondes, dans un monde d'enchantement.

Angélique insista :

– Mais qu'est-ce que c'est que ça, monsieur ?

– Ça ? Mais c'est un nain, madame. Vous le voyez, c'est un nain, un très vieux nain.

– Un nain ? Mais, quelle… quelle espèce de nain ?

– Un nain de nos forêts, affirma l'autre, imperturbable. Il y en a encore comme ça dans mon pays.

– C'est pas Dieu possible. Il n'est pas mécanique ?

– Mais non. (Il se baissa un peu.) Donnez-lui un bout de gâteau. Vous pouvez lui serrer la main…

– Ah ! ah, ma Doué ! Mais c'est bien vrai !

Et Angélique exulte :

– Écoutez voir, monsieur, dans mon pays aussi, en Bretagne, il y a des forêts comme dans le vôtre ; et on m'avait raconté qu'il y vivait des nains, des farfadets qu'on dit chez nous : aussi des korrigans, à cheval sur des juments blanches, et puis des femmes plus grandes, pas méchantes, des milloraines… Eh bien, j'ai cru à tout ça comme à l'Évangile, jusqu'à l'âge de quatorze ans. Quatorze ans, oui, monsieur ! Et puis j'ai été placée à Rennes, on m'a dit que c'était des histoires… Alors comme je n'en avais jamais vu, dans les forêts ni dans la lande, je n'y ai plus cru du tout, à « vos » nains… Mais il faut que j'arrive à la fin de ma vie, voyez-vous, monsieur, je vais sur soixante-huit et je ne suis guère valide, pour que j'y crouèye une bonne fois, une vraie fois ? Ah, monsieur ! Si vous saviez quel bien vous me faites !

Tout le monde était bouleversé. Nul ne songeait à se gausser de la brave femme… l'homme au singe avait entamé avec Suzanne un discret colloque.

Angélique fouille dans ses jupes, en extrait un gros porte-monnaie râpé. De pauvres billets y étaient pliés avec soin.

– Monsieur, ça vaut bien ça… Françouès, donnez donc un verre à tertous qui sont là. C'est pas que j'soye ben riche… mais ça me fait du bien, ah la la la que je suis contente…

– Ça va, la mère, gardez votre argent, on sait vivre ici, fit François en emplissant les pots.

L'homme remit son singe en place, boutonna la pèlerine, prit congé de tous, d'un sourire adressé à la ronde. Il coula un regard de mon côté. Un regard entendu. Tiens, tiens… Comme il était sur le pas de la porte, Angélique se ravisa :

– Hé ! Monsieur ! Et où c'est que vous l'avez trouvé, votre nain ?

Un très large coup de chapeau :

– Dans une légende, madame…

L'homme au singe avait, en cachette, donné mille francs à Suzanne. C'était pour qu'après son départ, on emplît de provisions le sac d'Angélique.

Maintenant, je l'ai remis. C'est le Gitan de la rue de Bièvre, c'est Gabriel, qui fut mon filleul pendant sept ans… Tout simplement il a rasé sa barbe. Il a dû vivre quelque temps hors de France : son parler s'en ressent.

Je n'ai pas eu besoin dimanche, au saut du lit, de m'interroger bien longtemps sur l'emploi de la matinée. En eussé-je décidé autrement, mes souliers m'auraient porté au marché Saint-Médard. J'ai fouiné avec délices parmi les humbles vieilleries, serré la main du Commandant, rencontré La Puce, La Lune, Trouillebave… Mais je n'étais pas venu seulement pour ça. Le Gitan m'attendait. Seul cette fois : il ne promène son singe que le soir, pendant deux heures.

Il ne s'appelle plus Gabriel, mais Mikhaïl. Son nouveau « parrain » – mon successeur – est roumain. Nous ferons bientôt connaissance : Mikhaïl – puisqu'il faut le nommer ainsi – nous a conviés tous deux au festin que donne sa tribu, à l'occasion de son très prochain mariage. Nous y savourerons ensemble, à même la marmite familiale, le « niglo » (le hérisson) de l'amitié vraie. Mikhaïl est, pour l'heure présente, régisseur du théâtre-cirque ambulant que possède sa future belle-famille. Il m'a montré une photo représentant les yeux de sa fiancée. Les yeux seulement. Le reste du visage est dissimulé par un cache de papier blanc replié, collé au dos. Il paraît que « chez eux » – je ne sais si ce terme englobe toute la race ou seulement une tribu – c'est la coutume, pendant une période bien déterminée des fiançailles.

Nous sommes allés chez Olivier, où, bien entendu, je lui ai parlé de Danse-Toujours, de Klager-barbe-en-pointe et des « mauvaises prières » que l'on fait devant l'enseigne des Quatre-Sergents.

– Toi qui croyais tout connaître dans Paris, tout savoir… Je t'apprendrai encore beaucoup d'autres choses que sûrement tu ignores, me dit-il.

– Volontiers. Tu me mets l'eau à la bouche. Mais pendant combien de temps me feras-tu languir ?

– Comment veux-tu que je le sache ?…

Olivier m'a appelé dans un coin tranquille.

– Vous savez les bruits qui courent ?

– …?

Il paraît qu'*on* veut supprimer le marché, « notre » marché.

– Qui, *on* ?

– La Préfecture, pardi…

– Mais ce serait odieux, et imbécile. Pourquoi, pour quelle raison ? Et en vertu de quels pouvoirs ?

– Des pouvoirs publics, tout simplement… Ils ont parfaitement le droit de rapporter une mesure de tolérance qui existe peut-être depuis des siècles, mais ne fait l'objet d'aucun texte écrit. Il faudrait que vous puissiez nous consacrer quelques articles…

– C'est dans le domaine du possible…

– … et pour cela, que vous tâchiez de découvrir, dans les archives de la ville, l'origine de cette tolérance. Il paraît que c'est très ancien…

– D'accord. Je vais m'en occuper tout de suite.

– Tiens-moi au courant de tes recherches, m'a dit le Gitan. Si elles confirment ce que l'on raconte dans ma famille, tu n'es pas au bout de tes surprises.

– Comment… comment les traditions d'une communauté manouche peuvent-elles intéresser le marché Saint-Médard ?… Au fait, le marché, ou l'église ?

– Les deux. L'église est un lieu de pèlerinage qui nous est assigné, du moins à certains d'entre nous, de loin en loin : *toutes les sept générations.* Ne m'en demande pas davantage pour l'instant : travaille.

DES TOLÉRANCES
DE SAINT-MÉDARD

Quelle ville à miracles ! Je me suis transmué en détective, j'ai suivi l'événement à la trace, emmi grimoires et vieux bouquins. C'est dans la Cité que l'histoire prit naissance. La voici.

L'actuelle rue Chanoinesse, qui serpente à l'ombre de Notre-Dame, n'était point, au Moyen Âge, troublée par les pétaradantes présences de nos gardiens de la paix motocyclistes. Elle se nommait rue des Marmousets ; à l'emplacement du garage des motards existait le coin de la rue des Deux-Ermites. Et là, jusqu'en 1884, on pouvait contempler les restes d'un monument à peu près ignoré, la tour dite de Dagobert, qui comportait, enclavé dans la maçonnerie, un escalier du IXe siècle dont l'arbre de la rampe, haut de dix mètres, était taillé dans le tronc d'un chêne gigantesque. C'est à cet endroit que la tradition place les demeures d'un barbier et d'un pâtissier qui, en l'an 1335, y tenaient boutique côte à côte. La renommée du pâtissier, dont les produits étaient des plus succulents qui se pussent trouver, grandissait de jour en jour. Les membres du haut clergé, en particulier, étaient friands des extraordinaires pâtés que notre homme, sous prétexte de garder pour lui le secret de l'assaisonnement des viandes, confectionnait seul, avec l'aide de son unique apprenti, lequel manipulait la pâte.

Son voisin le barbier, baigneur étuviste, avait mérité la faveur du public par sa probité et son adresse à « testonner », à raser, baigner, estuver. Or, on s'aperçut, grâce à un chien qui, en un certain endroit, grattait la terre avec insistance, de l'horrible origine de la chair dont se servait le pâtissier : la bête avait déterré des os humains ! On établit que, chaque samedi, avant de clore sa porte, le barbier offrait à un étudiant étranger de le raser gratis. Il plaçait sur un fauteuil basculant le jeune homme sans méfiance, et là, lui tranchait la gorge. La victime était aussitôt précipitée dans la cave, où le pâtissier en prenait livraison, la dépeçait et l'assaisonnait à la mode du jour. Ce qui valut aux pâtés leur renommée, *d'autant que la chair humaine est plus délicate à cause de la nourriture*, rapporte puérilement le père Dubreuil.

On brûla les deux tristes sires au milieu de leurs pâtés, on ordonna que la maison fût démolie, et l'on bâtit à sa place une sorte de pyramide expiatoire portant, sur l'une de ses faces, l'effigie du chien. La pyramide fut visible jusqu'en 1861.

Mais c'est ici que l'histoire se corse et rejoint l'humour noir de la meilleure veine. En effet, les très nombreux ecclésiastiques qui avaient, à leur insu, consommé de la chair humaine, n'étaient point seulement coupables devant Dieu du très véniel péché de gourmandise ; ils étaient, tout simplement, excommuniés ! Un grand conseil fut tenu, sous l'autorité de plusieurs évêques, et l'on décida d'envoyer vers Avignon, lieu de résidence du pape Clément VI, une délégation de prélats, afin que fussent rapportées, sinon l'interdiction chrétienne de se livrer à l'anthropophagie, du moins les affres de l'enfer promises aux cannibales malgré eux. La délégation prit la route, nantie d'une bonne somme d'argent, pieds nus, portant des cierges et psalmodiant des cantiques. Mais les routes de l'époque n'étaient guère sûres, et peut-être semées de tentations. Toujours est-il que jamais Clément VI ne vit arriver les pénitents, et pour cause...

Notre-Dame n'était point encore estompée dans l'horizon lumineux que nos prélats, les pieds déjà meurtris, supputèrent les difficultés du voyage et décidèrent de faire halte en un lieu propice afin de discuter des décisions à prendre. Ils contournèrent Paris, longèrent les terres du comte de Boulogne, riveraines de la Bièvre, et découvrirent, au lieu-dit le « Pont aux Tripes » – à peu près l'emplacement du carrefour des Gobelins –, une auberge accueillante où le patron se souciait peu de l'incursion des gens d'armes de M. le Grand Prévost. Nos religieux, lestés de chevance et qui appréciaient la chère généreuse fournie par leur hôte, remirent à des temps ultérieurs leur voyage et s'établirent autour du bourg de Saint-Médard. Ils se virent très vite dans la nécessité de renouveler leur provision d'écus. Certains d'entre eux se convertirent en *Hubains*, c'est-à-dire « guerris de la rage par saint Hubert » ; les autres en *Coquillards*, revenus, disaient-ils, de Saint-Jacques ou de Saint-Michel. Ainsi formés en deux bandes amies, nos « pénitents » – qui forçaient quelque peu le voyageur attardé à leur faire l'aumône – n'étaient point pour autant considérés d'un bon œil par leurs rivaux : les Rifodés, les Malingreux, les Francs-Mitoux, les Piètres – tous bandits de grands chemins – n'attendaient que l'occasion de se mesurer avec ces intrus. Ce qui arriva. Par une nuit de l'automne 1352, Mgr Jean de Meulan, ex-évêque de Noyon et nouvellement évêque de Paris, regagnait sa propriété, sise un peu au-dessus de l'église de Saint-Médard, en bordure de la rue du « Mont-Fêtard » ... Des cavaliers armés accompagnaient sa voiture. Mais sa garde eût cédé devant l'attaque déclenchée par une bande de malandrins bien décidés à détrousser l'évêque et son escorte, si les anciens « Pénitents », avertis, ne fussent accourus et n'eussent provoqué de bataille rangée. Jean de Meulan, sain et sauf, put franchir ses murs.

En reconnaissance pour cette intervention, due peut-être à un ultime scrupule où l'on décèle une sorte de déformation professionnelle, il donna l'absolution aux Coquillards et Hubains, auxquels il permit de vendre sur ses terres et prés y attenant, toutes marchandises, tous objets dont on n'aurait pas à rechercher l'origine…

Et voici comment, le pape Clément VI n'ayant pu solliciter de la part du Ciel aucune indulgence, les âmes d'infortunés prélats, prêtres et moines trop gourmets se morfondent, depuis des siècles, dans les marmites infernales…

Les autorités qui avaient droit de regard sur les terres avoi-sinant Saint-Médard et qui en assumaient la surveillance, changèrent de nombreuses fois. Mais, à toutes les époques, malgré les bouleversements et tressaillements de l'Histoire, la tolérance du marché Saint-Médard fut maintenue. Jusqu'à nos jours…

LES BOESMIENS ET PARIS

Le Gitan lisait l'*Aboi de Paris* en se caressant le menton. Il souriait.

– Alors… Qu'en penses-tu ?

– C'est ça. C'est tout à fait ça. Viens faire un tour.

Il mit le journal dans sa poche et, au premier éventaire, en acheta cinq du même numéro.

– Je voudrais bien que tu me dises ce que l'on raconte chez toi au sujet de Saint-Médard…

– Tâche de te libérer quelques heures, et viens. Je voudrais te présenter à ma famille. Nous campons du côté de Montreuil.

Des enfants aux yeux d'antilopes grouillaient sous les rou-lottes. L'un d'eux, tout petit, le derrière à l'air, avait piqué du nez dans la pâtée du chien. Et le clébard s'en amusait tellement qu'il gambadait et, de temps en temps, à coups de museau, précipitait à nouveau le mouflet dans sa galetouze. Deux adorables gamines peignaient et lissaient avec application le pelage d'un débonnaire ours brun qui grignotait une betterave.

Un homme tenant une longue corde faisait tourner autour d'une piste imaginaire un jeune cheval non harnaché. L'animal à demi sauvage se cabrait, crinière au vent, se dressait et battait l'air de ses sabots légers – et puis repartait, soumis, crevant de rancune.

Un petit singe que je crus reconnaître explorait la chevelure d'une vieille occupée à nourrir de brindilles fraîches un feu crépitant. La soupe généreuse bouillait et fusait dans le chaudron de cuivre rouge à l'anse et aux pieds de fer robustement forgés.

Des femmes trituraient, pêle-mêle dans un baquet, du linge et de la vaisselle. Mikhaïl faisait figure de chef. Chacun coulait vers lui des regards dociles et vaguement craintifs. Mikhaïl s'empara d'un bâton qui se trouvait là, s'approcha d'une roulotte et au volet frappa deux coups, puis un plus espacé. La porte s'ouvrit. Une fille hautaine et longue, les cheveux défaits, descendit les quatre marches.

– Ma femme, dit Mikhaïl.

Elle sourit avec grâce en me tendant la main.

J'étais au bout du monde. Les oripeaux aux couleurs véhémentes, la robe blanche du cheval avaient fait virer les teintes du paysage de fond, plat et quelque peu sordide. On eût pu situer ce campement de nomades dans n'importe quel coin d'Europe, d'Amérique ou d'Asie Mineure.

– Il ne manque qu'un peu de musique, dis-je.

– Reste avec nous… fit Mikhaïl. Ce soir tu seras servi.

Il voudrait bien me dire des choses, des tas de choses, me faire des révélations que j'attends avec impatience. Mais ça ne vient pas. Je ne sais de quelle nature sont ses derniers scrupules. Aussi ne puis-je tenter de les faire taire. Il se décide enfin, sans courage, et prend le parti de m'interroger.

– Est-ce qu'il t'est déjà arrivé d'avoir à te faire pardonner des choses graves ?

– Ça dépend. De… de pécher gravement, probablement, oui. Mais songer à me « faire pardonner » … Par qui, d'abord ?

– Pas par les hommes.

– Alors non. Certainement jamais. On ne rachète pas un acte mauvais : on le répare, quand c'est encore possible. Je veux bien qu'on me rende tout le mal que je peux faire. Je tiens à être à jour. Mais je crois que les actes accomplis ne s'effacent pas. Non plus les intentions que l'on a pu avoir. L'intention, c'est ce qui est grave à mes yeux.

– Tu ne te reconnais pas d'autre juge ?

– Non. D'ailleurs, je suis plus sévère que n'importe qui. Toute idée d'humilité, de soumission est pour moi inconcevable.

– Alors tu réprouves le principe même de la confession ?

– Absolument. Ça m'indigne. Ça m'exaspère. C'est une humiliation, un avilissement que je ne puis admettre.

– Bien sûr, c'est un point de vue…

Nous marchions dans les vallonnements herbus de la zone. Nous contournâmes le cadavre d'une bête. Une enveloppe de pneu, usée jusqu'à la toile, traînait dans les orties. Mikhaïl la ramassa et la mit sur son épaule. Je me demande à quoi ça peut lui servir. Après un silence :

– Mais enfin, si tu sentais en toi, dans ton corps physique, l'existence de quelque chose de mauvais, d'impur, d'interdit…

– Il y a la pénicilline…

– Allons, ne blague pas.

Il passa sa rage en bottant le cul de toutes les boîtes à conserve qui lui tombaient sous les grolles.

– Mais comprends donc, voyons…

– … Je ne sais pas. Ça ne m'est jamais arrivé.

Il préféra changer de sujet.

– Tu n'as jamais eu l'impression, sous forme de souvenir, d'intuition ou autre, d'avoir vécu à une époque antérieure ?

– Ah ! si, alors. Même à deux époques, espacées d'un peu plus de deux siècles, et que je pourrais préciser à quelques années près.

– Et ça se passait où ?

– Ici. Ici à Paris.

– Et c'était bien toi, tu ne te « vois » pas dans la peau d'un personnage différent ?

– Non. Très exactement le même type, le même visage, la même carcasse à un poil près.

Il eut l'air soulagé.

– Enfin, un terrain d'entente… Maintenant, j'espère que tu vas comprendre.

La belle-famille de Mikhaïl fait partie de la même tribu. Ils sont tous plus ou moins cousins. J'avais remarqué, chez eux, un caractère plus racé, plus évolué que chez la plupart de leurs congénères : pas de bouches lippues, sourcils bien séparés, fronts larges, la naissance des oreilles à la hauteur des yeux et non au-dessus. Ils vivent sous le régime patriarcal, sous l'autorité, non d'un « chef », mais d'un *roi* non élu par ses sujets comme il est d'usage dans le peuple tzigane : son investiture est héréditaire. Or, la tradition familiale – qui correspond à une croyance très fortement ancrée –, veut que, *toutes les sept générations*, ce soit le *même* roi qui réapparaisse pour régénérer sa lignée. L'autorité de ses aïeux et de ses descendants, « rois », eux aussi, mais simples maillons de la chaîne, sera infiniment moins large que la sienne. Laquelle est absolue et s'exerce dans tous les domaines. Les princes royaux – les fils aînés – sont mis en demeure de procréer dès que physiquement capables, c'est-à-dire entre treize et seize ans. Ce qui amène un souverain « réincarné » par siècle, ou à peu près. La loi de la tribu commande qu'alors le roi ne soit point, à sa mort, inhumé, mais incinéré et ses cendres jetées au vent.

Ici intervient un détail qui fit longtemps hésiter Mikhaïl, avant de me révéler le fin mot d'une tradition effroyable, mais que personne jamais ne s'avisera de transgresser. Un repas funéraire, ordonné selon un rite immuable, réunira les fils du mort – et d'une façon générale tous ses descendants mâles. Ils devront se partager, entre autres mets classiques, la cervelle, le cœur et les testicules du défunt, accommodés selon leur convenance.

Et s'empresser, même s'ils se trouvent à l'autre bout de la Terre, de gagner Paris et de venir faire pénitence à Saint-Médard, en priant longuement, neuf jours de suite. À Saint-Médard et pas ailleurs ; car là seulement le péché de cannibalisme est absous.

– Maintenant, libre à toi de me considérer comme un sauvage…

– Pas question. Je ne m'attendais guère à ce que tu viens de m'apprendre, c'est encore trop frais. Et puis, de là à porter un jugement… Mais as-tu déjà assisté à un tel repas, vécu une cérémonie de ce genre ?

– Non. Le dernier « Grand Roi » fut incinéré dans l'île d'Oléron, en 1880. En France, c'est un problème, car nous n'avons pas le droit de disposer de nos morts, ni même de les transporter…

– Alors, comment ferez-vous pour le prochain ?

Ma question sembla susciter chez lui un certain malaise.

– Tout est prévu. On l'enfermera dans un coffre empli de sel, et la caravane se mettra en route, jusqu'à ce qu'elle ait trouvé un lieu désert ou écarté de tout village, dans les Landes, par exemple…

– Et où en êtes-vous dans votre dynastie ?

– Mon père est le roi actuel, il porte le numéro 6, et le fils aîné… c'est moi…

… C'était à mon tour d'être plutôt gêné. Lui Gabriel, lui Mikhaïl, promis à la casserole !

– Alors c'est toi… le réincarné… Mais quel âge as-tu donc ?

– Trente-huit ans.

– Pas encore d'enfants ?

– Seize, dont quatre filles.

– Et tu te maries seulement ?

– Pour la quatrième fois…

– Je ne savais pas que dans ta race on était polygame.

– Mais on ne l'est pas. *Moi*, j'ai le droit. Moi seulement. J'ai le droit de tout.

– Mais comment se fait-il que je t'aie connu chiffonnier ?

– Nous sommes tous astreints, et les rois comme les autres, à une période d'isolement et d'extrême pauvreté. C'est le plus vieux de la tribu, pas forcément le roi, qui décide de l'heure du départ et du temps d'épreuve à accomplir.

– Il décide en vertu de quoi ? De son humeur ? De son jugement ? Au pifomètre ?

– Oh ! certes non. Chez nous c'est beaucoup plus compliqué. Les comptes sont les comptes…

Là, il refusa de s'expliquer davantage.

– Je comprends mal que, chez les gens de ta race, on feigne de professer la religion catholique alors que, d'autre part, les mœurs semblent entachées du plus lointain des paganismes. Et j'aime mieux ne pas parler de ce cannibalisme rituel, qui me rappelle un peu trop le *Journal des Voyages* de l'autre siècle. Il est vrai que là, il était question de Cafres et de Papous…

– Je veux te montrer quelque chose.

Le fond d'une roulotte est aménagé en chapelle. Une flamme clignote sur un verre d'huile. Il flotte un vague parfum d'encens. Des vases où sourient des fleurs fraîches sont disposés sur la tablette faisant office d'autel. Une vierge d'argent noirci inédite au centre d'une icône.

Un christ de bois, polychrome, domine l'ensemble. Il est ancien. Travail hongrois ou roumain. Ce n'est pas un christ ordinaire : la tête est levée, les yeux regardent le ciel. La main gauche, détachée de la croix, esquisse un geste d'adieu – ou d'appel. L'effet est inesthétique.

– Écoute bien.

Il y a deux gestes rapides pour indiquer les deux éléments de la croix. Du haut en bas – de gauche à droite.

– Ça, le temps. Ça, l'espace. Ils se limitent, ils s'emprisonnent. *Un homme ne peut concevoir l'un que fractionné par l'autre.* C'est vrai ou pas?

– C'est… c'est vrai. C'est indiscutable. Nous ne sommes pas construits pour aller au-delà.

– Oui. L'homme cloué au centre, pas vrai? *Au point zéro.* On n'en sortira pas. On n'a pas le droit d'en sortir. C'est ça « votre » humilité chrétienne. C'est ça l'obéissance. C'est ça la discipline.

Il a un rire concentré, sarcastique. Ses yeux brillent. Un orgueil insensé a marqué son front. Il montre la main libérée :

– Le voilà, notre secret à nous, notre… *mon* héritage. *Nous savons nous évader.* Aller au-delà de tout. Nous ne connaissons plus de limites… Penses-y souvent.

Le temps en abscisses, l'espace en ordonnées… Nous autres cloués au centre. Je te promets, Mikhaïl, d'y penser beaucoup plus souvent que je ne le voudrais.

CHAPITRE XIV

Berlin, février 1948

J'ai pris le tramway depuis Tegel, le métro (le U-Bahn) depuis Wedding. Porte de Brandeburg : dans Unter-den-Linden, dix kilomètres de maisons soufflées. Il gèle dur. Des enfants s'exercent à la luge dans les décombres.

Je remonte vers Stettiner Bahnhof (leur gare du Nord). Près des pissoires, une petite tantouse béquillarde – dix-sept ans environ, une tête d'ange, il lui reste une demi-jambe – me demande du feu. Paraît qu'on peut, avec lui, s' « arranger » pour trois marks.

Dans le hall de la gare, rafle. Schupos et sous-offs russes fouillent les sacs à dos que portent des gens hâves, pressés d'atteindre les wagons obscurs garnis de contreplaqué en guise de vitres.

Autour de la gare, marché noir de pommes de terre, d'allumettes et d'infâmes cibiches popoff (des « Papyrouski », ils disent). Qui, je vous le demande, coiffé d'une casquette fridoline et vêtu d'un rase-pet gris-vert, m'en vend un paquet ?

Pierrot-la-Bricole ! Pierrot de la bande à Danse-Toujours !

Il n'était pas au courant. La nouvelle l'assomme.

Le premier procès de Danse-Toujours avait été cassé. Le second a traîné en longueur. Il a été condamné à mort par deux cours différentes, pour des tas de motifs. On l'a guillotiné voici une dizaine de jours.

– Raccourci ! Ils lui ont fait ça ! Et tu crois que ça va se passer tout seul ? Je me fous de tout. Je retourne à Paname !

– Je t'en prie, Pierrot, fais pas l'andouille…

DANSE-TOUJOURS

Paris, mars

On avait tué Danse-Toujours, et contre cela personne ne protestait. « C'était le jeu », selon ses propres termes. Il n'avait qu'à ne pas se faire prendre aussi bêtement. Mais à la Montagne tout le monde l'avait connu, et chacun se prit à réfléchir et à épiloguer sur le procédé même de l'exécution. Et chacun, révolté, déclara que c'était déshonorant pour tout le monde, affreux et dégueulasse. C'est le tronçonnement qui les dégoûte. Un Arabe a affirmé que la décollation d'un seul musulman, si abominable criminel soit-il, fait se serrer des millions de poings contre le roumi sacrilège. On ne se présente pas devant Mahomet, lavé de tous ses péchés terrestres, avec sa tête sous le bras. Dolly-Longue-à-Jouir en a fait une maladie. Ce fut bien autre chose quand arriva Pierrot-la-Bricole, barbu, binoclé, méconnaissable.

Dans l'arrière-salle de chez Quarteron, ils rassemblèrent quelques fidèles et tinrent une sorte de conseil de guerre. Tout le monde était d'accord pour que «ça ne se passe pas comme ça ». La colère déchaînée de Dolly confinait à l'hystérie. C'est elle qui osa conclure :

– On « en » a ou on n' « en » a pas. Moi, je dis qu'il faut buter un flic.

Les autres étaient échauffés. Pierrot soutenait Dolly :

– Parfaitement, faut faire un exemple. Si on laisse la loi à la flicaille, c'est la mort du petit cheval…

Un peu plus tard arriva Alexandre Villemain. Saoul comme tous les soirs. Et, comme chaque fois qu'il était saoul, il déballa sa rengaine :

– Moi, j'suis comme vous... J'suis d'la police...

Tout le monde le regarda, d'un air intéressé.

C'est curieux comme l'eau de Seine agit d'une façon différente sur les noyés, selon ce qu'ils ont mangé ou bu, ou bien la proportion d'alcool non assimilé qui se balade dans leur tuyauterie. Quand, le surlendemain de la mémorable réunion tenue par les amis de Danse-Toujours, on repêcha Villemain, quai du Marché-Neuf, ses mains et ses pieds étaient devenus énormes et blancs comme du plâtre.

Ses amis les clochards organisèrent une collecte.

Ce qui permit de l'enterrer sous son nom.

Solange est inconsolable. Elle a confectionné un petit sac qu'elle porte à même sa peau, comme un scapulaire. Elle y a fourré le dernier souvenir qu'elle tienne de son ami : une « pièce à conviction » dérobée au cours du procès. Une oreille humaine, une oreille droite, tannée, longue et un peu pointue.

J'ai offert une bouteille de champe, à elle et à ses copines. Elles se demandent si j'ai hérité, ou ce qui m'arrive. Ça les gêne un peu. Ce n'est pas ainsi qu'on « enterre » un ami.

Aujourd'hui je manque totalement de pudeur. C'est la première fois que j'arrose une décoration. Entre autres bananes, une palme m'est tombée. J'en montre à Solange l'ampliation dont j'écume le baratin :

« Décision n° 1347 – du 18 novembre 1945 – ... le 4 juin 1944 a dépisté un agent de la Gestapo venu chez lui pour se faire incorporer au réseau. L'a abattu et fait disparaître son cadavre... sauvant ainsi l'organisation, etc. »

Solange a bien voulu sourire. Elle a dit :

– Tout ça, c'est à cause de Danse-Toujours… De plus en plus, je me rends compte qu'il n'est pas si mort que ça, et ça me rebecte. D'ailleurs, *on s'en occupe…*

– Ah ! mais qui ça ?

– T'es pas encore affranchi de tout. C'est long, tu sais. Tu pigeras la combine plus tard, beaucoup plus tard…

Elle gagna la rue, me fit :

– *Bye, bye !*

Un client l'attendait sur le trottoir.

CHAPITRE XV

Octobre 1951

Le docteur Garret et sa femme, Priscilla, sont à Paris. Lui, un dieu du Nord, herculéen sous son abondante chevelure blanche. Elle, petite, brune et boulotte, et qui rit tout le temps.

Depuis une semaine, je leur sers de cicérone. Nous avons exploré, de fond en comble, les quartiers de la vieille ville. Aussi les catacombes, les carrières, les souterrains de Belleville, le cours de la Bièvre... Je tiens à ce que Garret et sa femme ne perdent rien de tout ce que je puis leur apporter en fait d'histoires, de documentation précise – aussi d'enchantement, dans la mesure où Paris m'est complice.

Garret a tenu à descendre la rue Zacharie – Witcherafts Street – au crépuscule, comme l'aveugle de la légende.

Nous avons ramé sur la Seine (à cette saison !), bouffé des saucisses à Bicêtre, acheté à Saint-Médard une fausse « sirène » momifiée (ça se fabrique au Japon, paraît-il), et La Lune a donné pour nous, au « Vieux-Chêne », un récital d'harmonica. Ils sont aux anges.

Je n'ai jamais rencontré un Parisien plus attentif, plus passionné des choses de sa ville que ne l'est Garret. Lequel se révèle absolument incapable d'articuler un seul mot de français. Il se trouve cependant en pays de connaissance : chaque soir, nous dînons chez les Bretons de la rue Grégoire-de-Tours, où Garret s'exprime couramment en « maho » avec la patronne. C'est une joie toujours renouvelée que de lui conter une histoire; car il en extrait chaque fois une conclusion, une « essence » imprévue.

De Londres, Garret a fait expédier à mon adresse la collection complète de ses œuvres, qui sont pour moi d'un immense intérêt. Je ne sais comment m'acquitter envers lui. Nous faisons assaut de gentillesse.

– C'est-y pas mieux comme ça? dit la mère Georgette, la « vétérane » de la Maube, à qui tous les matins, aux « Trois-Mailletz », nous offrons de ça-qui-s'avale.

Garret a définitivement installé laboratoire, bibliothèque et collections à B…, la petite ville galloise où sa femme continue de diriger, à l'hôpital, le service de gynécologie.

Je leur ai montré ma poupée votive, ma statuette exhumée des caves de la rue de Bièvre. Garret l'a contemplée, interrogée, caressée, soupesée, palpée – admirée très, très longuement, comme en extase. Il m'a dit :

– C'est une pièce extrêmement rare, sinon unique.

Il a tenu à explorer le souterrain où je l'avais découverte. J'ai mobilisé les anciens copains. Nous avons dû – et ce fut beaucoup moins facile – renouveler l'expédition d'il y a dix ans.

Garret est formel.

– Le témoignage que représente cet objet est pour moi d'une extrême importance. Il me permet d'établir pour tout cet hémisphère le tracé « magique » que votre ami Danse-Toujours avait réalisé, avec d'ailleurs beaucoup de mérite, pour Paris seulement.

Ils sont partis. Sur le quai de la gare – eux n'aiment pas prendre l'avion – je leur ai apporté, pour qu'ils la conservent, ma statuette, soigneusement emmaillotée. Ils étaient heureux comme des gosses. Ah! les braves gens.

Septembre 52

Au début du mois dernier, un matin vers dix heures, Garret a surgi chez moi. Cette fois, il était venu par Air France. Exténué, les traits tirés, les yeux rouges. L'air accablé.

Un peu de confiture d'oranges le réconforta. Je le pressai de parler.

– C'est la poupée, la poupée maudite… Ah ! malheur… Je ne suis pas sorcier, moi, que diable ! Que puis-je y faire ?

Il lui fut difficile de s'exprimer de façon moins incohérente. Enfin il y parvint, et me conta ce qui suit.

– Rentré à B…, je me suis empressé d'aménager une vitrine, afin d'y installer « votre poupée » … Et je conçus l'étrange désir de la restituer dans son aspect primitif, c'est-à-dire avec des cheveux bruns, probablement assez longs, implantés à la cire…

» À l'unique coiffeur de notre petite ville, je demandai de mettre de côté, à l'occasion, quelques mèches de cheveux foncés de la longueur voulue… Ceci, lui avais-je dit, aux fins d'expériences sans grande importance. Je n'étais pas pressé.

» Un jour le coiffeur remit à ma femme un paquet : c'étaient deux mèches, longues et fournies, de très beaux cheveux châtains.

» À B…, tout le monde se connaît. Nous sûmes qu'il s'agissait des cheveux de la petite Ève J…, une fillette de onze ans de qui la maman avait décidé de faire couper les nattes.

» De temps en temps, le soir, je m'appliquai à pourvoir la statuette de la chevelure qui lui manquait depuis des siècles. Très patiemment, très soigneusement, selon mes habitudes, j'implantai des cheveux, par petites touffes, dans le crâne foré de vingt-quatre trous… J'utilisai, pour les mèches, non point de la cire, mais la paraffine qui me sert pour mes préparations microscopiques. Ah ! la poupée a maintenant une autre allure. À présent, elle signifie quelque chose. Voyez plutôt.

Et il me montra une photo. C'était indiscutable.

– ... À quelque temps de là, je voulus déterminer, dans la mesure du possible, l'« ancienneté » et l'origine de cet objet extraordinaire. Je fis plusieurs essais sur des éclats de bois d'essences et d'âges différents. Et puis je me décidai à prélever quelques fibres sur la poupée magique. Je pratiquai une entaille minuscule là où cela ne pouvait affecter l'aspect extérieur : entre les jambes. Ah ! malheur... Qu'ai-je fait là...

– Alors ? L'âge de l'objet ?

– Cet objet *n'a plus d'âge*. Avant d'être travaillé, le morceau de chêne dans quoi on tailla votre statuette avait séjourné si longtemps dans l'eau de mer qu'on le traita comme de la pierre, non comme du bois... Ensuite, il y eut les vertus tanniques des eaux de Bièvre. La poupée est maintenant une manière de fossile artificiel. Guère possible de lui attribuer une date de naissance, à deux cents ans près... Les clous furent enfoncés dans des trous qui existaient déjà. Mais, de tout ceci, je déduis que cette poupée fut sculptée *dans le bois d'une épave*. Elle ne vient pas de l'Est, comme vous sembliez le croire, mais du Grand Nord... Et tout ça serait beau, si...

– Vite, continuez.

– ... Le lendemain même du jour où j'avais prélevé cette esquille – c'est-à-dire avant-hier –, on amène à l'hôpital, où par bonheur ma femme était présente, la petite Ève J...

– La fillette aux cheveux ?

– Exactement. L'enfant avait la fièvre, délirait un peu, et se plaignait de douleurs atroces, à l'endroit où précisément j'avais entaillé la poupée...

– Alors ?...

– À l'heure actuelle, l'enfant présente une affreuse inflammation – uniquement extérieure, heureusement – d'organes délicats. L'analyse du sang n'a rien décelé. C'est une étoile de mer mangée de douleurs que ma femme tente de soulager sans y parvenir... Nous sommes seuls à connaître la véritable cause du mal : mon imprudence. *Les cheveux identifiaient l'enfant à la statuette...* Il faut trouver un remède, et rapidement. Toutes les ressources de la médecine sont impuissantes. C'est à un véritable sorcier – ou à un exorciste très puissant que nous devons nous adresser... Le prêtre anglican de notre ville m'a conseillé de bondir chez vous. Que faire à présent ?

Je suis obligé de déclarer ici n'avoir jamais, dans ma vie, eu recours au ministère d'un prêtre – catholique ou autre. Que l'on s'abstienne de porter sur moi un jugement, ou de m'affubler d'une étiquette : de toute façon, elle sera fausse.

Je partageais, ô combien, le désarroi du docteur Garret, et tentai de considérer froidement la question sous tous les angles possibles. De sorciers « pratiquants », je n'en connais pas, et de toute manière je me fusse méfié. Il fallait découvrir un exorciste reconnu et suivre ses directives. On ne sortait pas de là.

Fort perplexe, je me dirigeai, flanqué de Garret, vers le quartier Saint-Séverin. Là, un mien ami possède une librairie spécialisée dans l'histoire des religions – et bien entendu les sciences occultes. Je lui exposai le problème. Il me conseilla vivement de consulter l'un de ses clients, un ecclésiastique, vicaire de l'une des paroisses parisiennes dont l'histoire est des plus mouvementées.

J'appréhendais cette entrevue. Je craignais de voir le prêtre auquel j'allais m'adresser faire preuve d'un certain sectarisme, s'indigner et rejeter avec horreur notre requête. Il n'en fut pas ainsi.

Je regrette vivement de ne pouvoir donner plus de détails sur le lieu où nous nous rendîmes, et la personnalité qui nous reçut. Mais j'ai formellement promis le secret. Le prêtre nous accueillit de façon fort courtoise. Dans la sacristie, un jeune abbé faisait des comptes. Il fut congédié d'un regard. Nous étions à l'aise. J'exposai le « cas », sans rien omettre. Le prêtre m'écouta, sans m'interrompre, avec une attention soutenue. Lorsque j'eus terminé, sa première question me laissa pantois.

– Quand vous êtes entrés dans cette église... avez-vous, dans l'un des troncs, déposé quelque obole ?

Interloqué beaucoup plus que gêné, je répondis :

– Ma foi non... nous n'y avons même pas songé...

Garret, angoissé, tentait vainement de comprendre nos paroles.

– Bien ! Fort bien ! fit le prêtre. Alors, écoutez-moi : même si vous revenez ici dans dix ans ou dans vingt, n'y laissez jamais un sou... Le docteur non plus.

– Ah !... mais j'ai vu que vous vendiez des opuscules retraçant l'histoire de votre paroisse. J'avais l'intention de m'en procurer un exemplaire...

– Je vous le céderai strictement au prix coûtant. Je ne DOIS pas réaliser sur vous le moindre bénéfice, ni accepter de votre part un service quelconque, même indirect.

Cela devenait vexant.

– Ainsi, dans votre esprit, nous sommes des gens tellement maléfiques ? Vous nous jetez le tabou, ma parole !

Un sourire :

– Mais non. Même des diables cornus ne m'effraieraient guère, si j'avais la chance d'en rencontrer. Ce n'est pas de vos personnes qu'il s'agit, mais du service que, peut-être, je suis à même de vous rendre... Il doit être... – comment dirai-je ? – *unilatéral.*

Je traduisis à Garret ce qui venait d'être dit. Il plissa les yeux, s'épongea le front et respira profondément.

– *Fine... I think we're on the right way.*

(Bon... je crois que nous sommes sur le bon chemin...)

Le prêtre ajouta :

– Et retenez bien ceci : les instructions données selon ma conscience pourraient ne pas plaire aux autorités dont je dépends... Promettez-moi de ne jamais dévoiler...

...

Nous promîmes. Et le vicaire enchaîna :

– Ce qu'il vous faut, c'est un exorcisme pur et simple – et il y a nécessité d'utiliser tout de suite des moyens très puissants ; car votre poupée me paraît posséder une « charge » peu commune. En vérité, *je ne sais pas* si je suis à même de procéder à l'opération. Et nous n'avons pas de temps à perdre. Je devrais normalement en référer à l'évêché, qui, après de multiples conciliabules et échanges de vues, prendrait des décisions imprévisibles... Une seule solution s'impose à mon esprit, et elle va vous étonner. Voici une adresse. Celle d'un prêtre *qui n'appartient pas à la religion catholique* – ceci n'a d'ailleurs, en l'occurrence, aucune importance – et qui s'est révélé un exorciste de premier ordre. Allez le trouver tout de suite : et tâchez de ne vous référer à moi que si vous ne pouvez faire autrement. Allez, souvenez-vous de vos promesses – et tenez-moi, autant que possible, au courant des événements.

Père Mathias, culte alexandriste, chapelle rue du Château-des-Rentiers. Quelle histoire ! Nous voici Garret et moi, errant aux alentours de la porte d'Ivry, à la recherche de l'introuvable chapelle.

Le quartier fait un peu province. Il y a des jardinets devant les maisons. Un vieux brave homme, à califourchon sur une chaise, fume la pipe, devant sa porte. À contrecœur je me renseigne.

– La chapelle ? Ah ! oui, la maison des... (Il n'achève pas – Garret doit l'intimider – il se tapote seulement le front. Il prend l'air malicieux.) À côté, au fond de la cour, direction de mon tuyau de pipe...

Il nous regarde partir, cette fois en riant franchement. Dans quelle galère... Une sorte de resserre a été aménagée : on l'a couverte de tuiles neuves, on l'a barbouillée de blanc. L'unique fenêtre a été surhaussée. On l'a voulue ogivale. Sur la porte épaisse – bien close –, une plaque discrète : Culte le dimanche, de dix heures à onze heures trente. C'est tout. Pas de sonnette. Nous frappons : personne.

– Pardon, madame, le P. Mathias ?...

– Mathias ? Vous voulez dire... M. Roger... Il doit être au café à cette heure-ci. Allez donc voir au tabac, là-bas à droite...

La femme a fait des signes d'intelligence à sa voisine. Toutes les deux ont l'air rigolard.

– M. Roger, s'il vous plaît… Enfin, le P. Mathias…

– Attendez-le, il ne va pas tarder.

Je dissuade Garret de commander du thé au citron.

– Par ici, on se ferait encore remarquer… C'est suffisant comme ça. Deux cognacs, deux !

Entrent trois garçons en chandail, l'allure de sportifs. Ils parlent gaiement et s'envoient de grandes tapes sur les épaules.

– Roger, y'a ces messieurs qui t'attendent.

Le plus grand des trois s'approche. Trente ans à peine, robuste, les pieds sur terre.

– C'est pour quoi ?

Je fais :

– Question « métier » …

– Bon, bon, tout de suite… Mettez-vous donc là-bas, on sera plus tranquilles…

Il nous indique l'arrière-salle.

M. Roger nous rejoint : on lui sert de la bière brune. Je veux régler les trois consommations. Il s'y oppose vivement :

– Non, non, je ne sais pas encore ce que vous voulez… Je paie mon godet. N'insistez pas.

Garret m'adresse un coup d'œil : il est rassuré.

Le vicaire m'avait écouté sans souffler mot. M. Roger – le P. Mathias – m'interrompt à chaque instant par des exclamations de surprise joyeuse. À la fin, il explose :

– C'est formidable. Ah ! ce que c'est épatant. Voilà au moins un truc en or. Comme ça !…

Et il ponctue ces fortes paroles d'un geste – le pouce brusquement relevé – qui ne ressemble guère à celui d'un prêtre…

Alors il me questionne, et s'enquiert de multiples détails. Garret rassemble ses souvenirs, il répond et je traduis. Cela dure une bonne heure.

– Il faut faire vite, conclut M. Roger, à qui je n'ai eu le loisir de poser aucune question le concernant. Allez faire un tour. Rendez-vous ici dans deux heures.

Il sort en trombe et hèle un taxi.

Le soir, M. Roger était vêtu en P. Mathias : veston noir, gilet boutonné très haut, un col de clergyman. On avait peine à le reconnaître. De plus, il semblait préoccupé, presque soucieux.

– Ce cas est passionnant. Je ne sais pas ce que j'aurais donné pour m'en occuper moi-même. Mais je viens de voir le « patron » (?) qui m'en a dissuadé. Beaucoup de facteurs entrent en ligne de compte : puissance, procédés, un entraînement que je ne possède pas encore... Et puis, il y a une question de « proximité » qui joue... Voilà ce qu'il faut faire. Téléphonez en Angleterre et prenez des nouvelles de la petite malade. Et filez sur Cherbourg : vous avez un train à onze heures. Demain matin, vous vous rendez à X..., un hameau, près de Carteret le port. Demandez M. Bruhat. C'est un prêtre défroqué. Lui seul à ma connaissance peut vous tirer d'embarras. Inutile de venir de ma part : vous serez, de toute façon, bien reçus. Avec une histoire pareille, pensez donc !...

Nous offrons au P. Mathias, non de le rémunérer, mais au moins de le défrayer pour son taxi.

– Non, non, surtout pas !...

Nous insistons pour payer son verre :

– *Ne commencez pas par tout gâcher...*

Garret, à demi rasséréné, supputait l'avenir proche. Il avait permis à son grand corps dix minutes de mollesse, de laisser-aller, en prévision des futures dépenses d'énergie. Le P. Mathias ne semblait pas très, très pressé – et je bénis cet instant de flottement que j'utilisai pour me livrer à une sorte d'interview.

– ... Vous avez déjà accompli beaucoup d'exorcismes ?

– En vérité, non. Peut-être deux depuis trois années que j'exerce cette... spécialité. Mais j'ai « traité » des centaines de personnes...

– ?...

– Hé oui. Mon activité consiste surtout à recevoir avec douceur mes « clients » – mes « clientes » surtout, pour les neuf dizièmes –, à écouter leurs doléances. Ils se disent « possédés », persécutés, ou bien sous le coup d'un maléfice, d'un mauvais sort jeté par quelqu'un de leur entourage. Bien entendu, ça ne tient pas debout; mais inutile d'essayer de le leur faire admettre. Alors, je me livre à des simagrées, à des actes théâtraux et inutiles... Si, cependant : ça leur donne le change. Je les renvoie, sinon guéris, du moins soulagés. On ne peut pas enfermer tout le monde...

– En somme, vous avez affaire à des demi-fous...

– Hélas ! les grands nerveux, les obsédés, les hallucinés, les hystériques sont en nombre incroyable.

– Et vos deux « opérations » ... c'était quoi ?

– Laissez-moi vous dire : le mot « exorcisme » lui-même est employé à tort, faute d'une autre expression. Car si j'ai décelé quelque chose d'inusité, de rare, d'insolite dans les symptômes que présentaient mes deux malades – mais oui, deux malades et c'est tout –, je n'y ai pas découvert la marque d'une certaine « griffe ».

– Avez-vous des points de comparaison ?

– *Oui*. Autrement mes activités seraient différentes... Mon premier sujet était un étudiant de vingt ans. Enfance maladive : famille aisée. Très gâté. Il rate un examen, puis deux. On lui fait prendre des leçons particulières, en lui laissant le choix des professeurs. Il commet un crime abominable, qu'on attribue toujours à une bande de chenapans « en fuite » ... évidemment, ils sont imaginaires... Lui n'est pas inquiété. Il se met à étudier avec fureur. Coup sur coup, il se repêche, conquiert un nouveau diplôme... Il allait postuler pour sa licence, lorsque nous nous sommes rencontrés par hasard, rue de Buci. En l'espace d'une soirée il s'est confié, libéré de son affreux secret... Il était temps ! le pauvre garçon était habité d'un instinct meurtrier tellement impérieux qu'il se trouvait sur le point d'étrangler un enfant.

– Bigre !

– C'est comme je vous le dis. Auparavant, il avait déjà assassiné un membre de sa famille. Vous êtes le premier à qui je raconte ceci.

– Pourquoi cette confiance ?

– *J'ai mes raisons.* Je disais… chaque soir, depuis plusieurs jours, mon malade rôdait square de l'Archevêché. Il avait repéré un petit garçon auquel il offrait des sucettes : il n'attendait que l'occasion de l'entraîner dans un chantier… Et malgré la déconcertante lucidité dont il fit preuve lors de sa confession, *c'était plus fort que lui*… Cette force, cette exigence de mal, de mal absurde, était puisée quelque part. Je n'eus pas de peine à en découvrir la source. Mon « sujet » subissait l'influence d'un étranger, soi-disant médecin, qui lui donnait des leçons d'allemand et, affirmait-il, de « psychologie ». Ce « professeur » me faisait l'effet d'un être assez trouble. Sous prétexte de s' « entraîner » à des expériences de psychanalyse, il avait pris sur l'esprit de son élève une telle autorité, il le subjuguait à tel point que commettre un crime « par personne interposée » n'était pour lui qu'un jeu. Je réussis à apaiser mon « exécuteur » en puissance : non, comme vous pourriez le croire, par des paroles raisonnables ; mais par des pratiques dont l'exercice constitue ce que j'appelle mon « métier ». Ensuite, je tâchai de rencontrer le « professeur ». Je ne m'étais pas trompé : cet être diabolique – je sais ce que je dis – respirait à dix lieues la volonté, la volupté du mal. Si j'avais pu le mettre hors d'état de nuire… je vous affirme que je n'aurais eu aucun scrupule.

– Même en le faisant… disparaître ?

– Peut-être pas… car il est de cette sorte de gens *plus dangereux encore morts que vivants*.

– Expliquez-vous.

– Permettez-moi de n'en rien faire. Bref, j'eus beaucoup de mal à conquérir l'ascendant nécessaire sur mon jeune malade. Enfin, j'allai trouver les parents et leur démontrai la nécessité de l'éloigner de Paris… Ce qui fut fait. Il va beaucoup mieux maintenant. Mais je le surveille, de loin…

– Et le second cas ?

– Il est moins tragique. Une brave femme toute simple, mère de famille, servait depuis plusieurs années de médium à un cénacle de vieilles chouettes qui se réunissaient non loin d'ici, dans une loge de concierge, pour y faire « tourner les tables » de cinq à sept. Vous voyez le genre.

» Elle s'appelait Mme Hache, elle était couturière. Constitution faiblarde, très impressionnable. Un jour, sur le boulevard extérieur, elle est témoin d'un accident grave : auto contre camion. Mme Hache ne résiste pas au spectacle de deux corps ensanglantés. Elle s'évanouit et ne revient pas à elle. On la transporte à l'hôpital. Là, dans un état semi-léthargique, elle se met à prononcer devant l'interne éberlué un discours qui semblait cohérent, mais dans une langue inconnue. Certaines consonances, cependant, étaient familières à l'interne. Pas étonnant : *c'était du grec ancien !* Nous ne sûmes pas la suite. Car depuis ce jour Mme Hache, pour un oui ou pour un non, tombait en transe, ou à peu près, et se mettait à divaguer : une fois en latin, qu'elle prononce en « ous » et en « oum », le plus souvent en grec – d'autres fois dans des dialectes sur lesquels de doctes professeurs aux Langues Orientales ne sont pas d'accord. Car l'affaire s'est ébruitée, et des sommités médicales se sont penchées sur ce cas. Des psychiatres surtout : ils nomment ce phénomène « xénoglossie ». À plusieurs reprises, on a enregistré sur bobines les « discours » de Mme Hache… À son réveil, elle n'a jamais voulu admettre que c'était sa propre voix qu'on lui faisait entendre. Mais ces expériences l'affaiblissaient, et c'est le curé de sa paroisse qui m'a demandé de la « prendre en main ». Je lui ai rendu une santé et un équilibre dont elle eût pu faire son deuil jusqu'à la fin de ses jours. Évitez de me demander ce que je pense – ou ne pense pas – de tout ceci, et revenons-en à votre poupée : dites au docteur Garret que, s'il téléphone chez lui, il donne en confidence des instructions pour que personne, absolument personne ne touche à l'objet.

Je m'exécutai. Garret s'informa :

– Et si j'ordonne qu'on brûle ce morceau de bois ?

Le P. Mathias sursauta :

– Ce serait condamner l'enfant, i-né-luc-ta-ble-ment. Tenez-vous-le pour dit, et ne faites pas de malheur. Maintenant, bonne chance ! et revenez me voir.

– Merci !

– … Le seul mot à ne pas dire…

Nous téléphonâmes depuis la Bourse. L'état de la petite avait empiré. Fièvre très forte, cauchemars, la nuit précédente, (Ils disent : *nightmares*, les juments de la nuit.) L'inflammation s'aggravait. Mrs. Garret suppliait qu'on « fasse quelque chose » …

L'aube était maussade à Cherbourg. Une pluie corrosive, fine et glacée, nous accueillit. Nous n'avions pas prévu ce temps de chien. À la fois grelottants de froid et bouillants d'impatience, nous nous engouffrâmes dans une taverne, où nous attendîmes l'ouverture des bureaux du Syndicat d'initiative. Il n'y avait de car pour Carteret que l'après-midi ; encore fallait-il, pour joindre l'abbé Bruhat, couvrir à pied une lieue et demie vers l'intérieur des terres. Nous frétâmes une voiture de place.

– M. Bruhat, que vous cherchez ? Voyez-le donc, là-bas au bout…

La route montait un peu. Auprès d'une haie, un homme assujettissait deux tonneaux vides sur une charrette. Le cheval était maigre et las. Dès qu'il nous aperçut, l'homme resta immobile jusqu'à ce que nous fussions à sa hauteur. Il mâchait une bouffarde de merisier. Des yeux très clairs, très pénétrants. La peau tannée.

– M. Bruhat ?

– C'est moué. Quoi qu'y a pour vot' service ?

– Nous venons de Paris pour vous voir.

Il eut l'air méfiant et contrarié.

– Ah ! vous v'nez d' Paris, à c't' heure ? Quouè qu'y a donc ?

– Une histoire de… de sorcellerie, d'envoûtement…

– Oh ! mais faut pas parler d'ça ici, les gars. Y a l'endroué pour tout. Hue !…

Nous descendîmes la côte, sans parler.

À coup sûr, un homme des pays d'Ouest, mais déraciné : il n'a pas l'accent du Cotentin.

Il s'arrêta devant une maison d'aspect modeste. Il flatta le vieux cheval et, avec soin, recouvrit de deux sacs son dos fumant.

– Entrez donc par là…

Un lit défait : au-dessus, un christ en plâtre avec un rameau de buis tout fané. Quelques très vieux livres. Dans la pièce du fond, un amoncellement indescriptible de débris de toutes sortes entassés dans un coin ou pendus aux murs. Des morceaux de poutres provenant de maisons incendiées : des lambeaux de carlingues d'avions abattus. Une très ancienne figure de proue : une sirène, fendue en deux. Aussi, dans des bouteilles, deux navires miniatures.

– Vous prendrez ben un coup d'cidre, pas vrai ?

Il nous fait asseoir et pose sur la table un énorme cruchon de cidre doux – et un litre de calvados.

– Alors, c't'histouère ?

Ah ! ça, il n'en perdit pas une bouchée. Son regard clair, qu'il savait planter bien droit, guidait ma pensée. Quand j'eus terminé :

– C'est bien, c'est très bien… Mais avez-vous apporté des cheveux ?

Je ne pus me défendre de regarder à droite et à gauche, à la recherche d'une autre présence : sa voix était complètement changée, l'accent paysan avait disparu. C'était le prêtre qui parlait. Je répétai la question à Garret. Il fit, consterné :

– Mais non, vous savez bien… J'aurais dû y penser…

– Rien n'est perdu, dit le prêtre. Je vais atteler le cheval de Basile et vous mettre à Carteret. Il y a des Canadiens en excursion qui rallient ce soir Jersey, dans leur cotre à moteur. De Saint-Hélier, le docteur trouvera bien un moyen rapide d'atteindre les côtes anglaises. Il faut qu'il me rapporte, très vite, une mèche de cheveux de la petite malade, que l'on prélèvera au dernier moment : et la moitié environ des cheveux de la poupée : surtout n'arracher aucune des mèches implantées, mais les couper à mi-longueur. Et manipuler l'objet avec beaucoup, beaucoup de précautions. Il me faut aussi une carte de la région de B… Vous, m'ordonna-t-il, vous filez sur Cherbourg d'où vous essayez de téléphoner à B… pour prendre des nouvelles et annoncer l'arrivée du docteur. Je tâcherai de vous joindre à votre hôtel dans la soirée.

La peste soit des « chemins de fer normands » ! Fichus tortillards ! De la cabine de Cherbourg, ce fut beaucoup plus compliqué que depuis Paris : il fallut atteindre Londres, puis Liverpool, enfin l'hôpital de B… où par bonheur Mrs. Garret était présente. État inchangé de la petite malade. Fièvre persistante, inflammation toujours aussi grave. L'enfant, affaiblie, très abattue, somnolait. Bruhat, comme il l'avait annoncé, m'appela dans la soirée. Je sus que les Canadiens avaient, sans difficulté, pris Garret à leur bord.

Garret fut de retour le surlendemain à midi. C'était là un tour de force : à Jersey, il s'était rendu à l'aérodrome, où le pilote d'un appareil de tourisme se fit une joie de le conduire immédiatement à Liverpool. Même le temps, qui à l'encontre de tous pronostics s'était découvert, était de la partie.

Pour le retour, chemin de fer Liverpool-Londres et Paris-Cherbourg : de Londres à Paris, l'avion des British Airways.

Garret était porteur de deux précieuses enveloppes : les mèches de cheveux – celles de l'enfant, celles de la poupée. De plus, il s'était procuré une carte d'Angleterre, un plan militaire au dix millième de la région galloise où se situe B... et un plan cadastral de la ville, où l'hôpital et sa propre maison étaient clairement indiqués.

L'abbé Bruhat examina avec soin les documents, tâta les cheveux.

Je remarquai qu'après avoir touché ceux de la poupée, il s'humecta les doigts d'un liquide – de l'eau probablement – extrait d'un petit flacon, avant de palper la mèche prélevée sur l'enfant.

Il versa trois énormes rasades de calvados.

– Allez-vous-en maintenant, nous dit-il. J'en ai pour deux bonnes journées. Je boucle ma maison. Demain et après-demain, prenez des nouvelles de la petite, mettez-moi ça sous enveloppe et glissez dans la boîte aux lettres. Ne frappez pas.

» À moi de jouer. Au revoir. À jeudi soir, si tout se passe bien. Sinon, vendredi.

Vingt-quatre heures plus tard, l'enfant ne souffrait plus, sa température était redevenue normale, l'inflammation diminuait avec une rapidité stupéfiante.

Deux jours après, il n'y paraissait plus : l'enfant était guérie, tout étonnée de se trouver à l'hôpital, inconsciente de la gravité du mal auquel elle venait d'échapper.

C'était le soir. Nous venions d'apporter la bonne nouvelle. Nous marchions de long en large, indifférents aux regards des voisins intrigués.

Enfin, un bruit lourd de serrure, et la porte s'ouvrit toute grande.

L'abbé Bruhat vint à nous. Voûté, harassé, épuisé, lamentable. Mais ses yeux brillaient de contentement.

– Eh bien ! Vous m'en avez fait voir de dures, nous dit-il d'une voix qu'il voulait joyeuse. J'ai bien vieilli de dix ans avec votre histoire : mais je vous dois la plus grande joie de ma vie.

Comme le vicaire parisien, comme le P. Mathias, il déclina avec indignation et une comminatoire nervosité nos offres de le « dédommager ».

– Que dois-je faire de la poupée, maintenant ? demanda Garret.

– Tout ce que vous voudrez... Elle est définitivement neutralisée, vous pouvez m'en croire. Quant à la petite, elle perdra jusqu'au souvenir de cette pénible aventure. Elle est aussi à l'abri de pas mal de maladies.

» Au fait, quand vous serez de retour chez vous, envoyez-moi donc sa photo. De temps en temps, je m'occuperai d'elle, ça lui fera du bien, et à moi tant de plaisir...

CHAPITRE XVI

Mars 54

Je n'ai fait, au cours de ces précédents chapitres, qu'exposer, en serrant la vérité d'aussi près qu'il me fut possible, un enchaînement d'événements de natures différentes, plus ou moins déconcertants, et classés par moi dans la catégorie des phénomènes qui doivent donner beaucoup plus à réfléchir qu'à rêver, à contrôler qu'à admettre.

Nul ne saura jamais les difficultés de tous ordres que j'aurai dû surmonter pour mettre le point final à cette première tranche de mes récits. Certains rêves vous voient lourd, gourd, paralysé, incapable de vous mouvoir alors que vont vous rejoindre de hideux et féroces ennemis. Une gêne, une entrave, une opposition de cet ordre constituèrent un obstacle constant à la rédaction, ô combien longue et difficile, de cet ouvrage. Et pourtant, le fait d'avoir écrit l'une de ces histoires me délivrait chaque fois d'une véritable oppression. Je regrette seulement de ne m'être pas libéré tout à fait – je suis bien loin du compte.

Le tourbillon ne s'est jamais apaisé. C'est-à-dire qu'il ne s'apaisera *jamais* : mais je ne sais encore quel jour il me sera permis de n'y point participer d'aussi près. Je ne puis me permettre de poser ici des équations dont les éléments existent présentement, qui seront résolues dans les temps à venir, et dont il *faut* que j'entérine les résultats. Je me trouve, pour un temps encore indéterminé, dans la situation du maniaque incapable de découvrir sur son chemin un bout de ficelle sans le ramasser et y faire un nœud. Mais, quelle que soit la place attribuée au narrateur tout au long de ces récits, je sais bien que ce n'est pas de ma vie propre qu'il s'agit, mais de celle, palpitante, riche et généreuse, de ma Ville.

Ces scrupules m'obligent à taire certains faits stupéfiants dont je ne fus pas d'ailleurs le seul témoin, et dont je ne désire pas nommer les protagonistes : en l'occurrence, transformer, transporter lieux, noms et dates serait malhonnêteté pure.

Je voudrais un jour, anonyme piéton badaudant sur les lieux de ces souvenirs, suivre à la trace un lecteur pointilleux – il y en a – et jouir de sa surprise lorsque, ce livre en poche, il se trouvera en présence de quelqu'un des personnages décrits, situés ou mentionnés plus haut, et qui existent et sont bien vivants, perpétuateurs conscients ou non de leur légende. Je voudrais que l'on s'informe, que l'on vérifie. Il faut être très, très averti pour découvrir toutes les *clés* semées parmi ces pages. Beaucoup peuvent y trouver celle de leur propre maison.

De toute manière, il faut que l'on sache ceci : dans certains secteurs de Paris, le merveilleux est monnaie courante. Les autochtones l'admettent et y participent. Je m'appuie sur deux exemples, faciles à contrôler, et que confirmeront des centaines de personnes.

Henri le Breton, un brave et bon bougre d'ivrogne, tirait le diable à la Halle aux Poissons. Ceux qui le connurent – ils sont nombreux – se retrouvent toujours à son quartier général : chez Pagès, le bougnat rue du Haut-Pavé. Un soir de juillet 1950, Henri emprunte mille balles à Pagès, soi-disant pour jouer aux courses. À dix heures, il se trouve déjà passablement éméché, au *Vieux-Chêne*. Le pacifique Henri, lorsqu'il était saoul, avait les idées fixes et le verbe plutôt tonitruant.

– Fais pas de pétard, lui dit le commandant.

– Pas de danger, commandant, moi ch'suis breton, pis ch'suis chrétien, pis ch'suis ridère, qu'il fait Henri en envoyant dans les décors, d'un geste malheureux, un verre vide.

Il tint sur-le-champ à payer la casse.

Arrive, comme par hasard bien sûr, Honoré Thibaudat, l'homme brûlé, l'homme aux brûlures, l'homme au secret trahi. Plus maigre, plus cireux que jamais, de noir boudiné plutôt que vêtu, et des yeux enfoncés comme il n'est plus possible. Henri lui adresse la parole. L'autre refuse de lui répondre. Henri s'énerve

– D'abord, tu me plais pas et tu sens le soufre. Dans mon pays, le curé t'aurait pas eu à la bonne.

Ces deux syllabes surgies ; « curé », déterminent chez l'ex-enfant de chœur Henri un afflux de souvenirs lointains. Il se revoit servant la messe à Kirity-Penmarc'h. Il trace de grands signes de croix dans la fumée des pipes. Inspiré, il jette à l'autre des mots terribles :

– Le soufre, le soufre que tu sens, avec ta gueule en papier de chat qui chie dans la braise ! Tu es vendu, vendu au diable ! Tu es mort, mort et plus mort que tous les morts ! Et tu n'es même pas à plaindre ! Décarre ! Tu pues ! Les macchabées au cimetière !

Ça devenait de la démence : Henri se met à déclamer, théâtral : *De profundis clamavi, Domine, Domine...*

De cireux, Thibaudat était devenu couleur de cendre :

– Arrêtez ! Arrêtez ! Qu'est-ce que vous faites là ?

Il dansait de frayeur. Et l'autre :

– *Fiant aures tuæ intendentes in vocem...*

Thibaudat s'était enfui. Le commandant menaça le Breton de se fâcher s'il ne partait pas tout de suite. Henri obtempéra.

– Qu'est-ce que vous voulez, fit-il en hoquetant, j' peux pas sentir les gens qui puent. À part le poisson.

Henri dut casser la croûte et se dégriser un peu.

À quatre heures du matin, il y eut un orage rapide. Un

éclair, un seul, illumina la tour Saint-Jacques (entourée d'un square planté de grands arbres …).

À deux pas, le long de la grille du square, les mains crispées sur son diable, on trouva Henri foudroyé, le visage viré au bleu.

André Gantot était boucher dans la banlieue sud-est. Trois fois la semaine, il se rendait à motocyclette aux Halles, où il négociait ses achats de viande. Il avait coutume de prendre ses repas au restaurant Raymond, coin rue de Pontoise et quai de la Tournelle – dans une maison qui, voici seulement deux cents ans, était encore incorporée dans la « Halle aux Viaux » (le port au bétail se trouvait en face).

Gantot était un homme assez déplaisant. Épais de corps et d'esprit, vantard, hâbleur, il agaçait tout le monde par ses reparties dépourvues d'à-propos. Le 1er avril 1947, dans la matinée, une nouvelle téléphonique parvenue aux Halles mit deux heures pour franchir la Seine : André Gantot, parti la veille très tard de chez Raymond, s'était tué sur la route, dans la nuit. Sa moto avait dérapé. Un arbre… Mort instantanée.

Ses collègues des Halles se cotisèrent immédiatement et achetèrent sur place une immense couronne, que l'on disposa devant l'étal où d'ordinaire il effectuait ses achats.

Sur le coup de midi, stupeur : André Gantot, pimpant, fier de lui, arrivait pour jouir des effets de ce qu'il considérait comme une bonne farce. Il ne trouva que des visages fermés. Personne ne se fit faute de lui signifier la désapprobation générale.

Penaud, il crut s'en tirer en payant une tournée d'apéritifs.

Le 1er avril 1948, la même nouvelle exactement courut dans les Halles et accomplit l'habituel circuit.

– Décidément, il exagère, dirent ses collègues.

Et l'on n'y pensa plus. À la Tournelle, chacun convint de l'évidence que cette insistance stupide pourrait lui jouer un mauvais tour.

On ne croyait pas si bien dire. Le lendemain, il se confirma que le boucher, parti l'avant-veille à une heure avancée, avait fait halte, le long du parcours, dans quelques estaminets. Il avait même pris un jeune homme en charge. À cinq cents mètres de chez lui, André Gantot s'était bel et bien fracassé le crâne contre un arbre. Le jeune homme était indemne. Nous le vîmes par la suite : « André a saigné comme un bœuf, nous dit-il. Il n'a pas dérapé : il a foncé droit vers l'arbre, en pleine vitesse. Comme si l'obstacle l'attirait, l'aspirait... Je n'y comprendrai jamais rien. »

Lui, certes non. Mais les truands, qui tous connaissaient Gantot et ne l'aimaient guère, ne trouvent rien là que de très normal. Le souvenir de cet événement est encore très vivace dans le quartier.

LA RUE DES MALÉFICES

Je n'ai pas osé, lors du dernier séjour à Paris du docteur Garret, le mettre au courant de ce qui arriva rue Zacharie – *rue des Maléfices* – durant l'été 1950. Cet événement m'a affecté à un tel point que j'évite de l'évoquer. Et jusqu'au dernier moment je me suis senti empêché de l'exposer ici. C'est à croire que s'il existe un humour immanent, la défiance flotte dans l'air. *Qui* est inquiet, *qui* a des raisons de craindre que de tels témoignages soient portés à la connaissance des hommes, *que* craint-on, et *pourquoi* ?

Je voudrais que ce dernier récit ait la sécheresse d'un rapport.

Mes travaux sur le Vieux Paris avaient incité un producteur de films à concevoir un court-métrage consacré aux « quartiers à légendes ». Parmi ces légendes, celle de l'aveugle – « l'Homme qui Chante » – que me conta Garret dans sa thébaïde londonienne nous avait paru la plus poétique. Le synopsis d'un scénario me fut commandé. D'un commun accord nous décidâmes d'intituler le film : *Rue des Maléfices*. Une chanteuse des rues devait en tenir la vedette. J'avais écrit les couplets de deux chansons leitmotiv que mon frère, musicien de son état, devait harmoniser.

C'est ainsi que par une nuit chaude et propice aux cogitations fructueuses, trois compagnons, projets en tête et pipe au bec, descendaient la rue, sur les pas du couple médiéval.

C'étaient Raphaël Cuttoli, journaliste, mon frère et moi.

Par bonheur – il était deux heures du matin – une « crémerie » était restée ouverte : le restaurant d'Athènes, chez Denis l'Evzone. Un seul client était là, qui mangeait du riz : Serge B..., un grand diable de bohème que je connaissais vaguement pour l'avoir rencontré aux vendredis poétiques des « Insulaires », dans l'Île Saint-Louis.

– J'ignorais que vous habitiez le quartier...

– Oui. À côté, au 16. Une soupente. Mais ça m'emmerde. Je suis obligé d'avoir de la lumière toute la nuit. Alors, j'ai branché une veilleuse sur le compteur du voisin du dessous, sans qu'il s'en doute.

– Mais pourquoi cette précaution ?

– Vous ne savez donc pas ? C'est la chambre de l'Aveugle.

J'eus un choc. Cuttoli et mon frère, à qui j'avais conté l'histoire, peut-être un quart d'heure auparavant, étaient sidérés.

– Quel aveugle ? Dites-moi, dites-moi vite.

– Un truc à dormir debout. Une vieille, une très vieille tradition s'attache à cette soupente – à ce grenier plutôt. Aucun des locataires successifs n'a pu y demeurer plus de quelques semaines. Il paraît que le fantôme d'un aveugle hirsute et boitillant leur apparaît durant leur sommeil : et, sans les réveiller, l'aveugle approche de leurs yeux une longue et large main, lumineuse et translucide, et glacée.

» Au réveil, les gens sont angoissés, ils gardent le souvenir d'un horrible cauchemar, et ils ont l'impression que l'aveugle a « pompé » leur lumière : ils voient moins clair, leurs yeux clignotent et ne supportent pas le soleil. À la fin ils n'y tiennent plus. Ils s'en vont. La propriétaire, une femme âgée, lasse de ces histoires, ne voulait plus louer cette chambre, à aucun prix. J'ai dû la supplier... Mais, bien que je n'aie jamais rencontré de fantôme, ces trucs-là m'impressionnent. Alors je laisse la lumière toute la nuit, pour plus de précaution. Et jusqu'ici je dors tranquille.

J'ai eu par la suite tout le loisir de vérifier les dires de mon bonhomme : c'était vrai. Mes vieilles connaissances de la Maube, la Georgette, le père Marteau, Jean le matelassier, beaucoup d'autres, ont tous, chacun à leur tour, fait l'expérience de l'aveugle. Il faut leur tirer les vers du nez. Ils n'en parlent qu'avec terreur. Tous se plaignent de troubles de la vue qu'ils attribuent à leur séjour dans le « Grenier ». La plupart portent des lunettes aux verres sombres.

– Je voudrais absolument visiter votre chambre.
– D'accord. Venez demain dans la journée.
– Non. Tout de suite. C'est urgent. C'est important. C'est capital.

J'achète un litre de vin de Samos. Et nous voilà, tous les quatre, gravissant les étages. Au milieu du parcours, Serge me dit :

– Je cohabite avec un camarade. Un comédien. Peut-être sera-t-il là. De toute façon il va rentrer d'un moment à l'autre.

Pour pénétrer dans le « Grenier », il faut se baisser, suivre un long couloir – une sorte de boyau –, et encore monter quelques marches dangereusement usées. Enfin nous y voici : un bric-à-brac assez sordide, et pas du tout drôle, malgré l'inscription peinte sur le plâtre lépreux : *Ici, vous n'êtes pas chez vous, maintenez ces lieux à l'état de bordel.* On s'installe tant bien que mal sur des sièges branlants. On emplit des godets gluants.

– Et maintenant, dit Serge, racontez-moi un peu ce qui justifie l'intérêt si vif que vous portez à cette piaule.

À l'avance je vivais « mon » film, et sans tout de suite « attaquer » la légende de l'homme qui allait mourir, je brosse un tableau de Saint-Séverin au XIIIᵉ siècle, avec ses hordes de mendiants : malingreux, sabouleux, rifodés... La porte grince : entre le numéro deux. Un jeune. Grand, débraillé, chemise à carreaux, très chevelu. Une tête belle et fine, mais un peu saoul. Présentations expédiées :

– Thierry, mon copain, nous dit Serge. Bon.

Thierry s'assied auprès de moi. Je conte l'histoire de l'homme pris de faiblesse, de la femme qui s'identifiait à la Nuit – de l'arbre sur la berge, de l'ombre qui montait, montait...

Serge était debout derrière son camarade. Mais Cuttoli, mon frère et moi observions avec inquiétude les yeux de Thierry, ses mains tremblantes, son visage livide : sa raison foutait le camp.

Tout récit a une fin. Je ne pouvais m'éterniser... Lorsque j'eus terminé sur le mot : *aveugle*, un hurlement me répondit.

Thierry était devenu fou furieux. Ses forces, qu'il ne contrôlait plus, décuplées par un sursaut désespéré de fureur longtemps contenue, il bondit sur nous. Malgré nos efforts, il parvint à écraser le visage de Cuttoli qui, dans la bagarre, perdit un soulier. Ce n'est qu'après avoir arraché les fils électriques que nous parvînmes à gagner l'escalier, puis la rue, abandonnant nos serviettes où étaient entassés documents, partitions et manuscrits – le fruit de notre travail depuis des semaines.

Nécessité de récupérer notre bien : scandale, police... et nous voici, mon frère et moi et Cuttoli ensanglanté, au commissariat du Panthéon où personne ne comprit rien au fait qu'un bonhomme ait pu devenir subitement fou après s'être fait raconter une légende.

Pendant longtemps ça n'alla pas du tout chez Thierry. Lui aussi se plaignit de troubles de la vue. Et de l'esprit.

J'avais conté ce pénible incident à mon ami D..., fonctionnaire de la ville. Le lendemain, bouleversé, il vient chez moi et me demande à brûle-pourpoint :

– Qui était prévôt de Paris en 1268 – l'époque de la légende ?

– Facile.

Je compulse mon Lazare :

– Augier, Jehan Augier.

– Bien. Et qu'est-ce qu'il faisait, en 1268 ?

– Eh bien ! nous venons d'en convenir : il était prévôt de Paris...

– Peut-être : mais notre homme se trouvait encore en Orient, retour d'une croisade accomplie par ordre du roi Saint Louis, et sur la demande des infidèles eux-mêmes...

– ?...

– ...Qui pour une fois voulurent, dès 1240, s'associer aux chrétiens pour balayer de leurs terres les hordes de Gengis Khan... Augier avait pris la mer, voguait vers les côtes d'Afrique...

– Et alors ?

– ... À Paris, il avait délégué son autorité – à différents personnages : en particulier à l'un des marguilliers de Saint-Séverin nommé Thierry de Sauldre. Noblesse des Flandres. Thierry de Sauldre fut la victime d'un envoûtement – du moins attribua-t-on aux pratiques d'un sorcier le mal qui l'atteignit, et progressivement le priva de la vue. En 1269, il promulgua une ordonnance interdisant l'accès de la rue des Maléfices à « tous aveugles, de quelque origine que soit leur cécité » ... Depuis on suit sa famille à la trace. Au XVIIIe siècle les de Sauldre émigrèrent et devinrent colons à la Guadeloupe. Les derniers rejetons en sont revenus tout récemment. À ce propos, c'est à la Guadeloupe qu'est né votre... « agresseur » de l'autre nuit... le fou furieux...

– Tiens, au fait, il s'appelait aussi Thierry.
– Et savez-vous son nom en entier ?
– Non.
– *Thierry de Sauldre !...*

« Thierry de Sauldre » existe. J'ai quelque peu transformé son patronyme. C'est un garçon de talent, et d'excellente famille, à qui bien sûr je ne voudrais causer aucun préjudice.

Aussi ne puis-je dire ici l'invraisemblable tribut que, pour garder sa lumière, Thierry est obligé de payer à la Nuit. Oui, à la Nuit. Mettons : *à la couleur noire.*

Avoir observé – ou provoqué ces aventures : de toute manière les avoir vécues, constitue la pire des épreuves, et apporte la plus merveilleuse, la plus inespérée des récompenses.

Ma joie n'a pas suivi les mêmes chemins que celle du Tzigane.

Elle aussi, cependant, est *sans limites...*

CHAPITRE XVII

OÙ L'AUTEUR VOUS PARLE
À BÂTONS ROMPUS

Juillet-août 1966

παν ἐν παντί καὶ τἀνά παλίν

HERMÈS TRISMÉGISTE
complété par ALFRED CAPUS

ONZE ANS ET DES POUSSIÈRES

... Et maintenant, faisons le point.

Une tradition entachée d'un ésotérisme, tout compte fait assez sommaire, transparent même, chuchote que lorsqu'un imprudent, jouant en quelque sorte à l'apprenti sorcier, s'avise d'avoir « lâché », *libéré* des propos où l'on pourrait voir un début de divulgation – partant : de *profanation* – d'un secret refusé à la multitude, il convient de laisser la question *dormir* en ne l'abordant point durant une période (un *cycle*, si l'on veut) de onze révolutions solaires.

Quitte, pour le... profanateur, à revenir à la charge si cela lui chante. Mais à ses risques et périls.

Les onze années fatidiques sont largement écoulées depuis que sortit des presses la première mouture du présent ouvrage. Il n'apparaît pas que le moindre *arcane majeur* ait été inconsidérément dévoilé dans le cours de ces pages prudentes. Et c'est bien ainsi.

L'audience *efficace* (au sens où nous voudrions l'entendre) des *Enchantements sur Paris* [1] – celle des gens qui « lisent entre les lignes » – ne se manifesta que sur le tard. Peut-être à cause de l'ambiguïté du titre. C'est là que de nouveau nous abordons

---

1. C'est sous ce titre en effet que le livre parut la première fois.

cet univers à peine quitté, ce « climat » paradoxal, patient, souriant, débonnaire – mais terrible par à-coups, de fantasmagorie à la petite semaine.

Les premières réactions de lecteurs (celles du moins dont j'eus connaissance) furent très différentes des communications reçues par la suite (en tout 338 lettres, plus d'innombrables témoignages verbaux).

On s'inquiéta tout d'abord du degré de « crédibilité » qu'il convenait d'attribuer à mes récits. Empêchés, question de temps ou de distance[1], de venir vérifier sur place, s'enquérir auprès des personnes mises en cause, ainsi qu'ils y étaient invités (invitation à laquelle certains déférèrent : et je savoure encore, au moins autant qu'eux-mêmes, leur durable émerveillement), mes correspondances m'obligèrent à rédiger une sorte de réponse passe-partout. Presque une circulaire, où je notais de 0 à 10 les principaux textes composant l'ossature du livre, dans la mesure où ils « collaient à la vérité vraie ». Mais je n'ai pu m'exprimer que très imparfaitement. J'accepte volontiers, aujourd'hui, ici, d'être « mis au pied du mur ». Que l'on me pardonne une digression. Ou plusieurs.

… Tout comme une ville, un livre *vit de sa vie propre*.

Bien évidemment, pas n'importe quelle ville – et pas n'importe quel livre. En ce qui concerne celui-ci, dès que furent confirmées ses velléités d'indépendance (d'abord dès la parution, ou presque : puis il y eut un nouveau *courant*, fort différent du premier, vers 1958-1959), il ne laissa pas de « faire des siennes » – pour mon ébahissement à la fois anxieux et ravi.

Premiers symptômes : des événements hors série, insolites, troublants même, intervinrent dans l' « infra-vie » de la Ville (le miracle eût été que cela ne se fût pas produit). Témoins, protagonistes (involontaires le plus souvent), victimes ou

---

1. On m'a écrit du Chili, du Brésil, du Guatemala, des USA, des îles Comores, de Madagascar, de Nouvelle-Calédonie, et d'à peu près tous les pays francophones d'Afrique.

« bénéficiaires » de ces *estranges conjonctures* voulurent absolument qu'elles procédassent d'une sorte *de vouloir immanent* dont serait habité je ne sais quel univers sournois aux implacables facéties – où se trouveraient inverties plutôt que détruites les notions de bien et de mal (à l'échelle humaine, s'entend).

Cela commença le 1ᵉʳ août 1954, avec l'histoire, assez incroyable, de l'immeuble *soufflé* du 61, quai de la Tournelle (face au pont de l'Archevêché). Un immeuble datant du milieu du XVIIᵉ siècle, cossu d'allure, à la façade de belle et bonne pierre de taille. Du gaz d'éclairage s'était accumulé dans une chambre dont on ne saura jamais si l'occupante, une dame âgée, nourrissait ou non des intentions de suicide. L'odeur intrigue, puis inquiète les gens. On prévient les pompiers de la caserne Poissy. Le résultat : en une seconde, Vrrraaaouoummmm ! Plus de plafonds, de planchers, de parois. Vitres volatilisées. Une cage vide, jonchée de débris dont par bonheur on ne retire que cinq corps, dont ceux de deux jeunes pompiers[1]. Le bureau de tabac jouxtant le lieu du désastre fut transformé en morgue. On avait perçu la déflagration un peu partout dans Paris. Grosse émotion. Presse et radio y allèrent de leurs larmoiements mêlés de « détails horribles » – ce à quoi il fallait s'attendre. Or, le lendemain, un commentateur des actualités raconta tout tranquillement sur France II avoir lu certain livre (et il cita les *Enchantements*, et il prononça mon nom) où il était fait

---

1. Ici intervient l'humour un peu féroce des gens du quartier. Voici la version que l'on se complut à donner du drame :

LE COMMISSAIRE ENQUÊTEUR, *à une dame amie de la concierge (défunte)*. – « Cela sentait le gaz », avez-vous dit. Vous avez prévenu les pompiers. Qu'est-il advenu ensuite ?

LA DAME. – Un « sergent » est venu. Il est monté jusqu'au premier étage. Il a fait : « Oui, ça sent le gaz. » Et machinalement, en réfléchissant, il a allumé une cigarette…

LE COMMISSAIRE ENQUÊTEUR.– Mais c'était la dernière chose à faire !

LA DAME. – Oh ! Mais c'est bien la dernière chose qu'il a faite, monsieur le commissaire !

question d'un « périmètre maudit » dans ce secteur du Vieux Paris... (C'est vrai que la maison sinistrée se trouvait être immédiatement voisine, côté rue de Bièvre, de celle, détruite, du père Hubert.)

Alors commença une série d'épreuves à quoi j'étais loin de m'attendre. Cette population tant attachante, à la fois confiante et ombrageuse, que j'avais mis un bon quart de siècle à apprivoiser – au prix d'une méritoire patience, d'un permanent bon vouloir confinant à l'abnégation, me manifesta du jour au lendemain une hostilité sourde et comme inavouée. Les gens se défiaient d'un réflexe irraisonné : on tentait à mon approche de se reprendre, de se « radoucir », de faire appel à la simple raison pour corriger une attitude de répugnance, de répulsion même parfois, que rien de « sérieux » ne justifiait. Mais moi, l'intéressé, je n'étais pas dupe. Je sus cacher mon désarroi, surmonter mon authentique chagrin, dans l'immédiat et grave souci de connaître, de pénétrer la nature exacte du reproche inconscient qui m'était adressé. On ne m'imputait pas, et c'est heureux, le *Mauvais Œil* dont fut taxé le père Casquette. On croyait – du moins je le suppose – discerner chez moi quelque savoir inquiétant, une foule d'intuitions (ou de certitudes) proprement angoissantes. J'étais devenu, d'un jour à l'autre, l'oiseau de mauvais augure, et il importait, aux fins de dissiper ce climat insupportable, que fût tordu le cou à cette légende ridicule. Décision prise le 2 août 1954 au soir...

Le matin du 4 août, date mémorable, l'hebdomadaire *Carrefour* (grand format à l'époque) arbore une manchette fracassante : «PARIS CAPITALE DE LA MAGIE». Le sous-titre annonçait : « *Dans le quartier Mouffetard des clochards magiciens et des rois gitans vivent des contes de fées...* »

... Sachez ceci : à la Mouffe, que l'on soit autochtone ou nouvellement « intégré », règne une sorte de paranoïa collective, topique, et la susceptibilité des gens s'y exacerbe volontiers dans des proportions, des *dimensions* inconnues partout ailleurs. Tout ce que la Mouftaga comptait d'humanité pensante, alphabète et déchiffratoire se rua sur les publications vite renouvelées. Cela concernait la *Via Mons Cetardus* et la population riveraine : rien, pour l'heure, de plus important au monde.

À ma profonde stupeur, d'abord indignée, puis amusée (il y avait de quoi), Louis Pauwels, auteur de l'article, affirmait : « *Mes efforts pour obtenir des renseignements sur M. Jacques Yonnet ont échoué, et j'ai tenté vainement de le rencontrer...* » Alors que rien n'était plus simple. Mais, attendez voir. Encore à mon sujet : « *Je suppose que M. Y. n'a pas dit le vingtième de ce qu'il sait, par prudence. Mais ce vingtième nous suffit pour l'instant...* » Et, beaucoup plus loin, en conclusion d'un *papier* d'ailleurs fort bien construit, ceci – toujours Ma Pomme faisant les frais : « *Poète, aventurier des ruelles nocturnes, historiographe et peut-être détenteur d'assez importants secrets...* » Pauwels avait, sans guère s'en douter, « tapé dans le mille ». Ses propos furent lus, commentés, discutés, approuvés par les uns, contestés par les autres. Il n'y eut guère d'indifférents.

Pour moi, l'atmosphère devint plus respirable. Du moins durant quelques jours. Car il me fallut bientôt assister, sans pouvoir rien prévenir ni démentir, à la cogitation, la fomentation, l'élaboration de *ma* propre légende. Des « territoires » familiers, ici évoqués ou décrits : Mouffetard, Maubert, les Quais, les Iles, cela gagna les Halles dans leur ensemble, et Grenelle, et Montmartre, et même des lieux suburbains comme les Puces, Bicêtre ou Gentilly. Dans l'esprit de tous mes « interlocuteurs valables », rien ne put se passer de singulier, de bizarre – même très vaguement – à quoi je ne fusse mêlé de près ou de loin. Spécialiste de *Mystère et boule de gomme :* voilà le chapeau qu'on porte. Et cela dure. Et moi qui suis sûr (*tout seul*, d'ailleurs, à entretenir cette conviction) de mon absolue et volontaire « neutralité », il m'arrive d'être intrigué (pourtant, faites confiance : on a les pieds sur terre) par des entrelacements de faits et de rappels, des chevauchements, des imbrications d'événements de natures diverses qui finissent par se rassembler, s'incorporer sans se confondre, se corroborer, s'admettre, se justifier l'un par l'autre, dans une « danse » bizarre d'où n'est pas exclue une sorte de grâce. Et même, parfois, de majesté. On discerne dans ces manifestations du *Destin à l'état pur* une espèce d'équilibre éminemment, essentiellement instable, précaire, fugace, dangereux, explosif, mais *équilibre* tout de même – dont je ne sais pas, moi qui le « polarise », l'observe et l'entérine, si j'en tiens lieu de centre de gravité ou de polygone de sustentation. Être seul de mon espèce ? Non. *Tout le monde* se trouve dans ce cas, à des degrés différents, même et surtout les primitifs. Détail, « faculté » que ces derniers ont pris le parti d'ignorer. Ou d'en feindre l'ignorance, ce qui revient au même. Supériorité sur Nouzôtres ? L'Avenir nous le dira. (Le fameux impératif du « recul nécessaire » pour juger d'une époque.)... Mais *qu'est-ce que c'est que l'Avenir ?*

J'en appelle ici à tous ceux qui auront pris le moindre intérêt à la lecture de ce livre.

Qui n'a pas ressenti, au moins une fois dans l'existence, certaine émotion soudaine, fortuite, certain *Appel vers l'Autre Chose* aussi impérieux qu'énigmatique ?

... Voici trente ans et plus que, sollicité par les problèmes ici évoqués ou effleurés – et guidé par un souci d'information rigoureuse – je m'applique à interroger (ou plutôt : à « placer sur la voie » de leurs confidences) les gens à ma portée. Des gens de partout, de toutes extractions, de toutes disciplines. De ces centaines d'entretiens, aucun ne fut négatif. Résultat de cette investigation patiente, et permanente, car elle dure encore et l'on ne saurait y mettre fin : tous ces êtres humains, *tous* absolument, même les plus réfractaires, les plus réticents, les plus « engagés » ou les plus frustes, ont reconnu s'être trouvés, au moins une fois, fût-ce durant quelques secondes – et chacun pour soi – dans la situation de quelqu'un d'averti, de prévenu, de pressenti, enfin : d'« inspiré » si l'on veut, d'*informé* par des moyens de communication et d'entendement tout autres qu'ordinaires, des possibilités offertes à ce « quelqu'un », à cet impétrant du moment, de pénétrer l'Interdit, de franchir des limites réputées immuables, d'entrer de plain-pied dans un « univers parallèle » qui, loin d'être l'antithèse de notre « quotidien » banal et tant sous-estimé, en figurerait à la fois le complément, le prolongement et la parodie.

Oui, la *parodie*. Les « esprits farceurs » chers à Allan Kardec et à tant de réjouissantes rombières fin de siècle (un coup pour oui, deux coups pour non) ne constituent peut-être pas *seulement* un témoignage de leur déconcertante naïveté, de leur « inculture » crasse. Un *champ* d'humour (d'humour souvent *noir* d'ailleurs, ô André Breton !) nous entoure, nous baigne, nous pénètre – et, qui sait ? peut-être nous détermine –, de même que l'*énergie* dans la constante de Planck.

... Un exemple, tout de suite.

LES NAINS DE LA RUE DE BEAUNE

... Rue de l'Université en automne 1953, du côté de chez Gallimard où l'on m'avait convoqué. J'avais alors soumis (ô que timidement) à Raymond Queneau (sur les instances de l'éditeur René Debresse, déjà à l'époque mon vieil ami et joyeux complice) le manuscrit de ce qui devait constituer le présent ouvrage – mais sous forme de nouvelles séparées : la sauce ne fut liée que par la suite, au prix de beaucoup de tâtonnements, et compte tenu de multiples scrupules.

Mon éminent « conseiller » me proposa d'aller écluser le moindre godet dans une crémerie des alentours immédiats. Une suggestion de cette nature correspond, pour moi, à une injonction comminatoire à quoi j'ai coutume d'obtempérer sur-le-champ, fût-il de bataille (d'ailleurs ça m'est arrivé autrefois).

Le soleil souriait roux. L'après-midi touchait à sa fin avec

un rare doigté. Raymond Queneau et moi nous incontinent
propulsâmes en direction de lieux abreuvatoires. N'avions pas
parcouru vingt toises que nous heurtâmes (euphémisme) au
panache toisonnier plus sel que poivre de René Debresse,
lequel apparemment nourrissait (euphémisme encore) des
intentions parallèles aux nôtres. Très asymptotiquement, notre
trio rallia un bistre à ce point insolite qu'on pourrait croire
l'avoir rêvé. Coin rues de Beaune et de Lille. (Maintenant c'est
un magasin d'antiquailles.) Dans le fond de l'unique salle,
sombre, inquiétante presque, où luisait en permanence et
comme à regret une avare loupiote, un comptoir bas et très
large, en bois, recouvert de linoléum. On ne voit plus ça que
dans les lointaines campagnes où les gens vivent en économie
fermée. Entre mur et rade, trônant immobile sous la décuple
pendaison de sauciflards de diverses provenances, plus ou
moins entamés, un patron gros et hilare, écossaisement che-
misé, s'était assigné pour unique mission, une fois pour toutes,
de surveiller de deux œils, l'un contemplatif l'autre injecté,
deux montagnes de menue monnaie qui seules justifiaient
l'existence du linoléum précité. À dextre, la grisâtre et méprisa-
sable ferraille ; à senestre, les jetons jaunes. Pièces blanches et
billets éventuels glissaient sans bruit dans la gueule gour-
mande d'un tiroir entrebâillé. Par ici la bonne soupe. Faut pas
tenter le diable. Le sol : des carreaux rouges saupoudrés d'une
sciure discrète. En guise de tables, de sièges, des tonneaux et
barils réformés que le client (mais personne d'autre) torchait
d'une serpillière quand il le jugeait utile. Parole : comme self-
service, c'était supérieurement conçu. La pratique, après avoir
rincé son hanap, l'emplissait soi-même à l'une des quatre can-
nelles virilisant autant de fûts placés sur des tréteaux. Du gros-
qui-tache à tout venant, du super-rouquin ou réputé tel, du
blanc, du rosé. De bière point, non plus que de riquiqui
d'aucune marque ni – d'aucune essence. Le non-averti de passage, le camus connard, le pisse-froid vicelardement intentionné
qui, de temps à autre, s'avisait de commander (« commander »,

ici !) une infusion (faut de tout pour faire un monde, on a vu *même* plus grave) ou un apéro classique genre dubo, dubon, voire un pastaga, se voyait humilié d'un haussement des pôles à l'échelle de la planète et d'un regard de commisération à ce point insoutenable qu'il décarrait fissa, crouni de honte et le teint pivoine. Le *Spectre de la Mort rouge*, ça existe, non ?

L'habitué désireux de se caler tant soit peu l'estome devait apporter son bout de bricheton que le tavernier, sans jamais quitter sa place, oh que non, agrémentait de rondelles au choix, du rose pâle au violacé, selon consistance et teneur en ail. Il se servait pour cela d'un instrument à manche d'argent damasquiné, un poignard kurde qu'il affûtait sur un cuir à rasoir. Un crayon et de petits blocs de papier, maintenus par des épingles à linge, se balançaient au bout de ficelles, ici et là. Le soiffard dépourvu de vaisselle de fouilles jusqu'au prochain samedi midi consignait scrupuleusement, sur le carnet portant son blaze, les dettes contractées, qu'il réglait recta, dès que pourvu d'artiche. Pour un verre ou pour vingt, pour un casse-graine ou plusieurs, chacun faisait son compte – qui n'était jamais, jamais rond – et se rendait la monnouille en fourrageant à l'aise parmi les pièces entassées en vrac. – « Je suis bien sûr qu'ils ne me voleront jamais rien », disait le patron, attendri. À la réflexion, j'aime à le croire.

C'est instruits de tous ces menus détails, et d'une foule d'autres, que Raymond Queneau (de l'Académie), René Debresse et Ma Personne pénétrâmes en cet antre et accomplîmes les différentes phases du rite consacré. Nous commencions à peine de déguster, outre nos godets, le climat du lieu, particulièrement ambiant ce jour-là, quand apparut, excusez du peu, M. Didot-Bottin. Le VRAI. À preuve : fort lisible, son nom se détachait en capitales vieil or sur le fond gris bleuté de la casquette assortie au costume (veston croisé, boutons cuivre) de majordome cossu – pour la coupe ils sont imbattables à la Belle Jardinière. Une vaste sacoche de cuir souple, d'où émergeaient documents et rouleaux destinés à la poste ou en provenance d'icelle, complétait l'ensemble. Ainsi M. Didot-Bottin, la simplicité même, s'astreignait-il à assumer l'office de garçon de courses au service de sa propre firme. Un détail : la taille de M. Didot-Bottin, compte non tenu de la casquette, était d'un mètre dix-huit.

Raymond Queneau, l'urbanité faite homme, salua courtoisement le nain, son voisin (ou presque) et l'invita à trinquer en notre compagnie. M. Didot-Bottin n'eut garde de se faire prier. Alors se présenta, venu Dieu sait d'où, un autre très petit homme, de nous inconnu, visiblement factotum pour le compte de quelque entreprise. Vêtu beaucoup plus simplement que le premier, il véhiculait deux musettes de toile. Dès le seuil franchi, le regard du second loin du ciel croisa celui du premier. Raymond Queneau, usant de son autorité massive et calme, de son hénaurme, déconcertant et reposant toupet d'impénitent pince-sans-rire, imagina de les présenter l'un à l'autre : « M. Didot-Bottin... M. Alfred. » – « Antoine », rectifia le pygmée quelque peu, mais agréablement suffoqué. C'était dans le sac. Nous accomplîmes quelques englous, et, notre écot dûment soldé, prenant avec politesse congé de nos invités, décarrâmes dignement. Mais nous étions porteurs de dalles encore assez nettement en pente. Après avoir salué les excellents bougnats Carrière, éprouvé l'affable humeur de la famille Lacour, poussâmes jusqu'au *Buisson d'Argent*, coin rue du Bac, où rencontrâmes les deux catcheurs beaux-frères Rigoulot et Félix Miquet. Raymond Queneau, sollicité par des tâches plus sévères et plus urgentes, réintégra son havre de labeur et de méditation... Mais René Debresse (Dominique pour les intimes) et moi, quand de telles occurrences nous réunissent, nous trouvons bien en peine d'endiguer le flot de nos mutuelles confidences. Et puis, nous avions tous deux ressenti – il en conviendra par la suite – certain appel, certain choc, peut-être inconsciemment perçu certain *signe*...

Quelque chose nous disait que *quelque chose* allait se passer. Mais quoi ?

Nous reprîmes en sens inverse notre périple bistrotier, et tout naturellement nous retrouvâmes à notre point de départ. Les nains étaient là, qui passionnément devisaient. Après avoir fait le décompte de leurs petits soucis professionnels et familiaux, ils portaient des jugements éclairés, amers, définitifs et impitoyables sur la politique mondiale qui n'était pas belle – ah ! non, qui n'était pas belle.

Nous séchâmes le der – le der des der, enfin l'antépénultième, puis le *pied dans la tombe,* avant le définitif *matraqueur.* Ne nous point séparâmes sans avoir déclaré, en accord unanime, que tout compte fait la vie se révèle trop courte. Beaucoup trop courte.

Environ dix jours plus tard, le destin des *Enchantements* était fixé. C'est à Robert Kanters que j'eus affaire. Les éditions Denoël se trouvent au bout du monde. Je revins à pied. Irrésistiblement mes pas me portèrent rue de Beaune, vers le troquet aux tonneaux. Ô mes aïeux ! Le sapeur Camember y fût allé de son célèbre « *Ça me stupéfactionne de renversement... ».*

Imaginez un peu. Moi qui « fais » un mètre soixante[1] au-dessus du niveau de la mer – à marée basse s'entend, et par vent debout –, je me vois surplombant de la tête et d'une portion de torse toute une horde, une tribu, une invasion, une *confrérie...* que sais-je ? de myrmidons du genre rétractile, assemblés par petits groupes selon leurs lilliputiennes affinités, qui buvaient ferme (des verres de taille normale) en causant calmement. Calmement, oui : mais ils s'envoyaient des Mmeussieu à tour de bras, et à tout propos échangeaient des poignées de mains de « grandes personnes ». Dans le fond, M. Didot-Bottin, « accoudé » au comptoir au prix de prouesses quasi acrobatiques (le premier radial externe et surtout la naissance de l'anconé, sauf votre respect, à la hauteur de l'os

---

1. « ... 1940 : une balle lui enlève le cimier de son casque et le regret d'être si petit... etc. » (Notice consacrée à l'auteur par Henry Muller dans le *Dictionnaire des contemporains*, 1959, du *Crapouillot*.)

temporal) semblait savourer cela, délectation que probablement partageait M. Antoine, sirotant à son côté. Mais M. Antoine avait l'air aussi ahuri que lors de notre première rencontre. Et moi j'ai mis, comme on dit dans le monde, gambergeouze pleins gaz. À l'observation visuelle, ces gens (tous de sexe mâle) ne présentaient aucune des caractéristiques par quoi l'on reconnaît (du moins en général) les nains de cirque : doigts, membres, courts et boudinés, macrocéphalie, prognathisme plus ou moins prononcé – parfois avec un drôle d'accent (beaucoup de Hongrois). Non, rien de tout cela. Des modèles réduits, voilà tout, nullement difformes ou disproportionnés. Par petits groupes, ils se racontaient leurs vies, s'écoutant mutuellement avec complaisance, ne manquant pas une occasion de se dire d'accord, acquiescer à ceci, souscrire à cela, s'approuver les uns les autres. Et de tous ces colloques, le tutoiement était exclu. J'eus quelque peine à m'approcher du patron. « Alors ? … – … Alors, qu'il répéta, un œil allumé l'autre en veilleuse, je n'y comprends rien. »

Et nous aussi, nous nous approuvâmes. Nous convînmes qu'à notre connaissance, il n'existe qu'en Amérique des organisations « officielles » (et d'entr'aide, encore : *nabot m'en tire qui vient de loin*, mille pardons) groupant l'une les bossus, l'autre les gens de très petite taille. Ceux-là (les « nôtres ») ne pouvaient s'être téléphoné, écrit, avoir lancé le moindre appel par voie d'affiches, de presse ou de radio. Une exigence émanant *d'ailleurs*, un courant impérieux, indomptable, avait repéré, « sélectionné » ces personnages, en avait pris possession, les avait dragués, pilotés, jusqu'à ce lieu précis de la Ville-Creuset. Ils s'y épanouissaient, s'y *défoulaient* dans une calme, éphémère et heureuse inconscience (toute relative bien sûr) avant de rentrer chacun chez soi, « comme des grands ».

Dans les jours qui suivirent, le loisir me manqua de glandouiller rue de Beaune, et d'observer l'« apogée » du phénomène. Bien des semaines après, je sus que certain soir ce fut hallucinant : ils avaient dû proliférer en progression géométrique. La foule des nains, plus nerveux, plus bruyants, plus agités qu'à l'ordinaire, avait envahi non seulement l'établissement aux tonneaux, mais le trottoir et les bistres voisins... Et puis leurs incursions s'espacèrent. Leur communauté spontanée s'égailla, se dispersa, se fondit, se volatilisa comme elle avait pris naissance, sans que l'on puisse attribuer à ces faits l'ombre d'une cause déterminante.

Fort heureusement, je ne suis pas seul, il s'en faut, à conserver le souvenir de cette invasion tompoucique. Le fait est patent, reconnu, entériné : et moi qui le rapporte, je ne me serai pas « raconté des histoires ». Pourtant cela arrive. Ou *pourrait arriver* – ce qui est tout comme.

Les surréalistes ont bien inventé le « cadavre exquis » : moi je parle ici, maintenant, du *malaise délicieux* éprouvé à maintes reprises – et cela s'étale sur près d'un demi-siècle – chaque fois que s'annonçait quelque prétexte à étonnement puissance deux.

Je m'étais bien juré de ne point disperser inconsidérément les souvenirs d'une enfance enchantée, d'une jeunesse tumultueuse, presque tous réjouissants et d'une extrême richesse. Ils forment un « tout » dans quoi je me suis jusqu'ici bien gardé de puiser (sauf pour la radio : mais ce n'est pas la même chose). Très exceptionnellement, un accroc sera fait au programme tracé.

DE DEUX BARBUS NOTOIRES

C'était en 1920 ou 1921 : j'étais « par conséquent » âgé de cinq ou six ans. Mais ma mémoire d'enfant, et son mécanisme impitoyable, tôt déclenché, remontaient aux années 17 et 18 : années bénies ! Les zeppelins et les *Taubes* au-dessus de Paris, plus tard la Grosse Bertha, les alertes nocturnes « sonnées » par les pompiers, les galopades des étages vers les caves, la trouille des gens, souvent la panique, et moi le mouflet, ballotté comme paquet de linge, parfaitement inconscient d'un danger d'ailleurs pas très sérieux, qui exultais. Ô saveur incomparable de la joie *gratuite* ! Tout fut beaucoup plus morne à la rentrée des hommes, et je leur en ai voulu. Ce qui me restait de père et d'oncles réintégra (dans le quartier Saint-Paul près de l'Hôtel de Ville) les demeures, appartements, piaules, soupentes et autres thébaïdes, occupés avant la tourmente par les membres de ma vaste famille, déjà pas mal décimée. Mes deux oncles les plus proches ont légué, outre à l'enfant du beau-frère leurs prénoms (qui « enrichissent » mon acte de naissance), leurs patronymiques blazes à l'histoire contemporaine. Oh ! vous savez, la petite, la toute petite histoire. Celle chère aux maniaques, aux pinailleurs, aux encroupeurs de mouches et de mythes.

Charles Desplanques, philosophe cyclodidacte de teinte anarcho-syndicaliste[1], et Albert Nicolet, « socialiste » au temps où ce vocable présentait encore quelque vague rapport avec sa signification sémantique, tous deux disciples de Jaurès, entre autres[2] furent, l'un administrateur de la Bourse du travail, l'autre secrétaire de la Fédération du bâtiment à la C.G.T. mouture Léon Jouhaux, leur copain commun (je l'appelais « mon tonton », bien qu'il ne le fût point). Ce qu'ils disaient était tellement bien dit, ce qu'ils savaient tellement bien su, ce à quoi ils croyaient tellement bien cru, que j'aurai mis un bon quart de siècle à m'aviser de leur incommensurable naïveté. Elle touchait au sublime.

Adoncques, un matin au réveil j'eus le net pressentiment qu'on allait vivre un jeudi *pas comme les autres*. Avais-je lu ça dans le plafond, ou dans mes rêves de la nuit ?

… Mes rêves de la nuit. Il me semble, depuis que j'existe, n'avoir jamais connu le moindre instant de sommeil « plein ». Ou « vide », comme on voudra. Je ne sais pas *dormir comme si*

---

1. Longtemps directeur, avec Jean Grave, des *Temps Nouveaux* de la rue Broca.

2. « *Entre autres…* », il y eut surtout Vladimir Oulianov, dit Volodia, rue Ferdinand-Duval, devenu Lénine ; Léon Trotski son commensal (casquetier rue Chapon), Pierre Laval, Vincent Auriol, avocats besogneux, les peintres Signac et Maximilien Luce… on vous contera ça une autre fois.

j'étais pas là – pour reprendre le mot de certaine ex-petite fille. Je savoure chaque fois, avec d'ineffables délices, l'appréhension qui préside à mon entrée immédiate et de plain-pied dans l'univers de fantasmagorie délirante, colorée, oui, *colorée*, du rêve récent, interrompu à regret, dont on *reprend le fil* comme autrefois dans les « feuilletons à tiroirs » du cinéma muet. À l'époque que présentement j'évoque et j'invoque, que d'oque que d'oque, c'est pas ça la langue d'oïl, un thème somptueux fournissait le canevas toujours renouvelé de ma cosmogonie onirique.

J'avais découvert, dans la commode de grand-mère (née en 1854), une histoire sainte illustrée d'attendrissantes autant qu'impressionnantes gravures sur bois, et un *livre de colportage* (lui aussi « imagé » fallait voir comme) de formule jamais renouvelée depuis. S'y entrelaçaient les mœurs et coutumes (assez effroyables) des Mexicains, Zoulous et autres Patagons, des recettes de « simple cuisine » propres à flanquer la colique aux mieux accrochés [1], des listes de plantes-panacées – plus la peine de se faire du mouron –, de judicieux conseils ménagers («*N'employez* jamais *de domestiques sachant lire... entre autres graves inconvénients, cela compromet leur assiduité aux offices...* » – propos repris à son compte, cinquante ans plus tard, par Mgr Dupanloup). À ce dernier sujet, j'allais oublier : plusieurs pages consacrées aux montgolfières. Que sais-je encore... si : des biographies de héros antiques alternant avec les effigies des dieux de l'Olympe et du Walhalla, des nouveaux vaisseaux de la marine militaire, le tout pimenté de *procédés pour faire* chauffer *le fumier en hiver*. Ils en connaissaient un bout sur le Feu Central... Et puis, des notions d'astronomie à ce point originales, audacieuses même, que ma déception est

---

1. Je ne fais que recopier fidèlement – on vous le jure.
« *Soupe à la bière (nourriture non excitante).* Faites bien cuire un quart de bière simple (bière brune) avec un peu de cumin et quelques petits morceaux de vieux pain. Faites passer, faites cuire encore une fois avec un petit morceau de beurre et un peu de sel, délayez un œuf et un peu de farine de pommes de terre. Avant de servir, mêlez dans de la bière froide. »

grande de ne point les voir exploiter de nos jours. Il est fort heureux que le précieux livre soit resté, revenu plutôt, entre mes mains, sans doute pour me consoler d'inévitables, multiples et douloureux renoncements...

Tous ces éléments disparates, matériaux à penser dont on ne saurait livrer ici qu'une énumération bien incomplète, peuplèrent longtemps mes apparents sommes de leurs démonstrations véhémentes, silencieux et incohérent tumulte qui s'orchestra très vite, sous l'irrésistible férule d'un « chef », d'un maître de ballet, d'un « ensemblier », eût dit Giraudoux, figure prestigieuse surgie du tréfonds de mes puériles démences. C'était à la fois mon Tintin, mon James Bond, mon Davy Crocket, mon Robin des Bois. Il avait nom Jésus.

Oui ! Jésus-Christ. Mon champion, mon grand bonhomme, mon idole ou presque. Mais pas du tout dans le sens où l'on pourrait l'entendre. En moi s'était construite – toute seule, est-ce que l'on « construit » un rêve ? – une notion de Jésus bien particulière : le Gros Malin de première bourre – à cela ne voyez pas malice –, le Coïonneur trismégiste, le Mystificateur-maison à l'échelle la plus grandiose. Tout ça à cause des livres trouvés chez grand-mère. Enfoncé le *prestidigifarceur* du musée Grévin ! Son eau changée en vin ne pouvait être buvable : celle du Christ, si ! D'une main guérir un aveugle et d'un sourire un sourd, d'un pied faire surgir des milliers de poiscards inconnus au bataillon, de l'autre glisser pénard sur les eaux de Tibériade – et les petits pains ! Et la tempête apaisée !... Et l'Ascension !... Vous m'avez contredit, démenti, humilié, maltraité, torturé, crucifié, enseveli, inhumé : par là-haut la bonne soupe ! On vous enquiquine, filez-moi donc le train si vous en êtes capables ! Un fortiche, on vous dit ! Voilà l'idée que depuis ma cinquième année je m'étais faite du Christ. Sans autrement me pencher et m'attendrir sur la fuite en Égypte, le jeûne dans le désert, la Passion et ce que vous savez de la suite. Un mec comme ça, on lui fait confiance, non ?... Donc, j'ajoutais quotidiennement une nouvelle séquence à ma cinémathèque secrète, où seul Jésus tenait lieu de héros central. Je lui attribuais indifféremment les exploits de Samson, de David, de Persée, de Bellérophon, de Pierre le Grand, du baron de Crac. On en aura passé, avec mon copain Jésus, de fameux quarts d'heure…

Il n'en fut pas de même avec un autre personnage aussi peu glabre que le premier, mais particulièrement assommant à mes yeux. Il s'agit de Jean Jaurès, dont on faisait grand cas chez nous. Quand papa et mes oncles, souvent réunis au cours d'après-dîners prolongés, évoquaient « leurs guerres » respectives – Verdun, la cote 306, la ferme du Prieuré, et surtout Salonique, Monastir, les Dardanelles, ô l'Orient ! – j'ouvrais des esgourdes en forme de soupières. Mais le démon de la « chose sociale » habitait les consciences des trop honnêtes beaux-frères. Et même les femmes s'en mêlaient. Quelqu'un lâchait un mot comme « délégué », « parlementaire », « Dreyfus » – et c'était foutu. La converse virait sur un tas de machins poussiéreux, abstraits, interminables, auxquels bien sûr je n'entendais goutte. Bien à regret j'allais me pieuter. Jaurès, Jaurès et encore Jaurès. Sa photo partout, en sous-verre (elle faisait pendant à celle, outrageusement laide, de Louise Michel), en cartes postales, même en médailles et en insignes fétiches. Je lui en voulais comme il n'est guère possible. Et je m'efforçais de dormir bien vite, pour rejoindre mon Jésus à moi. Avec lui, au moins, on ne s'ennuyait jamais.

… Ce jeudi-là, puisque nous y sommes, je dus chausser mes souliers bas à bouts vernis, soigneusement briqués, et revêtir certain costume marin complété d'un béret à pompon rouge, cadeau de tante Dumas (que j'eus longtemps envie de tuer). On me recommanda d'être « bien sage » – ça n'annonçait rien de folichon – et l'on m'expédia chez mes oncles, qui habitaient porte à porte. Ils n'étaient pas seuls. Se trouvaient là, entre autres personnages depuis longtemps fondus dans le décor, trois figures familières : Victor Griffuelhes (encore un barbu), Pierre Laval et Léon Jouhaux, lequel incontinent me percha sur ses vastes épaules. Tout ce monde sapé sur son trente et un. La cohorte, discutant ferme, traversa la Seine et gagna la place du Panthéon. Barrage de flics (on disait encore : des *tringlots*), qui nous frayèrent le passage : car c'étaient « nous » les Officiels.

Une estrade à baldaquin rougeoyait auprès d'un monument drapé que l'on allait « inaugurer » tout à l'heure. La statue de Jean Jaurès, en redingote, penché sur une table de cuisine, sourcils au ciel, œil dans le vague, barbe au vent, légendaire cou de taureau, main droite grasse, paume en l'air, tendue et convaincante. Malgré mon âge tendre, cet affreux bidule me choqua comme je ne saurais dire. Fort heureusement il ne s'agissait que d'un « projet définitif », un plâtre patiné (tu parles) pour la circonstance, dont on tirerait plus tard la réplique en bronze. Ouais. Vinrent les discours.

... Entre-temps, du haut de mon observatoire (les épaules de Jouhaux), j'avais repéré, en me marrant, le manège d'une petite bonne femme sans âge, très menue, très effacée, tout de noir fagotée, dépourvue du moindre carton d'invitation et qui s'était faufilée parmi les gens « importants » (ou persuadés de l'être). Assise sur un coin de banc, elle se tenait, attentive, tendue, trois rangs derrière nous.

Jouhaux, le premier, y alla de son pathétique. Lui succéda un bonhomme qui lui arrivait à mi-poitrine, un bonhomme sec, saccadé, visiblement irascible, abondamment moustachu. Il se mit à palabrer, avec de grands gestes. C'était François Albert, compagnon et disciple du Grand Homme, dont je me fous de savoir s'il se trouvait, à l'époque, ministre du Travail en exercice ou en puissance [1]. Le boniment fut long, long, cela

---

1. François Albert eut à affronter, toujours dans les années 20, un véritable « tortionnaire », en la personne de l'hénaurme Léon Daudet. Lequel, depuis son banc, à la Chambre, interrompait les revendications vociférantes de notre moustachu de gôche, en ces termes :
— Voui, voui, mon lapin !
— ... Monsieur le Président, je voulais vous demander l'autorisation d'emporter tout à l'heure, sous mon bras, ce monsieur, pour faire rigoler mes enfants !

importunait mes oncles, lesquels itou devaient intervenir. Enfin ! Péroraison. Voilà le François Albert, emporté, transporté, plus volubile que jamais, improvisant un « parallèle » entre Jean Jaurès et – qui ? on vous le donne en mille ! – Jésus, Jésus, mon pote le Christ ! Rien que ça !

Inquiétude dans l'auditoire. Un ange passe (c'était bien le moins).

… Alors, alors, une petite voix féminine, incroyablement haut placée, sifflante, vengeresse, joyeusement méchante, se coule, s'insinue, se vrille, impitoyable, dans toutes les oreilles à portée : « Le Christ, i t'emmmaaairrrrde ! »

J'ai eu juste le temps d'apercevoir la petite bonne femme en noir se carapatant au plus épais de la foule, avec une adresse de musaraigne. D'une musaraigne contente de soi, et qui eût ri comme Rabelais savait rire. C'est une hilarité incoercible, une gaieté d'enfant fou qui envahit et secoua mon petit corps, pour la consternation de mes oncles, l'indignation de Laval, la colère impuissante, désespérée, honteuse, de Jouhaux – alors que Griffuelhes, qui pontifiait quelque peu, soupçonna le « coup monté », j'ai su cela beaucoup plus tard. Les réactions extrêmement diverses d'un public « convaincu » mais goguenard comme on ne l'est plus guère avaient frappé de mutisme, d'hébétude, l'orateur à bacchantes, tandis que le faux Jaurès sur son faux piedestal, avançant sa fausse main, désignant le parterre grouillant et houleux, semblait, lui aussi, s'indigner : « Non ! Mais contemplez-moi cette foutraille ! »

… Il n'y eut pas d'autres discours. La « statue » précaire, enlevée le soir même, ne fut pas confiée au Dépôt des Marbres. Moi, débordant de joie interne, je fus ramené, *manu avunculi*, à la maison. À la maison où, de ce jour, ne revinrent plus Pierre Laval ni Léon Jouhaux.

… Sur mes quinze ou seize ans, j'eus connaissance des dernières paroles attribuées à Julien l'Apostat, l' « Empereur malgré lui » du Palais des Thermes : « *Tu as vaincu, Galiléen !* »

… Une fois encore, je n'ai pu m'empêcher de me marrer.

L'anecdote qui précède ne présente que peu de rapports – du moins à première vue – avec l' « esprit » des *Enchantements*, fera-t-on observer.

Eh bien ! pardon : si. Vous en conviendrez plus loin.

J'interviens à travers ce livre beaucoup plus comme un *témoin* (dans le sens anglais, à la fois plus large et plus précis, de *witness* [1]) qu'en tant qu'affabulateur uniquement soucieux des chimères par lui suscitées – mais tôt ou tard liées à leur destin, éminemment stérile, de chimères.

Le sérieux avec lequel le présent ouvrage fut accueilli et commenté m'impose, de façon définitive, une attitude d'honnêteté rigoureuse – ce qui d'ailleurs ne me gêne nullement. Dans ce qui va suivre, on n'aura pas à démêler le vrai du faux. L'auteur a levé la main droite…

RETOUR QUAI BOURBON

On vous aura conté (cf. p. 147) l'histoire des coups du sort successifs qui s'acharnèrent sur le pont Saint-Louis, « maléficié » par les Boesmiens, en pleine guerre de Cent Ans [2]. Il manquait un détail – un prolongement – que voici tout cru.

22 décembre 1939, Beuvillers en Lorraine, 46e d'Infanterie, La Tour d'Auvergne est mort au champ d'honneur, ah là là quel malheur. La « drôle de guerre » bat son absence de plein. À défaut de tutupanpan, la troupe est « occupée » à des travaux de terrassement. Des tranchées comme autrefois, *renforcées* (!) de lignes de repli. Faut tout prévoir. Tarif imposé : un mètre cube de terre remuée par homme et par jour. « Surtout, ne les fatiguez pas trop », avait dit le colonel, à qui Votre Ser-

---

1. Ne m'en veuillez pas, professeur Étiemble ! Mais quand fondera-t-on l'Académie franglaise ?

2. J'ai tiré de ceci, en 1963, l'argument d'un film télévisé : *Paris des Maléfices*, réalisateur Claude Dagues, avec la précieuse et pertinente intervention d'Armand Lanoux.

viteur tenait lieu de secrétaire fidèle, attentif et assoiffé (en même temps qu'éminent directeur du *Ballonnet, journal du front*). C'est dans ces conditions que, très simplement, j'ai appris ceci : un soldat d'origine italienne, nommé Victor Lolli, marié et père de famille, va trouver l'adjudant faisant office de chef de chantier.

– Je n'ai pas le caractère ouvrier ce matin, qu'il fait. Suis pas dans mon assiette. Une journée de « congé » …

– « … Un coup de bourdon », pense le juteux, compréhensif. Voyons, qu'est-ce qui se passe, mon vieux ?

– C'est idiot. Juste avant d'être mobilisé, je faisais des travaux d'ébénisterie chez un antiquaire de la rue Saint-Louis-en-l'Isle. Trois ou quatre fois par jour, j'empruntais le pont qui mène à la Cité. J'aimais ce quartier, qui est chouette. Eh bien, cette nuit, ce matin plutôt, vers les cinq heures, j'ai fait un cauchemar, moi qui ne rêve presque jamais : « mon » pont qui tombe dans le jus. Comme ça, tout d'un coup. Je sais bien que ce n'est pas possible, mais chez moi, depuis, ça ne tourne pas rond. J'ai comme qui dirait le vertige, comme… comme envie de vomir.

– C'est bon. Allez vous promener, écrire chez vous… Mais ne vous montrez pas trop…

Je fus mis au courant le jour même et, je l'avoue, cela m'inquiéta vaguement, mais sans plus. Faut être logique, bonsoir !

… Et le jour de Noël, une lettre de Paris m'apprit, avec détails, ce qui s'était passé. Lolli, c'était indiscutable, en avait eu la vision exacte et *simultanée*. Cela s'appelle un cas de *percipience*. C'est extrêmement rare.

Plusieurs anciens camarades, retrouvés depuis, se souviennent fort bien de ce qui vient d'être rapporté, et en témoigneraient volontiers. J'ajoute que, de nos jours encore, l'écroulement subit du pont Saint-Louis (une seule victime, une femme que je voudrais bien identifier) est considéré par les spécialistes beaucoup plus comme un « phénomène » que sous l'angle d'un accident, parce que échappant à toute explication rationnelle.

... Avoir observé, entériné, serait-ce une seule fois dans le cours d'une vie, un fait de cette nature, soupçons de tous ordres et surtout de supercherie étant exclus, confère à ladite vie un sens, un *poids*, qui la transpose, l'exhausse, *la magnifie*.

... «*Entériner*», c'est-à-dire : enregistrer, authentifier, « digérer » des témoignages de cet ordre, qui interviendront désormais comme facteurs déterminants dans la comptabilité (plus ou moins subconsciente) de notre économie mentale, où l'on raisonne beaucoup par « élimination » (à l'instar de Dame Nature), cela implique une *prise de conscience* (et, partant, de responsabilité) proprement exaltante dans ses imprévisibles aboutissements.

En 1944, dans le développement d'un *récit de guerre* qui n'eut pas l'heur de plaire à tout le monde (d'ailleurs c'était fait pour ça, mission accomplie), je hasardai la « parabole des fourmis » (vous voyez, *mon pote le Christ...*). Oyez donc :

LA PARABOLE DES FOURMIS

C'était en juin 1940, après la débâcle des Ardennes. Au milieu d'un nuage d'insectes, une poignée de blessés sanguinolaient sur les dalles d'une église transformée en *Kriegsgefangenenlazarett*. Je m'y trouvais, mouché comme les autres. Auprès de moi, un jeune Noir d'une beauté craintive et souple, à la fois panthère et gazelle. Il compte son âge en lunes. Ça doit faire dix-huit ans. Sa plaque porte ce seul nom : « Congo », et un matricule. Il lui manque un pied.

Un Kabyle, à qui il manque un œil, se prend à déclarer, sans acrimonie aucune, qu'en faisant le total de toutes les victimes possibles de la malaria, des tsé-tsé, de la peste, de la lèpre, de l'éléphantiasis, des guerres entre tribus, des sacrifices religieux, que la domination européenne avait sauvées, en Afrique et ailleurs, on n'arriverait pas au dixième du nombre des nègres,

Arabes, Indous, Chinois et autres massacrés pour une cause qui devrait leur être parfaitement étrangère – pour une cause d'ici.

Et le voilà qui s'emporte : il affirme que, malgré tout, la guerre juste est une institution d'Allah, et les gens qui répudient l'idée même de la guerre sont dépourvus de coïllons au figne, ou bien s'ils en ont, c'est seulement de temps en temps, et pas toujours les mêmes.

Quelqu'un s'indigna. Congo prit alors la parole : « Toi pas vouloir guerre. Toi peux rien faire. Moi savoir. »

Et il nous raconta à peu près ceci :

– Chez nous existent des forêts où il fait si sombre, tant sont épais les feuillages, que les bêtes qui s'y trouvent craignent d'affronter les rayons du soleil. Leurs yeux s'y brûleraient. Mille sortes de bêtes peuplent nos forêts : les fourmis surtout sont légion. On en trouve de noires, d'une taille inconnue ici, qui édifient de véritables forteresses, plus hautes que nos cabanes : et elles y font un tel bruit, avec leurs pattes et leurs mandibules, qu'on les repère de très loin. Les fauves eux-mêmes en détournent leur route.

» Et puis, nous avons la brousse, où tout est jaune et desséché par un soleil impitoyable. La brousse est peuplée aussi de fourmis rouges, celles-ci, qui sont d'une audace et d'une férocité effarantes : elles s'attaquent même à de gros serpents qu'elles commencent par aveugler et qu'elles dissèquent ensuite, méthodiquement, afin de les enterrer et d'en faire des provisions pour l'époque des pluies.

» Or, il arrive que de temps en temps, après des périodes de paix irrégulières, qui vont de plusieurs semaines à plusieurs années, les fourmis noires et les fourmis rouges – elles n'ont rien à se disputer, ni leur gibier, qui n'est pas le même, ni leur habitat, les unes et les autres mourraient si elles devaient quitter peu ou prou leur élément de lumière brûlante ou d'ombre tiède – se mettent en guerre. Il semble alors qu'elles conviennent à l'avance d'un champ de bataille commode, presque toujours une clairière, auprès d'un ruisseau ou d'un marais.

Les oiseaux, « prévenus » (?), attendent le festin. Au jour dit, les « soldats » de l'un et de l'autre camp se mettent en marche, lentement, puissamment, jusqu'au lieu fixé : les noires portent des folioles dont elles se servent comme de parasols afin de se garantir contre les insolations possibles.

» Et seuls, affirme Congo, nos devins et nos sorciers savent prévoir, avec précision et longtemps à l'avance, les dates des batailles de fourmis. Ils lisent cela dans le ciel, dans la fumée, dans la cendre, et ne se trompent jamais. Alors que les fourmis, elles, ne doivent rien savoir ni rien comprendre, rien d'autre que l'ordre jamais discuté de détruire et de se faire couper en deux, par millions.

» Vous, les Blancs, conclut-il, c'est « pareil les fourmis ».

» Vous obéissez à des ordres qui vous viennent vous ne savez d'où, et que seuls vos devins et vos sorciers – si, vous en avez, mais pas semblables aux nôtres, et ils ne se démasquent pas toujours – peuvent prévoir, attendre, et dont ils sont en mesure d'observer, sinon d'éprouver, les conséquences. Mais sans jamais les conjurer. Allez, vous n'êtes pas plus forts ni plus malins ni plus « libres » que les bêtes de la brousse.

La plaie de Congo tardait à se cicatriser. La gangrène s'y mit. L'enfant noir mourut sans une plainte, sans le moindre regret apparent, début juillet. Il fut inhumé à Nogent-sur-Seine. Je fus juste assez valide pour accompagner les « hallebardiers » de fortune qui le mirent en terre, sous l'œil encore plus étonné que méprisant des sentinelles allemandes. Tant de précautions, tant de respect pour le cadavre d'un Noir ! Inconcevable...

Il n'était ni chrétien ni musulman. Un pur fétichiste. Durant le court moment de mon adieu muet, je sentis monter de moi, en un élan inconnu, une prière sauvage, informulée, sollicitant je ne saurai jamais quoi au juste de la part d'on ne saura jamais quelle obscure et primitive déité. Mais Congo n'était pas *parti seul*, c'était là l'essentiel. Je l'avais veillé, « couvé » jusqu'à son dernier souffle, et j'étais alors bien loin de me douter que seize ans plus tard notre amitié (instinctive beaucoup plus que solidaire ou complice) porterait ses fruits, en conférant à la *parabole des fourmis* ce que nous pourrions nommer sa *pragmatique sanction*.

Depuis quelque trente années, chaque fois qu'il m'arrive de participer à tel ou tel événement insolite, ou bien de l'observer de près, l'occasion, toujours « extérieure », toujours fortuite, s'offre *comme par hasard* de « marquer le coup » en publiant un témoignage tout frais, mais *durable*, dans quelque feuille amie. C'est ainsi qu'en octobre 1955 je confiai à la revue *Bizarre* des éditions Pauvert une étude intitulée *Univers Virgule Cinq*.

J'en détache ce qui suit.

LE GRIOT
PASSEUR D'ÂMES

Mon ami Yaya Bafoundé est congolais et contremaître métallurgiste. J'ai rencontré ce printemps la jeune femme (blanche) qu'il épousa ici voici quelques années. Ils ont d'adorables bambins café au lait.

– Je reviens d'Afrique, me dit la jeune maman, où j'ai passé un an entier dans le village de A…, berceau de ma belle-famille. J'y habitais, comme tout le monde, une ruche de terre battue. Les gens de la tribu de mon mari vivent entièrement nus. Cela ne m'a pas choquée. Moi je portais un « boubou » léger, et personne n'y a trouvé à redire. Vous ne pouvez pas vous faire idée de l'honnêteté (au sens ancien du terme), de la gentillesse, de la délicatesse, de l'intelligence et de la pudeur ombrageuse de ces êtres qu'il nous faut *comprendre* beaucoup plus que dominer. Seuls sont astreints au service militaire les jeunes gens qui savent compter jusqu'à cinq (la plupart s'arrêtent à trois – ou font semblant). Mais ils n'ont pas besoin de ça. *Ils savent tant d'autres choses.* Tenez, voici une lettre récente de mon beau-père. Et sa photo. (D'un pouce pudique, elle en dissimulait le zigouigoui.) Quatre pages charmantes, des phrases affec-tueuses, bien tournées. Pas une faute d'orthographe.

– Ma belle-mère est morte avant-hier, je ne sais pas encore de quoi. Je l'aimais bien. Ça me fait de la peine.

– Avant-hier, dites-vous ? Comment avez-vous appris cela si vite ?

– Ah ! je croyais que vous étiez au courant. Le devin, voyons… Le griot…

Yaya, pourquoi me caches-tu tant de choses ? Je voudrais que tu me dises…

– Yaya s'est fait tirer l'oreille. Mais je ne l'ai pas lâché. Je n'ai pas perdu mon temps.

– Les nouvelles ? Parbleu. Mais il y a des centaines de devins comme ça dans Paris. Tout le monde sait cela, voyons…

– Yaya, il faut que tu m'apprennes encore…

… L'ancien griot devenu manœuvre chez Gnome et Rhône s'est placé en état de transe. Le soir violâtre a transformé la place de Rungis en décor dramatique pour film muet. Accoté au bastingage de la passerelle, le Noir tire d'une énorme pipe conique de petits nuages de fumée blanche, très denses, très lourds. D'autres Noirs affirmeront qu'au même instant, dédoublé trois ou quatre fois, le même homme accomplit le même rite en d'autres points de la périphérie parisienne : quai de Javel, à Billancourt, sur le Rond-Point de la Chapelle (« Bilocation », ô Robert Amadou ? …).

Les herbes odoriférantes consumées dans la pipe magique furent cueillies au Sénégal, en Guinée, au Congo, au Dahomey. Leur combustion réveillera les esprits de tous les Noirs déraci-nés, arrachés aux paillotes, aux cubes de pisé, aux mortiers à mil, et venus mourir ici. Tout à l'heure, dans une cave pro-fonde du quartier Saint-Séverin, quarante torses de jais et d'ébène frémiront en cadence, au son des tam-tams improvisés – des jerricans, des gamelles, des bidons de soldat – et l'incantation lancinante durera toute la nuit. Un missionnaire de ma connaissance, le père Germain, m'a donné du chant rituel la traduction que voici :

> *Balam Balaam Balalaam Bam Bamm*
> *Frères de nos frères, pour cette nuit ressuscités,*
> *Que sur les pirogues de nos mémoires*
> *Vos âmes naviguent...*
> *Balam Balaam Balalaam Bam Bamm*
> *Oncles de nos oncles, que les nôtres restés au village*
> *N'oublient pas de vous faire l'offrande*
> *De votre part des récoltes...*
> *Balam Balaam Balalaam Bam Bamm*
> *Pères de nos pères, nous vous sommes fidèles*
> *Nous vous ramènerons au pays*
> *Et vous donnerons en cadeau de retrouvailles*
> *Toutes les plantes de la forêt, balam, balalaamm...*

Ceci n'était que le début d'une cérémonie à laquelle le P. Germain et moi étions les seuls Blancs admis, par faveur très exceptionnelle. Je n'avais retenu jusque-là que *l'intention poétique* de cette... démarche incantatoire. Mais il s'agissait, en fait, d'un prélude destiné à « chauffer » les participants.

La suite fut autrement troublante.

Le centre de la cave ressemblait à une piste, sur quoi l'on avait répandu du sable et de la sciure. Le griot s'y élança.

Nu, à part, autour des reins, une toile roulée. Il y pendait de petits sachets, des griffes de félins et différents gris-gris, plus deux grelots.

Son visage était peint de motifs symétriques, rouge vif cerné de blanc. D'un blanc si éclatant qu'il semblait lumineux dans cette pénombre. Autour du nombril était tracée une spirale double, généralement en blanc et rouge.

Le corps, plutôt petit, nerveux et de proportions harmo-
nieuses, ondulait et frémissait à la fois, bras levés, tête rejetée
en arrière. L'assistance, cessant de prononcer des choses intelligibles, émit une suite de vocalises rauques : un leitmotiv à
quoi faisaient écho d'étranges répons, le tout scandé selon un
rythme proprement envoûtant, « désagrégeant » pour tout dire.
On se sentait fondre, dissoudre, miner d'en dedans (je pensai
au Tzigane médiéval, à la Vierge brune de Saint-Aignan).

Le griot trépignait en cadence. Il était agité de soubresauts
spasmodiques, comme si son corps eût voulu se débarrasser
par en haut d'effluves surgis du sol. Ses tremblements pouvaient être comparés à ceux d'un ataxique dangereusement
éprouvé.

Les visages des Noirs qui constituaient l'« orchestre » (une
bonne trentaine) devinrent progressivement tendus, agressifs,
méchants, féroces, avant de se « recomposer », de s'assagir, de
s'affiner, de témoigner d'un « calme » quasi hiératique, mais
de cette sorte de calme *qui n'est pas d'ici :* ils vibraient, eux
aussi, de cet imperceptible tremblement « qui fait bourdonner
les choses ».

Phénomène que l'on pourrait rapprocher de celui, assez
effrayant, constaté parfois en haute montagne, quand le piolet
d'un alpiniste surpris par un orage naissant se couvre
d'aigrettes et se met à émettre des « sons qui n'en sont pas ».

Dans le même temps, le griot avait commencé de tourner
sur lui-même, comme une bayadère, comme un evzone,
comme un derviche, comme une toupie.

Épuisé, il s'écroula, face en avant, sur la sciure du sol.

Alors commença l'épreuve. L'épreuve de *percipience provo-
quée*.

À tour de rôle, les Noirs (les plus âgés en premier lieu) pro-
nonçaient des paroles brèves auxquelles, bien sûr, je n'entendais goutte, mais où, par la répétition de certains vocables, je
crus discerner des noms de lieux ou de personnes. Le griot, à
plat ventre, les bras en croix, *répondait* d'une voix haletante,

saccadée, lointaine. Là encore, une voix *venue d'ailleurs*. Aucun des « poseurs de questions » n'intervint plus d'une fois. L'« expérience » dura plusieurs heures. Mais ni le prêtre mon ami, ni moi ne voyions filer le temps. La voix du griot devenait de plus en plus faible, comme si cet homme immobile eût dépensé d'immenses sommes d'énergie dans son état d'apparente inconscience.

Le Noir qui semblait faire fonction de maître de cérémonie – cheveux blancs, visage buriné, apparemment très vieux, leva les deux mains. C'était un signal.

Alors s'accomplit l'une des *opérations* les plus extraordinaires qu'il m'ait jamais été donné d'observer.

Les différentes caisses de résonance improvisées (pas d'instruments appropriés, pas de tam-tam classique) frémirent et se mirent à gronder sous la galopade savante de doigts inspirés. On reprenait en sens inverse ce qui s'était passé au début – ce qui avait eu pour objet, et pour effet, de « vider » le griot de son entendement, de sa conscience subjective. Il *fallait* les lui rendre. Il fallait le *ramener sur terre*, un peu comme on exécute des passes de bas en haut, et qui s'écartent à hauteur des yeux, pour « réveiller » un sujet placé en état d'hypnose. Ce fut long et pénible. Tous les participants à ce « repêchage » déployaient visiblement de puissants efforts psychiques. « Repêchage »? … *Arrachement* plutôt, et de quel gouffre ! le rythme des percussions s'était ralenti ; les paumes étaient intervenues, en même temps que des cris gutturaux – des cris d'« encouragement ». À ma gauche, je remarquai un Noir très gras, d'un groupe ethnique qui tranchait nettement sur celui (ou ceux) des autres. Il peinait avec la même ardeur, la même foi concentrée. Son visage, son cou luisaient, baignés de sueur. Une cicatrice circulaire, profonde, « accidentelle », entamait ses larges lèvres.

… Enfin le corps étendu du griot parut s'assoupir – se ramasser – se détendre. Il se tordit comme une ficelle dans une poêle à frire. Deux de ses robustes congénères le saisirent chacun par une aisselle et le mirent sur pied. Il flageolait. Il secouait la tête. Littéralement anéanti. Les autres l'habillèrent avec grand soin. Et la compagnie se dispersa. L'escalier que nous empruntâmes donnait sur un couloir longeant le café par où nous étions entrés. C'était l'aube. Ses gardes du corps enfournèrent le griot dans une voiture qui disparut à fond de train.

Le P. Germain et moi marchions en silence dans les rues désertes.

La place Saint-André-des-Arts et l'incohérence, la naïve impudeur de ce pâté d'immeubles éventré, depuis 1840 les tripes à l'air.

La rue Hautefeuille et la tourelle des abbés de Fécamp, là où dort et veille l'énigmatique Sirène (mais qui sait cela ?). Au bout d'un moment, le prêtre :

– … À part l'étonnement, l'effet de surprise prolongée… n'avez-vous rien ressenti de spécial ?

– Si. Pour la seconde fois dans ma vie, j'aurai fait l'expérience du *vertige*. Perte d'équilibre, attirance du vide. Avant, je ne savais pas.

– Racontez, Racontez tout.

– … On m'avait dit, j'avais lu que le vertige existait. Sensation par moi jamais éprouvée, même en rêve. Dans ma jeunesse, je me suis livré, pour la provoquer, aux plus imbéciles audaces : marché sur les entablements de la cathédrale de Chartres, sur les créneaux de Chambord ; rampé en plein vol dans le haubanage d'un Morane bon pour la casse ; tenu debout en à-pic sur des falaises, sur des corniches de montagne au-dessus du Val d'Isère, là où ça ne pardonne pas. Rien. Et puis, il fallut la Libération. Septembre 44. Oubliant que j'étais « encore » militaire, je repique au journalisme. Un jour Albert Bayet m'envoie interviewer le préfet de police de l'époque : M. Luizet. Alors que je n'avais fait l'objet d'aucune recommandation spéciale, ce haut personnage me reçoit dans ses appartements, avec une courtoisie et même des prévenances parfaitement hors de proportion entre son état et le

mien. Ce fut d'abord rigolo, très vite barbant, et puis inquiétant. L'entretien était à ce point digne d'intérêt que j'ai totalement oublié son prétexte – ce qui n'est guère dans mes
habitudes. Or, pour déférer auxdites habitudes, j'avais
demandé au préfet la permission de tirer de son visage un cro-
quis rapide, histoire d'illustrer mon « papier ». (C'était surtout
pour couper court.) Il y en aurait pour deux minutes. Je nous
y revois : moi debout, carnet et sanguine en main. Le préfet,
pensif, assis sur un sofa auprès d'un chien dormant. (Un chien
au pelage long, soyeux, très brillant et de couleur blanc rosé :
nulle part je n'ai vu bête pareille.) Je procède, comme d'habitude, à une mise en place rapide ; et, dans l'intention de ne pas
m'éterniser, je contemple mon modèle avec une attention plus
soutenue, plus *concentrée* qu'à l'ordinaire. J'eus alors le sentiment, la notion, presque la vision, d'une plaine, d'une steppe,
d'un territoire illimité, vide de tout, désespérément plat et
blanchâtre, en même temps que l'impression de chuter à la
verticale, comme dans un ascenseur décroché. Je suis devenu
blême, près de défaillir. Le préfet s'en est aperçu : – Ça ne va
pas ? – Oh ! j'ai fait, ce n'est rien, un peu de fatigue…

» … On m'offrit un whisky carabiné, et je m'empressai de
prendre congé. Peu de jours après, le préfet Luizet succomba
à un mal foudroyant dont la nature reste mystérieuse. Dans les
heures qui suivirent la mort – je ne sais pour quelles raisons,
on lui ouvrit la boîte crânienne.

» *L'encéphale était entièrement liquéfié.*

Le P. Germain voulait son compte. Il insista.

– Et cette nuit ?

– Cette nuit, ce fut tout différent. À la réflexion, ce n'est
même guère comparable avec la… la première fois. Il y avait
d'abord le décor, l'« ambiance de cave » qui, certes, devrait
m'être familière, mais je ne suis guère accoutumé, du moins
dans Paris, à un dépaysement aussi total. Surtout avec des
Noirs. Alors que les lignes mélodiques, les accords, les rythmes,
particuliers aux Gitans – aux Juifs aussi d'ailleurs, lorsqu'il

s'agit de leur lointain folklore –, donnent à penser, à rêver, à extrapoler (c'est-à-dire : à *reconstruire*), les cadences sonores spécifiquement nègres[1] dont nous fûmes dès hier au soir les prisonniers, presque les *victimes*, incitent et invitent à un abandon total, à un « oubli de soi » qui rejoint, et fort dangereusement, l'effet de certaines drogues paralysantes. Moi, j'ai l'impression, maintenant que nous recommençons de « respirer », d'avoir été pris en traître. Tandis que vous, un vieil Africain...

– Ho ! hou... ne vous emballez pas. Quelqu'un[2] a écrit : *Il n'y a pas de connaissance de la Russie. Il y a seulement divers degrés d'ignorance...* j'en ai autant au service de l'Afrique, où j'ai passé un bon demi-siècle. Revenez-en donc à votre « vertige », puisque vertige il y a.

– ... Ce ne fut pas désagréable. Mais étrange, étrange incroyablement. Quand les incantations ont commencé, je crois avoir « plongé » très vite : on est bon public ou pas. J'ai dit : *plongé*... cependant il ne s'agissait point d'une chute verticale. C'était latéral. C'est ça : *latéral*. Je me déplaçais « à l'horizontale » dans le temps et dans l'espace, irrésistiblement, à une vitesse folle, moi « voguant » dans un sens et la planète dans l'autre *(si cela se fût passé quelques mois plus tard, j'eusse employé des mots tels que : « satellisé » ou « spoutniqué »)*. Je remontais des millénaires, envahi d'une sorte d'apaisement barbare d'une volupté quasi animale (et non pas : *bestiale*) encore jamais éprouvée. Sous la sujétion absolue du griot en état de transe, je me sentais impérieusement, indissolublement lié à tous ces Noirs réunis. Pour employer une expression très galvaudée : j'étais branché *à mort* sur leur longueur d'onde. C'est seulement maintenant que, délivré de cette emprise, je ressens un malaise. Exactement : une *peur rétrospective*. J'ai déjà connu cela, ô combien ! Mais je ne sais

---

1. Surtout, surtout, que ce mot (cet *adjectif*) employé ici, n'offusque personne ! On s'est compris !
2. Paul Winterton (USA).

pas, aujourd'hui, en cette occurrence précise, ce qui déter-mine, ce qui justifie ce sentiment de peur, de peur réelle. Cette nuit, j'aurai *risqué gros*, c'est sûr, mais j'ignore *quoi* au juste…

Le P. Germain se fit grave.

– Vous avez risqué plus que votre vie, énonça-t-il, alors que personne ne vous voulait le moindre mal.

– J'aimerais comprendre…

– Vous leur avez tenu lieu de *support*. De point d'appui et de port d'attache. Ici, les gens diraient volontiers : de médium. C'est cela et ce n'est pas cela.

– On s'en doute… les « médiums » dont j'ai eu connais-sance, ceux que j'ai interrogés, sont d'ordinaire réputés capables (hum ! …) de placer les vivants que nous sommes en *communication* (re-hum ! …) avec un certain au-delà peuplé d'entités macabres, défunts récents ou lointains guère débar-rassés de leurs petits soucis et rancunes terre-à-terrestres – sans parler de leurs moyens d'expression plutôt… suspects… Moi je crois fermement à une autosuggestion primaire, à l'imagination affective des simples… En tout cas, je refuse de convenir avoir assumé le moindre rôle, conscient ou non, d' « intermédiaire » entre des vivants et des morts…

– Rassurez-vous : pas question. Votre « présence », à la fois physique et psychique, fut utilisée en même temps comme… comme un écran et comme un crible. De vous, de votre sub-stance, on a prélevé, aspiré, *pompé* une certaine somme, une certaine sorte d'effluves participant du mental, énergie dont jusqu'à nos jours la « nature » échappe aux investigations de nos scientifiques.

– … En somme, c'est un vol avec effraction ! Mais dans quel but ?

– Permettre au subconscient du griot effondré d' « inventer », en les rendant intelligibles, les phrases que vous avez entendues – sans pouvoir les comprendre. Il répondait aux questions de ses congénères, il donnait des nouvelles de leurs pays respectifs, des nouvelles banales et toutes récentes : naissance, décès en

premier lieu, résultats des chasses, des récoltes. Aussi les céré-
monies, les initiations rituelles des adolescents...

– Mais enfin, pourquoi ces Noirs m'ont-ils choisi, moi plutôt que vous, pour assumer cet... emploi ? Alors que vous sembliez les connaître tous...

– Parce que moi, je ne suis plus assez *neutre*... Depuis bien
des temps je me trouve *sensibilisé* à leur manière de penser,
leurs moyens d'expression (pas tous), leurs échanges...
D'ailleurs je comprends et parle quelques-uns des dialectes
employés cette nuit par le griot, alors que lui-même, *dans son
état normal*, ne saurait en utiliser qu'un, peut-être deux...

– S'agirait-il, là encore, d'un cas de *xénoglossie* ?

– Oui, très caractéristique, et qui plus est : délibérément
provoqué. Le griot eût dû être le seul à présenter ce phénomène. Mais il y eut mieux : quelque chose d'exceptionnel s'est
produit. Il est fort probable que cela vous aura échappé.

– Quoi encore ? Vite, vite.

– Peut-être avez-vous remarqué un homme robuste, placé
près de vous...

– Le type à la cicatrice ? Oui, bien sûr...

– Eh bien ! Il n'est jamais allé en Afrique. C'est un Noir
américain. Il s'est exprimé dans la langue de ses ancêtres (au
moins à la quatrième génération), une langue que « d'habitude » il ignore totalement. Je n'ai pu comprendre la question
par lui posée ; ni ce qui lui fut répondu. Mais j'ai constaté que
le... « courant » était particulièrement puissant.

– Le *courant*... M'expliquerez –vous enfin ce que je ris-
quais, moi le médium, le support, moi l'écran, moi le crible ?

Il prit son temps.

– Je ne puis m'exprimer que par à-peu-près, fit-il. Par
paraboles, ou presque. Il est heureux que votre *tonus* ne vous
ait pas abandonné, et que vous disposiez d'une tête bien en
place. Vous eussiez pu faire l'objet d'une... d'une *décon-
nexion*, d'un relâchement psychique impossible à redresser.
Vous eussiez vécu désormais *à l'étage au-dessous*. À demi

absent de vous-même. Votre existence n'eût plus eu de portée, de poids, de sens. *Comme une pendule qui tourne à vide...*

Quelque temps après, un soir très tard, j'allai prendre le vent du côté des Trois-Mailletz. Le bistrot était déjà supprimé. On dansait (on *danse toujours*, ô mon inoubliable pote !) dans les vastes sous-sols. C'est devenu le *Métro-Jazz*. Le nouveau patron tint absolument à me présenter... le Noir à la lèvre marquée d'un sceau circulaire – comme les blasphémateurs du Moyen Âge. Cet homme (il ne parle qu'anglais, et quel !) me reconnut et manifesta une sorte de frayeur. Surtout, surtout, *que ça ne se sache pas !*

Sa cicatrice, c'est la marque de l'embouchure d'une trompette.

Il s'agit de l'un des « grands » du jazz. Son nom est célèbre dans le monde entier. Il m'a fait promettre de ne pas le révéler, et combien je le regrette...

Mardi 25 octobre 1966

Treize heures trente. J'aurai connu, pendant la guerre, de ces heures cruciales. Depuis, la notion de « temps » m'est devenue de plus en plus étrangère. C'est le dernier carat pour mon éditeur. Je ne pourrai vous dire cette fois-ci la « formule » de l'immense joie, de l'inconcevable (pour les profanes) apaisement, des « certitudes » dont je me trouve, moi l'auteur de ceci, moi le témoin, intimement pénétré.

Je dispose d'un quart d'heure.

Je jure de mettre au point, très vite, *Paris ma légende*, suite aux présents propos. Enchaînement y compris. Une bassine à confitures, un objet paysan, en cuivre, « chaudronné » par un mien arrière-grand-père, m'adresse son reproche muet : il y a dedans plusieurs centaines de lettres non décachetées.

Mon chat, mon merveilleux chat blanc, né dans ma commode

voici déjà six ans (c'est lui qui me sert, maintenant, de *medium*), joue avec le bidule, le fait tourner et tournoyer – et puis s'offre un tour de manège. Comme moi en 1919.

Très bientôt l'occasion nous sera offerte de bavarder ensemble. On m'autorise, chez Denoël, à indiquer ici que mes découvertes hebdomadaires sont fidèlement consignées (sous ma plume et mon crayon) dans *l'Auvergne de Paris* cher à Léon-Paul Fargue – pas plus *mort* pour moi qu'André Breton ou Youki Desnos. Et Robert donc, mon merveilleux camarade !

J'élève à leur mémoire un grand cœur balafré – en guise de cénotaphe.

Mais Ma Joie reste. À quoi, et à quoi bon, *croire*, quand on *sait*?

… Après la lecture, pour moi bouleversante, du livre récent de Barjavel : *La Faim du Tigre*, j'avais imaginé une « chute » à la présente postface (pour moi inachevée).

Qu'à cette « chute » on ne se casse pas la gueule (comme on dit dans le monde, toujours).

Voici :

… Nous nous trouvons loin de l'image mesquine, étriquée, d'un Dieu biblique sénile, indécis, masochiste, bêtement vindicatif, injustement cruel, colérique à contretemps, décevant et déçu, suant l'ennui et la médiocrité, bien avant l'heure fatigué de s'être inventé lui-même.

Entendez bien :

> … Rien ne se passe que d'éternel.
> Il n'y a pas eu de commencement.
> Il n'y aura pas de fin.
> IL Y A.

TABLE

Aux Éditions Phébus

Rue des Maléfices, *chronique secrète d'une ville*, 1987 ; Libretto
n° 160, 2004.

Cet ouvrage,
a été reproduit et achevé d'imprimer
en juin 2014
dans les ateliers de Normandie Roto Impression s.a.s.
61250 Lonrai
N° d'imprimeur : 14-02309

Imprimé en France

Dépôt légal : mars 2004